U0898968

[美国] 帕特里夏·奥夫德海德 著　刘露 译

纪录片

牛津通识读本·

Documentary Film

A Very Short Introduction

译林出版社

图书在版编目（CIP）数据

纪录片／（美）帕特里夏·奥夫德海德（Patricia Aufderheide）著；刘露译．—南京：译林出版社，2018.1（2021.3重印）

（牛津通识读本）

书名原文：Documentary Film: A Very Short Introduction

ISBN 978-7-5447-6910-5

I.①纪… II.①帕… ②刘… III.①纪录片－研究 IV.①J952

中国版本图书馆CIP数据核字（2017）第090482号

著作权合同登记号　图字：10-2012-485号

纪录片　［美国］帕特里夏·奥夫德海德／著　刘　露／译

责任编辑　於　梅
责任印制　董　虎

原文出版　Oxford University Press, 2007
出版发行　译林出版社
地　　址　南京市湖南路1号A楼
邮　　箱　yilin@yilin.com
网　　址　www.yilin.com
市场热线　025-86633278
排　　版　南京展望文化发展有限公司
印　　刷　江苏凤凰通达印刷有限公司
开　　本　635毫米×889毫米　1/16
印　　张　21
插　　页　4页
版　　次　2018年1月第1版
印　　次　2021年3月第3次印刷
书　　号　ISBN 978-7-5447-6910-5
定　　价　39.00元

序　言

甘　露

过去，现在，将来，我们都将带着朝圣的心情，面对这样一种影像的表达方式——纪录片，它天生具有一种姿态，在人海中，在时间中不断追寻生命的真相。

我知道，时间是留不住的，记录在一定程度上分解了时间，分解了人对时间的感受。这种感受存在于镜头里他的表情、他的外部活动、他的内心、他与其他众生的关系。镜头常常静静地观望着，不惊扰地拍摄对象，但它总能在观者心里架构出多重的感受。我们相信，我们怀疑，我们对生命个体和群体产生这样那样的认识。也许是因为记录了一段历史，也许是一个生命体，也许是一个现象，也许就是一个建筑，它会在你心里挥之不去。你明了这个世界有了一种证明的方式。证明我们活过。

想问问，正在书店的某个空间，有缘翻开此书的你们：

记录着吗？

你享受过镜头与心同步的快感吗？

你会在不停的取舍中迷失吗？

你会在面对拍摄对象时不知所措，想临阵脱逃吗？

你会在长久的等待中焦虑不安吗？

你会被事实的表象暂时迷惑吗？

你矛盾吗？

你会在拍摄时被一些细节感动吗？

你会在面对喧嚣时沉默冷静吗？

你会在没有得到拍摄对象的理解时一去不回头吗？

你会在举起机器时保持沉默，内心却汹涌澎湃吗？

你会在举起机器的瞬间变得比平时勇敢一百倍吗？

你会在某时某刻内心波涛起伏却还不时提醒自己处变不惊吗？

你会在结束一段长期拍摄后产生莫名的孤独吗？

你会在拍摄对方时不停地观照和审视自己的心吗？

你会在拍摄中怀疑自己和对方吗？

你还会想念镜头那边陌生人刹那的微笑吗？

你会在记录中感受时间分分秒秒地流逝吗？

你会纵容自己去享受拍摄的那一刻吗？

你能控制自己敏感的神经吗？

你会在举起机器时冷眼旁观，放下机器时多愁善感吗？

你想过为谁而拍吗？

摄像机后的你够勇敢，够倔强，够清醒，够自由吗？够从容，够坚强，够善良吗？你能不自恋吗？

在某段生命的时间经历中，你遇上了谁？谁又遇上了你？你们共同为时间写下了证明。

我们明白，纪录片冷静但不是无情。纵然你已经看到最为残酷的真相，你也会在那一瞬间生起最强烈的感动。这是一份可贵的感动，是人生一次最五味杂陈的体验。你记录的不是你的生活，但是，当你随着那些一开始与你毫不相干的人们，慢慢进入了他们的生活时，那种微妙、复杂的感觉，是难以言传的。一开始你没有那么坦然，毕竟是闯入了别人的生活，他们在你的镜头下越真实，越坦荡，你就会在内心升起强烈的想保护他们的欲望。你会数年间从一个简单的人变得很“复杂”，这种“复杂”是因为你承载了太多的感情。

但是纪录片常常是直面现实的。创作者、观众和片子里的对象一起面对，不能逃避。好的纪录片会让你思考，让你感动，跟你一起分享看问题的方式，也会是有趣的。但是再美好的现实后面都有一面镜子。人一反观，就沉重了。这恐怕是另一种完美，是一种被质问的完美，也或者说一直在质问完美。所以，它注定孤独。

终其一生，我们或许才能真正理解记录的意义，即使这样，你还是会一起加入记录的行列吗？

2017年的秋天，我有幸遇到这本书并为它写序，也是因为一句诺言。

其实这是每个人都可以拥有的书，当然前提是他对纪录片感兴趣。还记得我们人生中拥有的第一本字典吗？刚拿在手里时，我们随意地翻开它的任意一页，有了那些关于母语初步的认知。而对于对纪录片感兴趣的你来说，这本书或许也开启了你对纪录片的向往和追随。它探究了纪录片的概念，让我们更明晰世界纪录片发展经历的种种过程，以及看到很多优秀的纪录片制作者因为承诺投身于纪录片，为纪录片的发展做出的贡献，了解到他们的初心。而诸多对纪录片概念模糊而心生困惑的朋友，或许可以在字里行间的阐述中得以释然。

当然，看完它，我更希望你也快乐地投身于纪录片中。或许，这个世界少了一份无情，是因为多了一个记录的你。

目录

前　言

这一关于纪录片的简明读本是为以下读者准备的：喜欢看纪录片、想对这一影片形式有更多了解的人，希望制作纪录片、想了解这一领域及其前景的人，想知道更多关于纪录片的知识并将学到的内容传授给他人的师生们。

《纪录片》这本书采取了如下的结构：先对有关纪录片的核心问题进行概述，再讨论纪录片的子类目。我特别想通过选择某些类别的纪录片，来探讨人们关心的客观性、倡导性和偏见问题，这些问题在纪录片中一直存在，但随着《华氏9·11》的空前热映，它们又改头换面，更加突出。读者可以很容易地为本书选择或者添加其他的类别，如音乐纪录片、体育纪录片、劳动纪录片、日记纪录片、饮食纪录片等。我之所以选择本书中的这几种纪录片，是因为它们是纪录片市场上最常见的类型，也是因为它们提出了与真相和再现现实相关的重要问题。

这种依据主题进行分类的结构，可以让你从最初吸引你的影片类型入手，较容易地接触纪录片这一话题；这样的结构也可以让我联系不同的历史时期，呈现有关纪录片的核心争议——这样的争议从来没有停止过。如果有读者喜欢更加直接明了的时间顺序，你们可以注意到，每一篇关于子类目的讨论都是依据
ii 时间顺序来组织的（宣传纪录片这一节是个例外，叙述的时间重点集中于第二次世界大战时期）。所以，最开始的四节阐明了纪录片的核心问题和纪录片的早期历史，读完这四节之后，你可以阅读各个子类目的第一部分，再回头阅读每章的下一个部分。

这本书中的材料不仅仅来源于学术资料，也来自我40年影评人生涯中的素材积累，因此，它会反映我的喜好和不足。比如，我参考的大部分学术资料来源于用英语写作的文章，而我本人也偏爱长篇纪录片和独立制片人的作品。

纪录片吸引我的最初原因是它的一个承诺，这一诺言让无数的制作人投身于这一艺术形式。著名的影片编辑兼评论家戴·沃恩曾写过一篇有关数字化制作会给纪录片带来威胁的文章，文中他将这一诺言描述为“一种直觉，只要允许人们自由地观看，他们就会看到真实的一切，会认为这个世界可以接受审视和评判，就像电影本身一样具有可塑性”。莱斯·布兰克、亨利·汉普顿、皮尔约·洪卡萨洛、芭芭拉·克普尔、金·隆吉诺托、马赛尔·欧菲斯、戈登·奎因以及阿涅丝·瓦尔达等纪录片制作人的作品都给过我启发。

我要感谢牛津大学出版社的爱尔达·罗托找到我，建议我写作本书；感谢西贝勒·汤姆在罗托离开后担负起了编辑的职责；对我的文字编辑玛丽·萨瑟兰，我也深表感激。传媒、文学、电影研究学科的很多同事都毫不吝啬地提出他们的高明见解，我力求在本书中将这些见解与大家分享。非常感谢美利坚大学

的图书馆工作人员，特别是克里斯·刘易斯。同样感谢我在美
利坚大学期间的导师罗恩·萨顿，还有美利坚大学传媒学院的
院长拉里·柯克曼，他为我引见了埃里克·巴尔诺，我为此感到
不胜荣幸。感谢纽约大学的芭芭拉·阿卜拉什给予我很多灵感
和机会。感谢基金会理事会的项目（特别是与伊芙琳·吉布森 iii
的合作）和福特基金会的项目（特别是与奥兰多·巴格韦尔的
合作）让我加深了我对纪录片这一领域的理解。对本书出版过
程中戈登·奎因、妮娜·西维、史蒂芬·舒瓦兹曼、乔治·斯托
尼和匿名审稿者的评论，我也表示感激。 iv

第一章

纪录片的定义

命名

19世纪的最后几年出现了最早的几部影片，也宣告了纪录片这一体裁的诞生。它的形式很多样：可以是对异域风景和生活的寻访，如《北方的纳努克》(1922)；可以是一首视觉诗，如约里斯·伊文思的《雨》(1929)——一个关于雨天的故事，配上一曲古典的音乐，风暴的节奏与音乐的结构刚好吻合；也可以是一项艺术化的宣传。苏联纪录片制作人济加·韦尔托夫曾热烈地宣称，故事片是有害的，正在迈向死亡，而纪录片才是未来的趋势；他制作的《持摄像机的人》(1929)，不仅仅宣传了一个政权，也宣传了纪录片这一电影形式。

什么是纪录片？一个简单而传统的回答是：它不是电影。至少不是《星球大战》那样的电影。但院线纪录片又是个例外，比如《华氏9·11》(2004)，它打破了纪录片的票房纪录。另一个简单而常见的回答是：它是不好玩的电影，严肃的电影，想要教育你一些事情的电影——但斯泰西·佩拉尔塔的《巨浪骑士》（2004）又是个例外，因为它以一种惊险刺激的方式向观众展示了冲浪的历史。很多纪录片都很聪明，它们明确地以娱乐观众为目的而制作。的确，大多数纪录片制作人都认为他们自己的
1 任务是讲故事，而不是写新闻。

一个简单的回答可以是这样：纪录片是关于真实生活的电影。这却正是问题的所在。纪录片是**关于**生活的影片，但它们却不是真实生活。人们甚至不能通过纪录片看到真实生活。纪录片是关于真实生活的图画，以真实生活为它们的原材料，艺术家和技术人员对这些原材料进行加工、作出不计其数的决定：要给哪些人看、要展示什么样的故事、展示的目的是什么。

那么你也许会这么说：纪录片是一种尽力再现真实生活却不试图对生活加以操纵的影片。但是，制作电影时不对信息加以操纵是不可能的。选材、编辑、音效都是操纵。广播电视新闻记者爱德华·R.默罗曾经说过：“如果有人以为每一部电影都必须再现一幅‘平衡’的画面，那他既不了解什么是平衡，也不了解什么是电影。”

自从有了纪录片，就有了在多大程度上操纵信息这一问题。《北方的纳努克》被公认为是最优秀的早期纪录片之一，但影片中的主角因纽特人却在制作人罗伯特·弗莱厄蒂的导演下，担任了类似于故事片中演员的角色。弗莱厄蒂要求他们展现自己已经不再从事的活动，比如用长矛捕捉海象，让他们对明明知道的事情表现出不懂的样子。影片中的角色“纳努克”——这不是他的真名——愉悦而困惑地对着留声机唱片咬上去；而实际上此人对现代仪器了如指掌，甚至还经常帮着弗莱厄蒂拆卸和

组装摄像机。另外，弗莱厄蒂的影片故事框架来源于他与因纽特人多年共同生活的经历，而这些因纽特人也欣然参与了影片制作，并为情节设计提供了很多灵感。

纪录片讲述关于真实生活的故事，并宣称自身的真实性。怎样才能以真心诚意来完成这一目标，讨论永无止境，答案也五花八门。随着时间的流逝，纪录片不仅仅被制作人，也被观众一再重新定义。观众无疑塑造着一切纪录片的意义，因为我们会将自己对于世界的知识和兴趣与影片制作人向我们展示的 2
一切相联系。观众对影片的期待也以先前的观影经验为基础，我们不希望被玩弄和欺骗。我们希望看到关于真实世界的一切，也希望看到真实的一切。

我们并不要求这一切客观地呈现在我们面前，也不要求它们是全部的真相。纪录片制作人可以时不时地运用诗意的手段，用象征的手法展现现实（比如，用罗马斗兽场的画面来代表一次欧洲度假之旅）。但是，我们的的确确希望一部纪录片公正、诚实地再现某人对于现实的经验。这就是迈克尔·雷比格老师在他的经典教材里曾提到过的、制作人与观众的契约：“纪录片这一年轻的艺术形式中没有规则，只有一系列的决定：决定你的底线在哪里，决定怎样遵守你将与观众订立的契约。”

术语

“纪录片”这一术语是在早期的拍摄实践中尴尬地诞生的。19世纪末，制作人们刚刚开始对实况事件进行影片录制时，一些人将他们的这些作品称为“纪录片”。不过，这一术语直到几十年后才成为固定的名称。当时，另一些人将他们的影片称作“教育片”、“实况片”、“趣味片”，或者以主题来称呼他们的作品，如“旅行片”。苏格兰导演约翰·格里尔森决定将这种新的艺术形式用来为英国政府服务。他将杰出的美国纪录片制作人罗伯特·弗莱厄蒂的《摩拉湾》(1926)——一部记录南太平洋某座岛屿上的日常生活的影片——称为“纪录片”，从而创制了这个词语。格里尔森将纪录片定义为“对于现实的艺术化再现”——事实证明这一定义经受住了时间的考验，因为这一表述本身颇具灵活性。

市场压力也会对什么样的影片被归类为纪录片产生影响。哲人制片人埃罗尔·莫里斯的《细细的蓝线》(1988)在影院上映时，专业的宣传人员因票房的原因故意淡化了“纪录片”的概
3 念。这部影片是一个复杂的侦探故事——兰达尔·亚当斯到底有没有在得克萨斯州犯下导致他后来被判死刑的罪行？这部影片反映出关键证人证词的可疑。该案后来重审时，该片被呈为证据，这时，影片的性质就忽然变得重要了，此时莫里斯就必须肯定这确实是一部纪录片。

一个相反的例子是迈克尔·莫尔的第一部故事片《罗杰和我》(1989)。该片无情地控诉通用汽车公司，指出其加剧了密歇根州钢铁城弗林特的衰落，这也是一部杰出的黑色幽默影片，最初它却被称作纪录片。但当记者哈兰·雅各布森指出莫尔在影片中错误地再现了事件的时间顺序时，莫尔就避开了“纪录片”这个词。他声称这不是一部纪录片而是一部电影，是一种娱乐形式，与严格的时间顺序有出入是为了表现主题，在所难免。

20世纪90年代，纪录片开始成为全球范围内的大产业。到2004年为止，全球电视纪录片产业的年收入合计就有45亿美

元。真人秀节目和“纪实性电视剧”——一种基于真实生活的迷你剧，场景设在潜在戏剧冲突较多的场所：驾校、饭店、医院和机场——也开始蓬勃发展。院线纪录片的票房收入在21世纪的最初几年成倍增长。纪录片的DVD销售、视频点播和租赁都成为大买卖。很快人们又在制作可以在手机上观看的纪录片，并在互联网上协同制作纪录片。那些曾经有意隐瞒自己的电影是纪录片的营销者们，又开始自豪地将其作品称为“纪录片”。

为何如此重要

命名很重要。名称给人以期待；如果事实不是如此，营销者们不会将它作为卖点。纪录片的真实性、准确性和可信赖性对我们所有人来说都很重要，因为这些特质正是我们看重纪录片真正的、独一无二的原因。如果纪录片是骗人的，那它们不仅仅是欺骗了观众，也欺骗了那些依据从影片中拾得的一知半解行 4
事的民众。纪录片作为媒体的一部分，帮助我们理解这个世界，也帮助我们理解自己在这个世界中扮演的角色，塑造我们作为公众演员的形象。

因此，纪录片的重要性就和作为社会现象的公众的概念联系了起来。哲学家约翰·杜威曾有力地提出：公众——这个对民主社会的健康发展至关重要的群体——绝不仅仅是个体的相加。公众是一群能够为了公共利益而集体行动的人，因此也可以承担经营和管理的重大职权。它是一个非正式的群体，却可以在危机时刻应要求凝聚起来。有多少不同的场合和事件，就会应运而生多少公众群体。只要我们有办法彼此沟通、分担彼此共同面对的问题，我们都可以是任何特定的公众群体的一员。

因此，沟通是公众群体的灵魂。

传播学学者詹姆斯·卡赖曾指出：“现实是一种稀缺的资源。”现实不是我们周围的**一切**，而是我们所**知道**、**理解**和彼此**分享**的周围的一切。媒体能够作用于最昂贵的不动产，即我们大脑中的现实。纪录片是塑造现实的重要传播手段，因为它宣扬自己的真实性。纪录片总是植根于现实生活，并且宣称它所向我们展示的事情值得一看。

的确，娱乐消费者是电影制造业的重要方面，即便对于纪录片来说也是如此。大多数的纪录片制作人都会售卖自己的作品，要么卖给观众，要么卖给中介方，比如广播公司或经销机构。他们受到自身商业模式的限制。虽然制作纪录片比制作故事片的成本要低得多，但仍然比制作宣传册、手册之类的东西花钱多。电视和院线纪录片常常需要投资者或一些机构为其提供赞助。
5 而且，随着纪录片变得空前流行，越来越多的纪录片是为取悦观众而制作，并不对固有思维提出挑战。它们以煽情、性和暴力等最灵验的手段吸引和娱乐观众。院线上映的野生动物纪录片如《帝企鹅日记》（2005）是娱乐消费者的经典例子；它运用了以上三种手段来吸引和刺激观众，虽然这些现象是出现在动物身上。

受雇的宣传家也利用纪录片这一体裁号称真实的特点，让其成为政府和商业的宣传工具。这样的行为可能会带来灾难性的社会后果，一些纳粹宣传片，如居心叵测的反犹纪录片《永恒的犹太人》（1937）就是如此。宣传片也可能促成重要的积极转变。罗斯福政府向美国人推广昂贵的政府新项目时，就让佩尔·洛伦茨以及一个极具才华的团队制作了一些当时最具影响力的视觉诗歌纪录片。《开垦平原的犁》（1936）和《河流》

（1938）等纪录片说服纳税人投资，促进了经济的稳定和发展。

不过，在短短的历史中，纪录片常常由那些位于主流媒体边缘的人制作。他们和公共广播等公共媒体机构、热衷于获奖的商业广播公司、非营利性机构、私人基金或公共教育基金合作。很多纪录片踩在主流媒体的边缘，采取一种稍稍不同的解读现实的方式，努力想要真实地展现关于权力的话题——也与权力对话。它们常将自己视作公众演员，不仅仅对着观众说话，也对着公众群体中的其他成员说话——他们需要知情才能行动起来。

我们可以用最近的一些影片作为例子，证明纪录片的影响范围之广。勇敢新电影推出的《沃尔玛：廉价商品的高昂成本》（2005）就是一部慷慨激昂、说教味很浓的纪录片，意在批判大型
零售超市的一些做法，比如克扣员工的医疗保险、恶意整垮小型 6
商业等。该片没有力求平衡地展现沃尔玛的视角。但它的确力求准确地再现问题所在。该纪录片的制作目的就是呼吁行动；人们利用这部片子，针对该公司最严重的那些剥削行为组织立法规范和社会抵制活动。沃尔玛以攻击广告的形式对该片进行了猛烈的抵制，影片制作人则对沃尔玛进行了回击，称其信息不准确。博客写手，甚至主流媒体都加入了这场论争。勇敢新电影将自己放在代表公众发言的位置，填补了主流媒体对这一问题报道的空白。这部电影的大多数观众都是以DVD电邮租赁的方式观看的。受到电邮宣传的影响，他们认为该片不是娱乐片，而是以娱乐为形式对一个重要的公共问题提出了看法。

迈克尔·莫尔的《华氏9·11》，一部尖锐的、反伊拉克战争的影片，则是直接告诉美国公众，他们的政府正在以公众的名义发动战争。商业媒体上的右翼评论家们试图诋毁这部电影，攻

击其只不过是宣传工具。但莫尔并不像宣传家们那样只是权势人物的奴才。他只是针对一个大家共同面对的问题提出自己的观点，坦率地表达自己的立场，而他也完全有权利这么做。不仅如此，他还激励观众用批判的眼光审视政府的言论和行动。（不过，他在表现工薪阶级的愤怒方面显得过于小心翼翼，会让观众觉得自己不是社会演员，而是权势压迫下手无寸铁的受害者，这一点可能会削弱影片的激励作用。）

近年来，还有另外一些为让公众知情和行动起来的纪录片，它们运用了各种手段来跨越不同信念之间的鸿沟，以吸引观众的兴趣。尤金·亚雷茨基的《我们为何而战》（2005）展现了一个论点，即政客、大型商业和军队之间相互勾结，以公众的钱财和生命为代价去打一场根本不需要打的战争。亚雷茨基有意将镜头对准了一些能够摒弃党派政治的偏见和为公众利益说话的共和党人士。戴维斯·古根海姆的《难以忽视的真相》
7 （2006）中，阿尔·戈尔[①]和戴维斯·古根海姆用一场简单易懂的报告，以科学数据来说明情形的紧迫性。美国宇航局哥达德太空研究所的所长吉姆·汉森评价了这部作品的社会价值："阿尔·戈尔对于解决全球变暖问题的贡献，不亚于《寂静的春天》[②]对于解决滥用杀虫剂问题的贡献。他会受到攻击，但公众因此而知情，他们需要这些情况来区分我们的长远幸福和眼前的某些利益。"

---

① 美国政治家，曾于1993至2001年担任美国副总统。——书中注释均由译者所加，以下不再一一说明。

② 美国海洋生物学家雷切尔·卡尔森的著作，1962年出版。书中描述由于杀虫剂的大量使用，人类可能将面临一个没有鸟、蜜蜂和蝴蝶的世界。此书出版时曾引起极大反响。

为了达到让公众参与这一最终目的，各种纪录片所采取的形式可以是迥然不同的。朱迪思·赫尔方和丹·戈尔德的《乙烯浩劫》（2002）用日记的形式来从个人视角呈现问题。影片跟随赫尔方的视角：她在自己父母家拿了一块聚氯乙烯制成的墙板，发现了聚氯乙烯在生产和回收处理中均会释放致癌的毒性（会产生二噁英）。赫尔方在片中成了公众的代表——公众需要廉价的墙板，却因为使用这样的墙板而吞下健康受损的苦果。
巴西导演何塞·帕迪利亚的《巴士174事件》（2002）讲述了里 8
约热内卢一桩轰动的新闻——一辆巴士被劫持，僵局持续了几个小时，最后劫持者和一名乘客死亡，过程通过电视直播。影片让观众看到了劫持者的生活，也看到了警方所面临的挑战。一

图1 《乙烯浩劫》用个人文字的方式探究社会问题。朱迪思·赫尔方手持郊区家中的一块乙烯墙板，考察了聚氯乙烯生产中释放的毒性。丹·戈尔德和朱迪思·赫尔方导演，2002年

面是电视直播让观众在电视机前坐了一整天，一面是对事件背后的故事展开调查，纪录片通过将这两方面进行对比，重塑了这则新闻，意在表现社会问题被炒作为看点的情形是多么普遍和多么可怕。由芬兰导演皮尔约·洪卡萨洛执导的《三个忧郁的房间》（2005）则有着史诗般的沉思，用三个情感故事向观众展示了车臣战争。在第一部分“渴望”中，她将怜悯的镜头对准了一群12岁的孩子们，他们在圣彼得堡的军校受训，为与车臣作战作准备。在第二部分“呼吸”中，一位当地社工走访围困中的格罗兹尼民众，这些人的家中困苦不堪，日常生计问题都无法解决。第三部分“记忆”的场景设在边境的一个孤儿院，这里，车臣的孩子们饱尝艰辛。片中的语言非常之少，而长长的特写镜头下那些困惑、痛苦、坚忍的脸庞，却传达出丰富的信息。观众和摄像机在理解故事上达成了默契。

纪录片总是会以意想不到的方式被运用，而不管制作人的本意是不是向观众传达某些信息。《意志的胜利》（1935）是历史上最声名狼藉的宣传纪录片之一，却长期以来一直出现在其他纪录片、反纳粹宣传片和历史片中。以色列导演约阿夫·沙米尔的《一步一关卡》（2003）用审慎的镜头，不带旁白地记录了以色列军队对巴勒斯坦人的过境检查行为，影片的制作和播放是为了激起公众对违反人权行为的讨论。但以色列军队却对其欣然接受，并将其作为培训影片。

我们对于什么是纪录片的共同理解，建立在我们的观影经验之上，这样的理解又会随着时间的推移、商业和市场的压力、技术和影片形式的创新以及热烈的争议而转变。纪录片这一体
9 裁一直有两个相互冲突的关键元素：再现与现实。和所有影片

制作人一样，纪录片的制作人操纵、扭曲现实，但他们仍然声称他们真实地再现了现实。在纪录片的历史上，制作人、评论家和观众一直在争论这一问题：怎样才是以值得信任的方式讲述关于现实的故事。这本书将带领你了解这些争论的历史及其在一些热门的纪录片子类目中的体现。

形式

纪录片是什么样的？大部分人脑海中对什么是纪录片有一个大概的概念。对于很多人来说，纪录片的画面并不美。一部“通常的纪录片”常常意味着有响亮的、“上帝之声”般的旁白，通过分析来展示论点而不是讲述有人物的故事，镜头对准专家和受访路人的脸部，用图像来说明叙述者的观点（电视语汇中常称作“辅助画面”），说不定还有一些有教育功能的动画和厚重的音乐。人们想到这些形式元素的组合时，通常并不会感到兴致盎然。如果有了愉快的观影体验，人们常常会说：“这片子很有意思，不像通常的纪录片。”

事实上，为了让观众相信影片内容的真实性和重要性，纪录片的形式选择非常之多。和“通常的纪录片”相关的形式元素，在20世纪末的电视纪录片中已经成为标准定制的选择，但除此之外还有其他很多可以增加的元素。这一章将从不同的角度向你展示，纪录片是制作人运用可能的手段，对如何再现现实作出的一系列决策。这些手段包括**声音**（环境声音、背景音乐、特殊音效、对话、旁白）、**画面**（实景拍摄及通过照片、录像或实物呈现的历史画面）、音频和视频**特效**（包括动画），以及**节奏**（通过 10
画面的长度、剪辑次数、剧本或故事叙述的结构来控制）。纪录片制作人选择他们想要的方式来构建一个故事——选择呈献给观众的是什么人物、集中展现谁的故事、怎样讲述故事。

对于以上每一种元素，纪录片制作人都会面临多种选择。比如，单个的镜头如果运用不同的画幅，就具有不同的意义：一个伤心的父亲的人物特写和将同一画面放在整个房间中拍摄的广角镜头意义大为不同。选择让葬礼上的环境声音成为主要的背景音也与选择响亮的配乐意义不同。

纪录片怎样再现现实并没有什么天然的方式，因此，纪录片制作人非常清楚，他们作出的所有选择都会影响他们选择要表达的意义。所有纪录片的习惯手法——表达形式上的一些惯例或套路——都出于一个需要，即让观众相信他们看到的一切是真实的。比如，影片中会出现专家来担保分析的真实性，稳重的男声旁白对很多观众来说意味着权威，古典的背景乐则暗示着话题的严肃性。

改变这些习惯手法是有风险的，意味着要以其他方式表明真实性。曾经，电影拍摄中很难录制到环境声音，因此35毫米胶片的纪录片制作有一个习惯手法：要有一个带有权威感的男声旁白。这一时期的习惯手法还包括使用灯光甚至演员演出，来适应沉重而难以搬动的器材。一些纪录片在各个虚拟构造的场景之间进行仔细的编辑，以给观众制造这种幻觉：眼前看到的一切是真实的。第二次世界大战之后，纪录片制作人开始尝试用16毫米的设备拍摄，纪录片又出现了一些新的习惯手法，让观众相信其真实性：拍摄相当长的镜头或场景，让观众觉得自己眼前的一切没有经过修饰；手持摄像机摇晃的镜头，也意在制造“你
11 就在现场”的即视感，还暗示着事件的急迫性；“突然袭击”式的采访（抓住采访对象忙碌或没有准备的时机提问），让观众觉得

采访对象一定是在隐瞒什么。20世纪60年代末，选择不用旁白成为纪录片的新潮流，这一做法帮助观众相信，他们可以自行判断眼前看到的一切意味着什么（虽然他们所看到的内容实际上都经过了有选择性的剪辑）。

纪录片和故事片运用的技术手段并无二致。摄影师、音响师、数字技术人员、音乐制作人和影片编辑可以在两种不同的模式下工作。纪录片也会需要灯光，导演也会让纪录片中的角色重拍一些镜头。纪录片通常需要复杂的编辑。制作人会在影片中添加音效和配乐。

大多数纪录片共有的一个习惯手法是叙事型的结构。它们都是一些故事，有开始、中间和结尾；它们向观众塑造角色，引领观众进行一场情感体验之旅。它们常常采用一些经典的故事结构。乔恩·埃尔斯制作了一部关于第一颗原子弹制造者J.罗伯特·奥本海默的纪录片——这位科学家觉得自己深负罪责，因而痛苦不已。埃尔斯让全体工作人员读了《哈姆雷特》。

习惯手法在吸引观众注意力、促进故事叙述和与观众分享制作人视角方面都颇为灵验。这些习惯手法现在成了一种审美范式——对纪录片制作人来说是现成的选择，也是制造真实感的捷径。但是，习惯手法也会隐藏制作人带入影片中的个人臆断，让一些特定的事实和场景呈现为必然的、全部的事实。

展现习惯手法

那么，怎么才能清楚看出表现形式和习惯手法是特意为之？我们可以先看看某些纪录片，在这些片子中，制作人将形式选择作为影片的主题，放在显眼而中心的位置来展现，并且突出

12 了它们和一般纪录片的不同。

了解习惯手法，最简单的途径之一是观看讽刺纪录片和戏仿纪录片。以著名的西班牙超现实主义艺术家路易斯·布努埃尔导演的《无粮的土地》（1932）为例：片子开头探访西班牙一个贫瘠的角落，像是一部无聊而煞有介事的旅游片。但很快，人们就弄清楚布努埃尔是在借助由超现实主义艺术家皮埃尔·乌尼克撰写的解说词，用干巴巴的、伪科学的纪录片习惯手法来引发观众的困惑和愤怒——不仅仅是针对解说员，也继而针对影片中乡村骇人的社会现实。英国广播公司（BBC）1957年制作的纪录片《意大利面大丰收》是系列节目《全景》中的一集，它带领观众来到瑞士看最近意大利面（长在树上）大丰收的情景，不仅仅是一个笑话，也是一堂生动的媒体知识课[①]。讽刺片《寻找地球边缘》（1990）声称是在探讨地球为什么是平的，其中运用了大量教育纪录片的表现手法，让人们很容易联想到“通常的纪录片”——但影片有意凸显了这些手法的蠢笨——就是为了展示科学论证中的谬误逻辑和纪录片制作中的人为操纵。片中，专家们挂着“大学教授”之类的头衔，站在象征学富五车的书架前，但说的全是废话；花哨的图表显示着物理学上种种不可能发生的情况；解说员以轻蔑的口吻描述地球是圆的这一想法。一张家庭合影被给予了渐进特写，采用了平移和缩放效果，目的只是展示其中某个人物掉头的动作。由一群原住民制作的澳大利亚纪录片《烧烤地带》（1988）则讽刺了民族志纪录片的习惯手法，比如在解说时赋予异国风情的他者神秘和魔

① 英国广播公司的新闻节目《全景》在1957年愚人节当天播出了瑞士提契诺州意大利面大丰收的消息。主持人绘声绘色地描述当地人庆祝丰收的场景。由于这则假新闻做得相当逼真，播出后有不少上当受骗的观众打电话询问这种能长出面条的树到底应该怎么种。

幻的特征、邀请专家作见证、聘请装腔作势的解说员，以及将科学调查美化为无畏探险的套路。影片中，一群土著科学家对某地展开了调查，他们认为这里是澳大利亚白人文化仪式的举行地，而实际上此地只是一个吃烧烤的地方。

伪纪录片，或幽默讽刺的假纪录片，也提供了一个观察习惯
手法的角度。罗布·赖纳的《摇滚万岁》（1984）是关于一支虚
拟重金属乐队的纪录片，是对摇滚纪录片——纪录摇滚乐队演
出的影片的著名戏仿，采用的手段是将乐队台前活力四射的表 13
演与幕后的种种荒唐事进行对比，并采取了民粹主义成功故事
的讲述方式。后来的伪纪录片《宠物狗大赛》（2000）和《风载
歌行》（2003）也是一样，其幽默效果取决于观众是否能够识别
出其中纪录片的习惯手法。

艺术实验

另一个识别习惯手法的方法是分析某些制作人的纪录片，这些制作人认为自己本质上是艺术家——在影片的形式上做文章的艺术家，而不是以影片为媒介的故事讲述者；他们总是不断地创造、再创造并挑战各种形式。虽然吸引观众的市场压力常常让很多纪录片制作人采取观众熟悉的习惯手法，但置身于影片和录像市场之外的艺术家们，却寻求超越这些手法。他们是走在前沿的创新者和实验者。

城市交响曲纪录片就是这种反潮流艺术形式的代表之一，并备受瞩目。20世纪二三十年代，影院放映的都是有关自然探险、战事新闻、异域风情的电影，这一时期为两次大战期间欧洲艺术馆创作的艺术家们，对电影（当时还是一种无声的媒体）的

形式进行了多种想象，其中一种认为电影是可以将不同的感官体验结合起来的视觉诗歌。当时正是一个各种实验不断涌现、国际交流也十分活跃的时代。城市交响曲纪录片和这个时代一样，对城市、机器和进步充满了现代主义的爱。这些纪录片吸收了超现实主义、未来主义等艺术运动中的元素，要让人们看到平时看不到或者不愿意看到的东西。艺术家们喜爱的机器也包括摄像机本身，用苏联纪录片导演和理论家济加·韦尔托夫的话来说，它代表着更为优越的“机器之眼”。早期城市交响曲纪录片的代表之一是保罗·斯特兰德和查尔斯·希勒摄制的《曼哈塔》（1921）。20世纪20年代后期，这种形式的纪录片在欧洲遍地开花。

城市交响曲的得名源于德国纪录片制作人瓦尔瑟·鲁特曼拍摄的《柏林：城市交响曲》（1927）这一纪录片。鲁特曼还让人为这部影片配上了音乐。“城市交响曲”这一术语，将现代城市中不可一世的工厂企业与交响曲这一经典的音乐形式联系起来，而交响曲这一形式正代表着将许多单个的元素组织协调起来形成整体感的能力。影片带领观众坐上列车来到柏林，体验一天中都市生活的方方面面，从人和机器的互动开始，在夜晚的烟花表演中结束。鲁特曼在这部影片中实践了韦尔托夫的观点，即纪录片是具有强大力量的观察社会的“眼睛”，这种观察在某种方式上超越了人类的观察。

许多艺术家抓住城市交响曲这一概念，开展电影实验。鲁特曼正在拍摄的《柏林：城市交响曲》启发了巴西艺术家阿尔韦托·卡瓦尔坎蒂，后者制作了《时光流逝》（1926），这是一部关于巴黎的电影，比鲁特曼的作品更早完成。影片聪明地运用了特效，以快节奏的镜头带领观众领略巴黎，包括社会最上层和最底层阶级的情形。在法国南部，韦尔托夫旅居国外的弟弟鲍里斯·考夫曼则和法国艺术家让·维果制作了一部暗藏讽刺的小型纪录片《尼斯印象》（1930），展现了这座海滨城市赌博、阳光崇拜和自我陶醉的放纵文化。（韦尔托夫为他弟弟的这部电影撰写了拍摄指南。）在比利时，亨利·斯托克制作了《奥斯坦德景象》（1930），细致入微地记录了他生活的这座海滨城市。荷兰电影制作人约里斯·伊文思曾和斯托克一起工作，他拍摄的纪录片《雨》成为此类影片中的经典。在这股潮流的影响下，韦尔托夫拍摄了他的代表作《持摄像机的人》。

城市交响曲纪录片一直是一种不寻常的、诗意的形式选择，是纪录片习惯手法之外的一种体例。戈弗雷·雷焦1982年拍摄的纪录片《失衡生活》用类似灯光秀的技巧和延时摄影（城市交响曲纪录片率先使用的技法之一），以戏剧性的方式评论了人类对地球的毁灭性破坏。影片的名称来自霍皮语[1]中的“失去平衡的生活”一词。美国电影学者汤姆·安德森则几乎动用了一个世 15
纪以来的电影资源，以在他的《洛杉矶影话》（2003）一片中反映各类电影是如何再现洛杉矶这座城市的。它展示了商业和公众想象中的洛杉矶，调子时而讽刺、时而悲凉。

其他自称为艺术家的制作人，也寻求种种方式，想让纪录片成为一种通往视觉净化和感官狂欢的途径。他们的纪录片有意回避了一些习惯手法，如故事情节、旁白等，甚至不使用这个世界上常见的物体；他们提供了另一种方式让观众理解自己期待中的事物。肯尼思·安杰、约纳斯·梅卡斯、卡罗里·施内曼、

① 霍皮族人使用的语言。霍皮族（Hopi）是一个美洲原住民部落，主要生活在亚利桑那州东北部的霍皮族保留地中。

约旦·贝尔松和迈克尔·斯诺的纪录片均创造性地阐释了现实生活，虽然他们将自己定位为先锋派艺术家而不是纪录片制作人。不过，有一位著名的美国先锋派艺术家却认为自己是纪录片制作人——而且还是科学家，他就是斯坦·布拉哈格。

布拉哈格希望观众回归到“纯洁的双眼”，回归到视觉体验的纯粹状态。他想帮助观众去**观看**——不仅仅是双眼从外部世界摄入的一切，还有双眼通过身体内部的记忆和能量创造出的一切。“我的的确确认为我的影片是纪录片，所有的片子，”他曾说，“都代表了我的一种尝试：想要尽可能地准确再现观看这一过程。”布拉哈格的大部分作品都是默片。他制作这些纪录片时怀有一种热烈的信念，即观看是一个调动全身力量的行为。令人称奇的是，他关于双眼运作方式的艺术直觉和观点，得到了视觉科学研究的验证。

布拉哈格制作了上百部影片，最为人熟知的是《飞蛾之光》（1963）和《人间乐园》[①]（1981）。在这两部短片中，布拉哈格找来自然物体，将其放入两片赛璐珞胶片之间，再将得到的图案显映出来。《飞蛾之光》的胶片里有蛾翅，《人间乐园》的胶片里有树枝、花瓣、种子和杂草。这种方式制作出的图像带给了观众一
16 种视觉体验：反映的是原来的物体，却是完全不同的形态。

艺术纪录片还对声音进行了实验。20世纪二三十年代，德国的实验派影片制作人汉斯·里希特曾将声音的节奏转译为视觉体验。20世纪70年代印度的“平行电影”（也就是和商业

① 国内网站多直译为《现世欢乐的花园》。但布拉哈格的创作灵感取自罗尼米斯·博斯（约1450—1516）的同名三联画作品《人间乐园》（*The Garden of Earthly Delights*），主要表现自然中的植物，此处的earthly偏指土地，与“现世”关系不大，所以未采取网络译名。

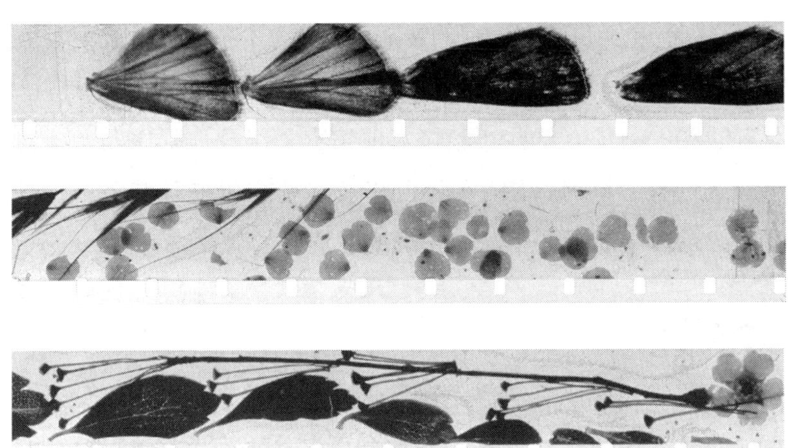

图2　在《飞蛾之光》中，实验派纪录片人斯坦·布拉哈格将蛾翅、小树枝和花瓣压在两块赛璐珞胶片之间。斯坦·布拉哈格导演，1963年

电影平行的电影[1]）得到政府资金的支持，印度电影人马尼·考尔的艺术道路即开始于这一环境中，他在电影中反复运用印度歌曲的传统，《德鲁帕德》（1982）便是其中一例，影片中吸引观众的是一种古典的、帮助人冥想的音乐表演形式的声音和画面。人们常常理所当然地认为声音可以便捷地传达情感，这样的作品正是突出强调了这一点。

所有这些作品中，几乎不存在“通常纪录片”的习惯手法。没有解说员来告诉我们发生着什么；没有专家来喻示权威性；平常的现实被故意变形，让我们以不同的方式看待它；配乐不再是为了渲染故事的情感，而是有了其他的用途。光影和黑暗的

① 20世纪50年代，印度的一些独立制片人和导演倡导新的电影形式，采用现实生活中的题材，以低成本拍摄，主要选用外景，影片给观众带来真实生活再现的感觉，和场面豪华、纵情歌舞的主流商业影片形成鲜明的对比。印度影评家把他们首倡的这种电影称为新电影或平行电影，意即和商业电影并存之意。

17 运用、不断重复和催人入眠的音乐、自然物体在银幕上放大数倍的投射，以及其他种种手段，都让我们感到震惊，因而跳出自己原有的观看习惯。这些实验极大地拓宽了纪录片制作人老一套的形式选择。同时，这些实验也和最常见的那些习惯手法——电视纪录片中的那些手法——形成了鲜明的对比。

经济大环境

纪录片的习惯手法也受到商业情形的制约。电视观众在一两秒的时间内就会决定是不是要观看某个节目，当今的制作人就要努力让自己的纪录片每时每刻都有震撼效果，而且不但要通过明显的标识，也要通过鲜明的风格打造出自己的品牌形象。他们也在寻求通过固定的风格和形式，快速生产和降低成本。20世纪90年代后期，一位“历史”频道的主管曾对一群锐意进取的制作人明确解释过该频道当时的制作公式——或者利用库存的纪录片脚本、或者利用小规模的搬演场景或物体，旁边是正在说话的人物的头像特写，加上旁白。这位主管说：“我们这样做是因为成本低，而且很有效。”

纪录片制作人一直依靠三种渠道来为纪录片募集资金：第一种是**赞助人**或**捐助者**，其中既有公司也有政府；第二种是**广告商**，这在电视纪录片中很常见，而且近水楼台；第三种是纪录片**使用者**和**观众**。每一种资金来源渠道都强有力地影响了纪录片制作人的形式选择。

政府投资在纪录片的制作中一直扮演着至关重要的角色。在英联邦，致力于纪录片制作和销售的机构有英国广播公司、澳大利亚广播公司、加拿大国家电影局等。整个欧洲大陆的政府

都为拍摄纪录片的艺术家们提供资助。在这些投资的作用下，
德国、法国和荷兰的纪录片蓬勃发展。在发展中国家，前殖民势
力有时会出资赞助文化产业；各国政府不仅会为纪录片制作提
供资源，还经常把持着决定影片能否公映的权力。各国政府提 18
供这些资助背后的强大动因是文化民族主义。纪录片录制的主
题和风格常常反映了表达民族身份的需要，特别是在美国大众
媒体不断占领世界的背景下，这样的表达显得尤为重要。

美国的情况与此相反，国家的文化政策虽然一直非常支持商业媒体，在运用税收支持纪录片制作方面却一直不够积极。在林登·约翰逊的“伟大社会”政策的全盛时期，美国公共广播事业迎来了新生，非商业、非政府机构获得了公共资金，增强了在多数主要城市中还很薄弱的公共广播电视机构的运营能力。20世纪七八十年代，其他的文化组织，特别是纳税人赞助的美国国家人文基金会和美国国家艺术基金会，都对美国纪录片的发展作出了贡献。纪录片中一些非传统的风格、主题以及政治上的敏感话题常常令国会中的保守派恼火。

政府还运用另外一种方式影响纪录片的制作，即制定条例，有选择性地鼓励某些类型的纪录片的制作。比如，英国政府曾颁布条例允许私有商业电视频道存在，同时它也要求这些频道承担宣传公共利益的职责；在这一背景下，出于赢得声誉、获得认可和续签电视播放许可的需要，各个电视台投资推出了很多野心勃勃的纪录片节目。利用来自某商业频道的广告收入作为资金，英国第四台得以成立，该频道获得授权，可以播放独立制片人的影片，包括不少独立纪录片制作人的作品。查德·拉斐尔曾经提出，美国电视机构对于政府管理的畏惧（一些电视台曾

被管理机构发现操纵答题类节目），导致其在一个时期内对调查公共事件的纪录片大量投资。（的确，20世纪80年代政府对于电
19 视的管理放松后，公共事务纪录片的数量随之减少了。）

政府管理机构在制定纪录片的标准和贯彻纪录片的习惯手法方面均起着实质性的作用。电视台通常受到频道管理机构的严密监控，而政府一般都有条件地将频道租赁给单个的公司。在有关贩毒的纪录片《贩毒网络》中，布赖恩·温斯顿详细叙述了英国1998年的一桩丑闻，但影片脚本有重新合成甚至虚构的成分。管理机构“英国独立电视委员会”对播放该纪录片的电视频道进行了罚款，并触发了关于政府审查制度的讨论。

美国联邦通讯委员会（FCC）曾给某公共电视台开出一张不文明现象的罚单，原因是在该电视台播出的历史节目《蓝调》（2003）中一位爵士乐手说了一句粗话，外界普遍批评这一裁决过于专断。但这一做法也让很多的电视机构在节目制作时更加谨慎。

在纪录片的历史上，来自私人机构的赞助一直占有重要的地位，未来还会如此。纪录片的奠基人罗伯特·弗莱厄蒂的主要作品是由一些企业赞助的，这些企业希望将自己的形象与弗莱厄蒂的浪漫主义画面联系起来。企业发行机构和赞助人对早期的电视纪录片也至关重要。比如，专题报道美国著名记者爱德华·R.默罗的美国公共事务纪录片《现在请看》（1951）是由美国铝业公司出资赞助的，因为该公司当时曾因一场反托拉斯案遭到起诉，想改善形象。企业经销商对公共电视也十分关键。非营利性机构也成为纪录片的重要客户，赞助拍摄它们认为重要的话题。赞助者出钱制作一部纪录片，要么是因为他们想让

人们知道一个故事，要么是因为想要改善自己的形象。不管出于哪种目的，纪录片制作人的自主空间都很小，但这一点空间经常已经足够让他们完成重要的工作了。有时候制作人和赞助机构的需求刚好不谋而合。广告商也是赞助的来源，每家广告机构都出钱在节目上获得一点时间和空间，以吸引观众，向其传达 20
自己的信息。广告商喜欢小型的、低预算的、不向现状挑战的纪录片，以及轰动刺激从而能带来收视率的纪录片。

直接销售是发展最为迅猛的纪录片资金来源模式。寻求新鲜和惊悚体验的剧场观众，可以在巨幕纪录片中找到这样的体验，无论观看的是飞行的奇迹还是令人叹为观止的热带昆虫世界。订阅有线电视频道——如美国HBO频道或加拿大纪录片频道的用户可以看到大量的纪录片，就像订杂志的人一样。视频点播功能也让观众可以直接看到纪录片，Netflix和Blockbuster等网站就为用户提供在线视频租赁服务。如今，家庭用户常常可以通过网络购买纪录片的DVD，这些纪录片可能从未在影院上映过；他们也可以把影片下载到自己的iPod或者手机上；用制作人彼得·布罗德里克的话说，这让纪录片制作人拥有了“个人观众”，驱使着他们依据特定市场群体的兴趣来打造影片，或者摸清对某一特殊事业或事件感兴趣的群体。

罗伯特·格林沃尔德制作的《解密福克斯》（2004）代表了直接销售模式的一次重大突破。片中对福克斯新闻网的右翼立场展开了猛烈抨击。该片于2004年美国大选期间推出，通过自由派网站MoveOn.org，以电子邮件的形式向观众发送。据组织方称，超过10万名观众在当月就购买了该片的DVD，大多数都用在家庭派对上，由一小群人一起观看。该片同时期在影院也有小规模的上映。这一影片很快就被效仿和改进。不久后，保守党员们也开始制作宣传纪录片，并向他们的选民推送。

在一个下载的时代，数字化的影片制作很有希望发展出新的市场模式。到2006年，视频下载已经占据了互联网总流量的大约一半。不知名的、自制的戏仿作品通过网络几天内就能吸
21 引全球的观众，比许多纪录片在电影节和影院所能收获的所有观众都要多。但与此同时，能支持这样的作品的商业模式还没有出现。

伦理道德与形式

对于纪录片制作人来说，在选择影片形式时，伦理道德问题和美学问题一样重要。美国历史纪录片制作人乔恩·埃尔斯和理论家比尔·尼科尔斯等人都曾呼吁职业纪录片制作人自己要清晰地表达道德标准。

一个一直存在的伦理道德问题是，多大程度上模拟现实是可以接受的。完全的编造很容易受到指责，虽然这很常见，从电影诞生之日便是如此：托马斯·爱迪生的电影制片厂制作的菲律宾战争的电影脚本是在新泽西州拍摄完成的[1]；哈瓦那港“缅因号”沉没的镜头，实际上是在纽约的一个浴缸里拍摄完成的。

另一些做法更难以被判定是否符合伦理道德。“搬演”是35毫米时代纪录片的主要制作方式之一。由于当时机器笨重，如果不用灯光和表演，拍摄纪录片几乎是不可能的。到了20世纪60年代，真实电影的捍卫者们用上了轻巧的便携摄影设备，他们

① 爱迪生的公司利用新泽西州的地点和国民警卫队搬演了菲律宾独立战争的画面。

嘲笑“搬演”这一方式，诋毁其为虚假制作。

搬演手法在20世纪90年代又重新出现。有时候是因为电视栏目提供给影片的预算不足，而电视观众又习惯了高成本的片子，制片人就得努力制造吸引人的故事。因此，在历史频道就会经常出现一些镜头，比如让几双穿草鞋的脚代表罗马的千军万马，或者用几枚钱币、一个花瓶来表现古代国王的财宝。还有的时候，制作人用搬演来重现没有捕捉到的场面。犹太人大屠杀回忆录影片《感谢所有》（1999）再现了一位母亲制作白面包
和蜡烛的场面，以代表幸存者童年的回忆。这样的手法不会让 22
观众困惑不解，因为观众通常都能够将真实的经历和对现实的象征性再现手法区分开来。

一些纪录片制作真中有假，不给观众以辨别的机会，围绕这一现象的争议也日趋白热化。有关民权运动的历史纪录片《重大时刻：第二卷：孩子们的游行》（2004）由罗伯特·赫德森和博比·胡斯顿制作，影片中混合了搬演和档案录像，还将某个特定时间和地点的档案录像用来表示另一个时间和地点的场景。该片获得奥斯卡奖后，由于真假混合的制作方式而备受争议。戴维·麦克纳布的纪录片《刺杀希特勒计划》（2004）是探索频道“虚拟历史”的一次实验，片中利用演员来搬演历史场景，将档案录像里历史人物的头像安在演员头上。虽然影片从一开始就承认了这一点，但仍有些人认为将演员和资料图像混合起来的方式越过了道德底线，而且有可能会让观众一头雾水。

还有一种电影，从头到尾用演员和剧本来讲述真实的事件，拿到的是故事片的许可证，这种片子一般被叫做纪实片。比如电影《甘地传》（1982）、电视剧《根》（1977）都是纪实片。这类

片子的表面和观感都像故事片，为了戏剧性地再现现实，影片中可以创造一些细节，人们对此一般也都能够理解。不过，无论是观众还是新闻记者都会认为，在这样的片子中篡改现实是不合时宜的。美国广播公司2006年的电视纪实片《通往9·11之路》用演员来扮演真实的克林顿政府官员，包括国务卿；而这些角色在片中说的话、做的事很显然是真实的官员没有说过或做过的。这些篡改要表达的潜台词是克林顿政府忽视了一场恐怖威胁。电视台在最后时刻改掉了一些错误，并以这仅仅是一部纪实片为理由试图为自己开脱，但这一说辞显然不能安抚愤怒的观众和评论家们。

一些纪录片虽然掺杂了虚构元素，却仍然声称自己是纪录
23 片。这种形式的纪录片随着纪录片娱乐功能的流行而不断发展。丹麦纪录片制作人耶珀·龙德的《斯文卡人》(2004)用纪录片的形式拍摄真实的南非男性时装比赛，以讲述一则父子团聚的寓言。虽然该片在北半球的电影节上颇受欢迎，但还是受到了质疑，原因在于它将虚构的情节作为真实生活来再现。

一些纪录片制作人则故意用虚构作为宣战手段。英国的左翼纪录片制作人彼得·瓦特金斯曾拍摄了相当多的影片，片中用非演员来搬演历史事件，以展现权力结构和反抗运动，如卡洛登战役和巴黎公社。美国的激进派纪录片制作人埃米尔·德安东尼奥在影片《审判室》(1982)中，再塑了记者被逐出审判室之后，反越战抗议者受审的场面。影片以真实的被告方本人为主角，包括菲利普·贝里根和丹尼尔·贝里根神父兄弟，法官则由好莱坞演员马丁·辛饰演。这一搬演不仅还原了事件过程，还含蓄地批评了在审判过程中将记者逐出的行为。法国

纪录片制作人克里斯·马克在《日月无光》（1982）一片中，将他记录的真实画面和声音及虚构的旁白编排在一起，结果引发了人们对记忆意义的探究和对电影制作的思考。在《甜蜜的梦魇》（1977）一片中，菲律宾纪录片制作人基德莱特·塔希米克通过重组其他纪录片的脚本，讲述了一个头脑简单的第三世界旅人游历欧洲的虚构故事——这个故事也是关于东西方相互渗透的批评记录。该片从其他纪录片中获取资源加以利用的方式本身也是对菲律宾杂收并蓄、莫衷一是的文化特点的一个注解。

德国艺术家哈伦·法罗基制作了很多复杂的、带有自反性的散文电影[1]，片中运用纪录片脚本，提出了具有重要公共意义的话题。他的散文电影《不易觉察的火光》（1969）展现了工业工人是越战的共犯这一主题——影片中的火光指的是凝固汽油弹，剧本和演出都是一次对布莱希特离间效果的尝试。美国纪 24
录片制作人吉尔·戈德米罗后来又逐镜翻拍了这部电影，取名为《法罗基教给我们什么》（1998）。

这样的混合体裁的影片是否还能被视作纪录片？它们和主流纪录片一样，宣称自己描述真实生活，告诉观众一些关于生活的重要事情。但有些人认为，这些实验影片就和伪纪录片一样，已经超越了纪录片的界限。戈德米罗本人在她的电影中向观众提问：你们认为《法罗基教给我们什么》是哪种类型的电影？她指出，和它所翻拍的那部《不易觉察的火光》一样，这部纪录片

① 20世纪二三十年代在欧洲出现的与诗电影相对而言的艺术流派和电影样式。主张电影“向散文学习”，用自然的日常生活与松散的散文结构表现现实生活中的戏剧性因素。此类影片有时会利用旁白朗诵一篇散文。

中几乎所有的场景都是搬演的，但它仍然探讨了真实生活。她半开玩笑地说：观众认为这部电影是“鼓宣”片。这让人想起苏联时代用以鼓励社会变革的“鼓动宣传”影片。她的提问本身也说明，纪录片体裁的界限是很难划定的。

制作人对纪录片的形式作出的各种选择，都是为了让观众相信：制作人是一个严谨、真诚、理性的人。关于怎样再现现实，制作人拥有的选择多种多样，这提醒我们，没有一种再现现实的方法是直接透明的。没有人能通过回避形式选择来解决与真实有关的道德难题，也没有哪种表现形式本身就是错误的。制作人与观众之间的相互坦诚才是最本质的。如果制作人更加明确自己采取某种形式技巧的目的，并且在尊重所表现的现实的基础上，追求更精湛的表现形式，他们就能增进与观众之间的互信。

奠基人

20世纪20年代，有三位重要人物开始了他们的纪录片制作生涯，这三位人物也奠定了此后全世界观众心目中纪录片的形态。他们是罗伯特·弗莱厄蒂、约翰·格里尔森和济加·韦尔托夫。这三位人物既声称自己表现真实，又声称自己是艺术家。而我们已经看到，“真实”和“艺术”这两个论断，正是有关纪录
25 片的最基本矛盾。艺术什么情况下会与现实冲突，什么情况下又有利于再现现实？这三位制作人以不同的方式探讨了这一问题，也为后来人的观点奠定了基础。

格里尔森和弗莱厄蒂两人尽管志向不同，但都开启了纪录片的**现实主义**传统。这一传统以栩栩如生的方式给观众制造了看到现实的幻觉。因此，现实主义不是努力去以真实的方式捕捉

现实，而是努力地用艺术去模仿现实，模仿得越好，观众就越会深陷其中而不去多想。一些技巧可以用来制造现实的幻觉，包括（1）省略剪辑（这种剪辑方式不会被观众意识到，你的眼睛被骗过了，认为它只是跟随着影片中的动作）、（2）摄影技术（让你觉得几乎身临其境，或者是以“过肩视角”看着动作的进行，给你一种处在影片动作中的心理感受）和（3）节奏（按照观众对自然世界中事物节奏的期待，安排影片的节奏）。现实主义由于其召唤力，成为全球商业电影的共同语言，不管是纪录片还是故事片。

还有一些方法和现实主义相反，它们让人注意到艺术家和技术在电影制作方面的角色。其中的一些方法被归到**形式主义**这一派别之下。所谓形式主义，就是突出电影本身的形式元素。这样的元素包括明显的、可觉察出来的剪辑，反常的色调、镜头的变形、动画等特效，以及声音或画面的减慢或快进等。在电影诞生早期，很多制作人曾经实验过这些技巧，而且他们代表了此后一种强大的、独立于商业领域的纪录片表达方式。（广告商也觉得这样的技巧很有用，因为它们能制造令人印象深刻的强烈效果。）形式主义的支持者攻击现实主义者，说他们制造幻觉，愚弄观众，让观众觉得自己在看真实的东西；相反地，形式主义的制作人认为，应该让观众觉察到甚至称赞影片中艺术家对于作品的创造。 26

罗伯特·弗莱厄蒂

美国人罗伯特·弗莱厄蒂一生致力于纪录片事业，虽然作品为数不多，但其中一些已经成为纪录片的标杆。他的第一部影片《北方的纳努克》大获成功，也给全世界的纪录片制作人——从苏联的谢尔盖·爱森斯坦、英国的约翰·格里尔森到法国的让·鲁什——带来了灵感。

弗莱厄蒂成长于美加边境，他父亲是一位矿主，他有部分时间和他父亲一起生活在采矿营地。他曾和北极原住民一起生活，而后者也待他很好；他为此制作了一部影片记录自己的北极旅行，但这部影片由于底片烧坏而中途夭折；之后他带着从一家法国皮货贸易公司筹集来的资金，回到了那群原住民中间。根据这段经历制成的纪录片，虽然遭到一些经销商的拒绝，却为影片本身和弗莱厄蒂带来了滚滚财源。影院放映《北方的纳努克》时着力推销它的噱头，比如狗拉雪橇，以及用纸箱板做成爱斯基摩人的房屋，影片被当做“真正北极土地上的生活与爱的故事”来兜售。

这部影片借鉴了当时流行的电影娱乐手法。它和流行的旅行宝典影片一样拥有“景观”元素，本身就是一次旅行风光展。弗莱厄蒂曾看过D.W.格里菲斯的故事片《一个国家的诞生》（1915），他的《北方的纳努克》采取和该片类似的结构，讲述了人们和“景观”斗争以求生存的传奇故事。影片亦有创新之处：弗莱厄蒂将他的观众带入了一种文化的日常生活，而他和他的观众都认为这种文化很原始。影片的新意就在于没有将“原始人”作为怪物或奇异生物来展示（此前不久，在1893年的芝加哥哥伦布纪念博览会上，他们还是被如此对待的），而是将他们视为有家庭、有社会的人类。城市民众可以透过纪录片制作人的视角，审视另一种生活方式——的确如此，他们甚至认为自己在审视历史。弗莱厄蒂镜头下再现的因纽特人的生活方式，是刻
27 意为之的古朴。

《北方的纳努克》温暖的人文主义情怀是一种成功的商业手

段，相比之下，另一位“民族志抢救者”，摄影师爱德华·S.柯蒂斯就远没有那么成功了。弗莱厄蒂夫妇在完成《北方的纳努克》之前曾拜访过柯蒂斯。因为曾经拍摄美国印第安人穿着古朴服饰的照片，柯蒂斯当时已经十分有名。他和夸扣特尔印第安人一起生活了数年，希望通过把这一经历拍成电影，吸引观众买票观看以收回成本。他在《猎头族之地》（1914）——后来更名为更确切的《战舟之地》——中呈现了一些仪式。柯蒂斯要求夸扣特尔人用情节剧的形式将他们文化中根本没有的这些仪式表现出来。该片票房惨淡，美学价值也很低，虽然后来的人类学家对影片中表现的那些仪式大感兴趣。

很显然，弗莱厄蒂为了吸引更多观众买票观影，作了一些选择。他将主角“阿拉卡瑞拉”改名为“纳努克”，并在他周围营造了一个很有镜头感、实际上却不存在的小家庭。他还隐藏了不少因纽特人也参与了影片制作这一事实。他没有记录平淡无奇的尤其是女性的日常生活，而是拍摄甚至导演了极富戏剧性的捕猎场面。弗莱厄蒂的拍摄技巧（缜密的视觉处理和许多次补拍后的产物）和影片编辑高明的节奏运用（很慢，足以让观众相信他们是在观看真实但又极具戏剧性的生活），通过生动的原材料制造了高品质的娱乐效果。现实主义模式的选取——通过影片剪辑、镜头角度和节奏控制，制造看到并体验到现实的幻觉——给予观众一种生动的印象，让他们觉得他们真实地体验到了一些原汁原味的东西。

弗莱厄蒂在影片中的尚古风格是一种道德选择。“我想展现的，”他说，“是这些人曾有的庄严与品格——趁着现在还有可能；而将来白人不仅会摧毁他们的品格，还要摧毁这一人种。”弗莱厄蒂对于原住民文化有着强大的浪漫主义信念，而且认为

28 与之相比，自己的文化在精神上显得十分贫瘠。“纳努克的问题是怎样与自然相处，”弗莱厄蒂的遗孀记得他曾经说过，“我们的问题是如何与我们的机器相处。纳努克解决问题的法宝是他的精神，《摩拉湾》中的波利尼西亚人也一样。但是我们却为自己制造了一个环境，让我们的精神很难与之和平共处。”

这样的浪漫主义信念，也意味着弗莱厄蒂认为因纽特人的文化因为与外界的接触而受到了污染；他不相信因纽特人的文化可以经得住外来的冲击。在他心目中，真正的原住民文化是纯粹的，完全不受机器文明的影响，虽然那位因纽特人“纳努克”不仅帮他修摄像机，还在市场上出售兽皮。

图3　浪漫派现实主义者罗伯特·弗莱厄蒂让因纽特人在《北方的纳努克》中重演传统风俗。罗伯特·弗莱厄蒂导演，1922年

这样的浪漫主义成为弗莱厄蒂作品的印记。他制作了为数众多的影片，其中包括在萨摩亚拍摄的《摩拉湾》（1926）、在 29
爱尔兰附近的荒岛亚兰岛拍摄的《亚兰岛人》（1934），以及在路易斯安那州的沼泽地拍摄的最后一部作品《路易斯安那州的故事》（1948）。所有这些影片都抹去了社会关系的复杂性，突出了人与自然的对立。在南太平洋拍摄的时候，弗莱厄蒂困惑地发现自然对岛民十分仁慈，所以他就利用痛苦的文身风俗来制造戏剧冲突，而当时这一风俗已经日趋消亡。他忽视了很多事情，比如萨摩亚殖民势力的存在、改变了萨摩亚社会结构的财产的急剧私有化，以及政府极力推行的西方的合法婚姻（却与萨摩亚人自己的婚姻习俗相违背）。在《亚兰岛人》（1934）中，弗莱厄蒂让亚兰岛岛民复原捕杀姥鲨的画面（必须要教他们如何表演），却隐去了和他们的生活休戚相关的两个部分：他们和大陆居民进行鱼类贸易，以及岛民被迫来到这片贫瘠的土地种植海藻，不是因为严酷的自然的力量，而是由于外居地主的存在。

《北方的纳努克》的魅力之一在于弗莱厄蒂所宣扬的“高贵的野蛮人”，这一流行的概念在西方思想中很有历史，可以追溯到启蒙运动早期，让-雅克·卢梭的作品对此也有所表达。“高贵的野蛮人”的概念表达了一种乐观主义，即自然状态下人的天性是好的。伴随维多利亚时代欧洲殖民主义的高潮和美国人的“昭昭天命”[1]论，“高贵的野蛮人”这一概念在此时欧洲大陆人和英美人的想象中变得尤为生动。即便当新兴国家开始对不同

① 19世纪美国民主党所持的一种信念，认为美国被赋予了向西扩张至横跨北美洲大陆的天命。

的文化实施政治统治时，这些国家的探险者仍然追寻未被涉足、人类未知的异国土地，歌颂简单生活的美好。正如利奥·马克思指出的，这种认定异质文化因所谓的简单纯真而倍加珍贵的浪漫主义情怀，随着工业化的急剧发展，只会有增无减。

人们一直喜欢弗莱厄蒂影片的另外一个原因，是他们能明显感受到他对影片中人物的强烈热爱。他每次都与和他一起生活、工作数月的人建立起一种温暖的人际联系。在弗莱厄蒂拍
30 摄《亚兰岛人》的40年后，制作人乔治·斯托尼——他本人就是由于观看弗莱厄蒂的影片受到启发，从而走上影片制作道路的——来到亚兰岛，他的祖父曾是该岛上的第一位医生。斯托尼在那里采访了当时参与电影拍摄的人员，并拍摄了纪录片《神话是如何创造的》（1978），片中认为《亚兰岛人》是一个源于现实的、以艺术创造的神话。40年后，亚兰岛上的人们仍然满怀深情地记起弗莱厄蒂。同样，一代又一代的因纽特人也愉快地看着《北方的纳努克》，认为这是一份礼物，可以让他们了解自己的传统。

当时的影评者对弗莱厄蒂影片的意图和伦理提出了质疑，《亚兰岛人》是质疑的焦点。格里尔森和英国纪录片的另一名先驱保罗·罗萨称赞弗莱厄蒂是一个伟大的艺术家，将纪录片从简单的记录提升为一种优美的艺术。在这两位纪录片制作人看来，弗莱厄蒂缺少与工业时代相适应的社会责任感与投入感，而他们倡导的纪录片运动正注重表现这一时代。大萧条时期，弗莱厄蒂的作品激怒了中间偏左立场的批评家们。“人与自然的斗争是不完整的，除非它包括了人与人之间的斗争，”英国左翼批评家伊沃尔·蒙塔古写道，“和好莱坞一样，弗莱厄蒂正忙着把

现实变成传奇。悲剧的地方在于，作为一名有着诗意双眼的诗人，他的谎言比好莱坞的更大，因为他能让传奇看起来像是真的。”

弗莱厄蒂去世后，持不同观点的评论者分为了两个阵营，用人类学家杰伊·鲁比的话来说，是“弗莱厄蒂神话派”和“弗莱厄蒂浪漫骗子派”。弗莱厄蒂的遗孀弗朗西丝曾对他的所有电影作出了不可或缺的贡献，在他死后守卫着他的传承。她提出“弗莱厄蒂法”这一名称，并称赞这一方法，称它是一种“以素材为中心”的特殊才能，弗莱厄蒂以这样的方式与观众分享他“纯洁的双眼”。她还创造了“非先入为主”一词来描述弗莱厄蒂的方法——她认为其典型特征是直觉、神秘、准确。海伦·范东恩是弗莱厄蒂最后两部片子的编辑，她从脚本中提炼出了影片的
故事轮廓；她不赞成弗朗西丝·弗莱厄蒂的神秘说，但却称赞弗 31
莱厄蒂是一位“有眼光的诗人”，一位“天才”，一位艺术家，其成就却因为商业的需求而悲哀地受到了阻碍。

反殖民意识的增强、冷战时代第三世界国家民族主义文化精英的崛起，以及自反式的人类学的发展，都为“弗莱厄蒂浪漫骗子”说推波助澜。一些人提出，弗莱厄蒂的“人类对抗自然”主题加深了人们对原住民无益的臆测；似乎只有在原住民与我们保持一段安全距离时，他们才会唤起我们的滥情，给我们以精神上的放松。人类与自然冲突的主题更促使人们将原住民看做孩子甚或宠物般的无辜群体，看做现代文明面前的潜在受害者。这让人们不太相信原住民政治上的努力——他们和更大经济体之间存在着往来，并且要求分得利益。不过，杰伊·鲁比还是提醒人类学家们，在审视自己的行为之前，不要太过严厉地批判弗莱厄蒂。

罗伯特·弗莱厄蒂留下的遗产经久不衰。纪录片《哭泣的骆驼》（2003）讲述了大漠戈壁中的一个家庭拯救被母骆驼抛弃的骆驼幼崽的故事；影片中上演了一场热闹的仪式，歌者对着母骆驼唱歌，感动了它。这个故事是由纪录片制作人编写和创作的，其中有一个制作人是蒙古人。制作人在影片中再现的生活状态是他们自己的想象中百十年前的戈壁生活，当地人兴高采烈地帮忙当起了演员，影片中的小家庭也是虚构出来的。当有人问起影片副导演路易吉·法洛尼影片的灵感来源时，他承认："好吧，你会笑我，但灵感是来自《北方的纳努克》。"

约翰·格里尔森

约翰·格里尔森的事业在纪录片史上引起的分歧和争议，比起弗莱厄蒂的只多不少。格里尔森出生在苏格兰，父亲是一位保守的、笃信加尔文教的教师。格里尔森将拍电影作为一个强大的工具，试图解决他一生中面临的问题：如何处理一个民主
32 的工业化社会中的社会矛盾。他曾在第一次世界大战中服役，见证过残酷的劳资矛盾，在贫民窟学校当过教师，还做过牧师，后来获得了美国洛克菲勒奖学金。在美国，他受到著名学者沃尔特·李普曼的影响。李普曼认为日趋复杂的社会要求专业人士能够将事务翻译给大众，否则大众就会感到无所适从，因为理解任何一个特定的事件都需要一定程度的专业知识。对于刚刚兴起、诞生于19世纪末劳资冲突背景下的公关业，格里尔森也很感兴趣。最终，他发现了弗莱厄蒂的《北方的纳努克》，认为在用电影力量将观众带入另一重现实方面，这部影片是一个出色的例子，他对弗莱厄蒂个人的永恒魅力感到折服。在撰文评论

《摩拉湾》时，他赞扬了其“纪录片”的特质，为这一类型的影片确定了名字。

回到英国之后，格里尔森成功地说服了英国官员相信纪录片的力量。此时正是游说纪录片的良好时机。1927年，另一位苏格兰人约翰·里思成为了世界第一家公共广播公司——英国广播公司的总经理，该广播公司以教育公众、提高公众素质为宗旨。此时大萧条又让英国的阶级关系更加紧张，许多人认可社会主义，甚至共产主义。同一时期，大量的社会改革也在如火如荼地进行，比如在美国，“新经济政策”就触发了不少社会改革。各行各业的艺术家，特别是摄影家和纪录片制作人之类以现实为创作对象的艺术家，都认为艺术和政治及社会改革密不可分。

“帝国推广委员会”雇用格里尔森来推广英帝国。他的上司毫不含糊地表明了观点：“对于国家来说，官方纪录片的作用就是让新的公众认可现存的秩序。”格里尔森完成了亲自导演的唯一一部影片《漂流者》（1928）——一部关于捕鲱鱼的纪录片，是为了回应一位官员对于该产业的兴趣而精心策划的；之后，他雇用了一些年轻男性，还有为数不多的几位女性，为政府和大公司拍摄纪录片，其中有他的妹妹鲁比。纪录片《工业化英国》（1932）是一次尝试，想让英国人走出对过去简单生活的怀旧情结。不过，格里尔森却犯了个错误：他让弗莱厄蒂来导演这部片子。弗莱厄蒂不仅超额使用了影片预算，而且所拍摄的脚本着重展示了手工业技艺，这实际上会激发人们的怀旧情绪，最终格里尔森解雇了弗莱厄蒂。由埃德加·安斯蒂和鲁比·格里尔森导演的《住房问题》（1935）是由一家汽油公司和一家房地产机构赞助的，影片让贫民窟的居民诉说自己的悲惨处境，并对拆除贫民窟的计划表示支持。《夜邮》（1936）由巴兹尔·赖特和哈里·瓦特导演，诗人W. H.奥登和作曲家本杰明·布雷登也为该片贡献了力量。该片讲述了一封信从被投入邮箱到完成递送的故事，大部分场景是在一辆邮政列车（列车内部为人工布景）上
34 拍摄的。影片让观众看到了完成政府服务所需的精妙复杂的机构和产业，并对此产生敬畏。影片不仅为邮局增添了光环，也展示了现代社会不同产业之间环环相扣的特征。

格里尔森和他的“小伙子们”在讲座和文章中，热烈宣扬一种理念，即纪录片是教育和促进社会凝聚的工具。1932年，格里尔森曾称赞纪录片具有观察“生活本身”的力量，因为纪录片展

图4　约翰·格里尔森将纪录片视作一种工具，可以用来提升社会凝聚力和洞察力。《夜邮》歌颂了英国邮政业体现出的人与机器的合一运作。哈里·瓦特和巴兹尔·赖特导演，1936年

示了帮助人们理解这个世界的真实的人，并展示了真实的故事。他以此来和好莱坞的“歌舞片套路”和“通俗化倾向”对比。他称赞弗莱厄蒂让现实讲述整个故事的能力，不过谈起弗莱厄蒂的浪漫主义时，他希望“弗莱厄蒂作品里暗藏的新卢梭主义，会随着这个独具个性的人的死亡一起消失”。他认为纪录片真正的挑战在于将创造性用于“让混乱的现状变得大体上井然有序”，作品传达的信息要“诚实而透明，引起深刻共鸣，最大限度地激发公民的责任感”。为了达成这一目的，就要摆脱个人化的制作而走向程序化，这一点很重要。

之后，格里尔森更加坚持纪录片的社会功能，甚至认为可以以牺牲“美好”为代价。他曾于1942年断言：“纪录片从本质上就不是电影”而是“一个教育公众的新方法”。他将国家看作掌管社会民主的公平中立的机构；他相信企业可以运用公共关系为公众造福，只要它们尊重真相。他曾支持在影片中运用一些纳粹宣传家们采用的宣传手段，且并不为此感到不安。他说：“极权主义可以用在恶行上，也可以用在好事上。”格里尔森主张将纪录片和娱乐电影严格区分开来。他相信纪录片既不能战胜好莱坞式的电影，也不可与之合流，因此他主张纪录片应该走非商业化的路线，并且力争带给观众完全不同的体验。

各种企业和政府都来找格里尔森当顾问，他们都在寻找最 35
新的公关工具。格里尔森的影响非常广泛。第二次世界大战时期他在加拿大生活了很长时间，期间他组建了加拿大国家电影局（NFB），这一机构至今仍然存在。他为美国和英国政府都担任过顾问。他的同事出力建立了澳大利亚国家电影局。他还为南非政府的领导人出谋划策；不幸的是，基安·托马塞利的文章中提到，他被一个支持种族隔离的南非白人群体欺骗，推荐了他们以民族团结的名义成立国家电影局的计划书。格里尔森作为纪录片领军人物的地位，以及英国社会纪录片运动本身，都在第二次世界大战后急速滑坡。但是，他认为纪录片是一项社会教育工程的远见，深刻地影响了后来的纪录片制作人。

对格里尔森作品的同时代影评，主要集中在效果这一问题上。这些纪录片是不是太激进了？影片中的主角主要是工人阶层，在阶级观念强烈的英国社会中，许多人会为之瞠目。这些影片会不会足够受欢迎？它们在审美上是不是足够大胆？作为回应，保罗·罗萨在他的《纪录片》一书中提出，英国社会纪录片运动是“这个国家对整个电影界最重要的贡献”，这句话蕴藏的意义得到了世界的认可。格里尔森成为英国和加拿大传媒史上一个备受尊崇的，甚至是带有神秘色彩的人物，这部分也是格里尔森派自己大力宣传的结果。

后来的学者们则热衷于挑战并推翻这一神话，伊恩·艾特肯和杰克·埃利斯都对此作出过很好的总结。学术界还将格里尔森置于他所处的时代和地域，认为他是公共关系的早期拥护者，一些人攻击罗萨对格里尔森的评论，认为罗萨忽略了同时期其他电影的努力，有自吹自擂之嫌[①]。还有人批判格里尔森的作品对于现实主义复杂内涵的处理过于简单，并指出其作品赞扬男性中心主义和中产阶级文化。

虽然格里尔森时而以左翼人士的面貌出现，别人也常指责
36 他为左翼分子，但后来的评论家还是注意到了他的保守主义倾

① 罗萨是英国纪录片制作人及纪录片史学家，与格里尔森有密切的合作关系。

向和对维持现状的渴望。乔伊斯·纳尔逊仔细研究了格里尔森在加拿大期间的作品，认为格里尔森在作品中淡化了加拿大的民族主义，目的是为了维护英联邦的团结；他还认为格里尔森利用纪录片分离主义策略，支持好莱坞占领加拿大电影院。

英国学者、前广播记者布赖恩·温斯顿也许是格里尔森最尖锐的批评者，他指出格里尔森的作品污染了整个纪录片领域，通过宣称追求艺术——对真实的“创造性对待”——这一借口，回避讲述真相的责任。但是他的作品又缺乏艺术方面的高度，通过宣称为更崇高的社会目的服务而回避了追求艺术的责任。这些作品还宣称只想做一个简单的真相讲述者，从而也回避了为社会服务的责任，即宣传功能。最后，格里尔森还忽略了一个事实，即他的影片的观众很少，甚至比不上商业影片中的小制作。他的影片不走影院路线，人们观影也是迫于接受教育，而不是出于对纪录片这一电影形式的欣赏。格里尔森的纪录片不够诚实，影片中强化了赞助方要表达的利益，扼杀了创造性。温斯顿指出，纪录片制作人应该自由地讲述他们认为重要的故事，不用装腔作势地打出为社会服务的口号，或者故弄玄虚地鼓吹自己可以以特殊的方式接近真相。

伊丽莎白·苏塞克斯采访过不少格里尔森派的英国纪录片支持者，她认为格里尔森关于纪录片形式的观点——让观众意识到他们所处的社会环境——经久不衰，并传承给了下一代的电影人，他们秉承这种精神，以不同的方式制作着纪录片。曾经鼓吹格里尔森改变世界的罗萨后来说过的话很耐人寻味：“我认为这些电影本身并没有什么重要的，重要的是它们留下的精神。”

格里尔森发起并大力倡导的这场电影运动，在纪录片制作

37 史上留下了深刻的印记，这也是后世的批评会如此热烈的原因。格里尔森派电影人的理论文章，对于想做出一番事业的纪录片制作人来说，成为了可参照的重要文本。格里尔森创立或受到他的启发而创立的一些机构，特别是加拿大国家电影局，一直以来也对纪录片制作人起着重要的作用。纪录片从根本上说是一项带有社会目的的工程，而纪录片制作人是社会进步的推动者这一观点，一直很有说服力。纪录片由政府和企业支持，采取非商业、非院线的播映方式，这一商业模式也已经被广为接受。如果说弗莱厄蒂使得对现实的呈现体现出美学价值，那么格里尔森则让纪录片对现实的呈现凸显出社会功能。

济加·韦尔托夫

纪录片的第三个奠基人是苏联的革命题材纪录片制作人济加·韦尔托夫（原名丹尼斯·阿尔卡季耶维奇·考夫曼）。韦尔托夫既是纪录片制作人，也是苏联所谓“不表演的”（没有导演成分的）电影的支持者。他支持“抓拍生活”，即拍摄没有经过排练的电影瞬间，这些瞬间具有独特的反映真相的价值。他相信纪录片是革命的最理想媒体，不仅应该将纪录片发扬光大，而且应该对故事片打压遏制，因为其功能有害。俄国革命之后，韦尔托夫成了苏联政权的眼中钉，他的作品也在该国被遗忘。但是，在俄国革命之后的十年，韦尔托夫对苏联和全世界的电影都有重大的影响。虽然在苏联时期韦尔托夫在他自己祖国电影史上的痕迹被抹去，但他仍继续为世界各地的先锋派艺术家和纪录片人提供着不竭的灵感。

韦尔托夫积极倡导纪录片中的艺术和科学——对他而言

这是电影这一媒介的本质。他的梦想是让电影业重视“‘不表演的’影片而非经过导演的影片，以场面记录来代替场面调度，冲出剧院的舞台，回归生活本身”。他将摄像机看作是
“我的机器化身……这机器展示了只有我能看到的世界的本 38
来面貌”。摄像机的控制力，补充了人类微不足道的视物能力；它能从极高的地方眺望全景，也能透过二楼的窗户看到里面，还可以看到遥远的远方。韦尔托夫也和其他很多人一样，认为马克思主义是一种关于社会的新科学。他认为在电影编辑中，摄像机的奇妙技能应该和革命的马克思主义分析结合起来，成为革命的科学工具，也就是他所说的“以共产主义的方式解码”电影素材。这样，机器的力量就和意识形态的力量结合起来了。

韦尔托夫认为，电影是苏联正在孕育的共产主义社会的理想媒体，因为它抓住了现实生活的真相，没有向观众说谎，也没有分散观众的注意力，同时因为它代表了神奇的、机器驱动下的现代主义精神，而共产主义正是这种精神最先进的部分。他贬损自己称之为“艺术”片的电影，认为那代表着虚构的娱乐。韦尔托夫也是一个先锋派的艺术家，这是他一直不变的身份。

作为一个生活在反犹社会中的犹太人，大学时期年轻的丹尼斯·考夫曼给自己起了个古怪的名字：济加·韦尔托夫（意思是旋转的陀螺）。韦尔托夫来到彼得格勒（即圣彼得堡）这个欧风盛行的城市，在为数不多的接纳犹太人的一所学校学医。在这里他汲取了现代主义艺术文化的营养，也受到了赞扬新生事物、现代事物和机器的未来主义这一先锋运动的影响。在那里他也爱上了美国诗人沃尔特·惠特曼的作品。

革命给了他一个机会，他得以在“宣传列车”①上工作，将革命宣传送到斗争的前线。他在列车上制作新闻短片，编辑了几十辑（每辑10到20分钟长）的《电影真理报》（1925）。这个名字和党报《真理报》相呼应，也意味着对纪录片力量的宣扬。这些新闻短片将观众带入新成立的苏联的遥远腹地，向他们展现政治审判的新闻，给他们展示沙皇时代的坦克如何被重新用于公共设施，以及体育活动、突发事故和人们钟爱的题材——电气
39 化。这些短片赞颂城市、现代化和机器的奇迹。它们在全国电影院的故事片前面播放，也在各种俱乐部、工作场所和乡村的大屏幕上播放。在那些从来没看过电影的农民脸上，韦尔托夫看到了惊叹和敬畏。

韦尔托夫在制作新闻短片的过程中，兴奋地看到了这一媒体越来越多的潜能；他成了不表演的电影或纪录片的热烈宣传者。他和他的影片编辑伊丽莎白·斯维洛娃，也就是他后来的妻子，还有他的弟弟米哈伊尔·考夫曼成立了一个“三人委员会”。三人委员会召集了一批热心人士，他们称自己是电影之眼。他们发表了一些激烈的观点和声明，如《我们：不一样的宣言》，邀请观众远离“爱情故事的甜蜜拥抱/心理分析小说的毒药/偷情剧的诱惑/音乐的干扰”，进入“开阔的、四维的空间（三维空间加上时间）/寻找我们自己的素材，我们自己的节奏和韵律”。

虽然韦尔托夫一口断定摄像机之眼带来了科学奇迹，并拥有在人类空间之外讲述真理的能力，但是和格里尔森和弗莱厄

① 苏联国内战争（苏俄成立后同反革命势力的斗争）期间的一种宣传工具，列车将演员、报纸、电影等送到战争前线，鼓舞群众的革命精神。

蒂一样，他也提出人类的故事讲述者至关重要：“仅仅在银幕上展示真理的碎片、真理的局部是行不通的。这些局部应当按主题组织起来，整合成一个整体的真理。”和弗莱厄蒂提出的艺术家“纯洁的双眼”以及格里尔森的“对真实的创造性对待”一样，韦尔托夫主张影片编辑有权将无序的现实生活重组为共产主义的真理，这实际上是允许纪录片制作人想做什么就做什么。他们三个人激烈宣扬自己作品的真实性，但同时又将演绎真理的人塑造成一个需要创作自由的艺术家。

韦尔托夫想要讲述的，是共产主义社会的美好，以及建设这
一社会所需要的斗争和牺牲的重要性及崇高性。不管是在政治 40
上还是在艺术上，他都比同时代的许多人更加激进。受托洛茨基的影响，他鼓吹经济的完全国有化和公有化。他的第一部纪录片《电影眼睛》（1924）向观众宣告它是“第一次的探寻/抓拍的生活/第一部非人为设计的电影对象/没有/剧本/没有/演员或影棚”。它用经过复杂编辑的、令人眼花缭乱的一连串图像，向苏联经济中仍然存在的资本主义因素和腐败现象发难。他随后又在很短的时间内接连制作了三部续集，每一部都推进了剪辑方面的实验，即用并列[①]的展示方式追求现况电影[②]的效果。

韦尔托夫的作品故意采取非传统和挑战性的手段，让评论家感到既着迷又不解，让他的朋友感到不悦，也在纪录片制作人中掀起了激烈争论。他树敌很多，并且丢掉了他在莫斯科的工作。他的代表作《持摄像机的人》将争论推到了顶点。这部他

① 电影批评用语，指将一种或数种电影元素排列在一起，使其产生某种戏剧效果。

② 可以被认为是纪录片的前身，出现于电影诞生的早期。它与纪录片一样采用真实事件、真实场景和事物作为拍摄脚本，但不像纪录片那样注重事件的整体性、连续性和背后的宏大背景或意义，一般是单个场景的新闻事件、异国风光或日常生活等。

和他的妻子以及他的摄影师弟弟米哈伊尔一起制作的纪录片，是电影艺术史上最震撼也最富有争议的影片之一。该片意在呈现一个发生了巨变的国家的壮阔全景，这个国家的普通人的日常生活无意间成为了一首壮丽的现代主义诗歌的一部分。如果说惠特曼曾听到美国人的歌唱[1]，那么韦尔托夫则是听到了苏联人的歌唱。

《持摄像机的人》是一部城市交响曲纪录片，采用了“生活中的一天”的形式，采取了电影套层结构。观众和影片里的观众一起入席，影片里的观众离席时，电影也结束了。电影中，摄影师如同精灵一般，用镜头的魔法，带领观众走入私人生活的场景（一个孩子出生、一对夫妇离婚），穿过广袤的土地，来到工厂和体育馆。摄影师和影片编辑开起了视觉玩笑——用一些特效快乐地展示这种新技术的奇迹，它能够通过再现现实揭示意义。

41 最后，影片赞扬了制作人的力量与快乐，如同它讴歌新生的苏联的伟大成就一样。这样的纪录片制作，符合韦尔托夫备受争议的电影理念，即纪录片要具有超越的力量，不仅记录社会，而且要大胆想象和观察人类认为不可能发生的事情。影片的开场白就宣告了制作者的野心：“这部实验性的作品，是为了创造一种真正的、国际化的纯银幕语言，一种与剧场和文学语言完全不同的语言。”

这部影片让全世界的艺术家和影评人为之折服和雀跃，部分是由于其中含混的元素愉快地激起了他们的好奇心，当然，影片也强化了艺术家的自信。但苏联的观众对此片的感觉却完全相

① 美国诗人沃尔特·惠特曼（1819—1892）曾创作诗歌《我听见美国在歌唱》，诗中描写各种劳动者唱着自己的歌，赞颂了劳动的力量。

反，当时他们正越来越多地选择观看地方电影和世界流行电影中的娱乐喜剧和情节剧，他们抱怨不知道影片在说什么。在当时环境日益严酷的苏联，艺术和政治方面的实验都遭到打压，这部影片更是毁掉了韦尔托夫本就岌岌可危的前程。韦尔托夫后来又对声音这一形式元素进行了一次令人振奋的实验，即影片《热情》或称《顿巴斯交响曲》（1931），之后，他发现已经很难在政府控制的电影业中生存了。他一丝不苟、坚持不懈的实验主义精神已经不为苏联政府所容，庸俗易懂的电影成了政府的新宠。后来的岁月里他被安排去编辑歌颂斯大林的无聊新闻短片和纪录片。

虽然韦尔托夫的作品曾在苏联的艺术界和政界引发强烈反响，但苏联观众看到的却很少。《电影眼睛》（1924）只公映过一

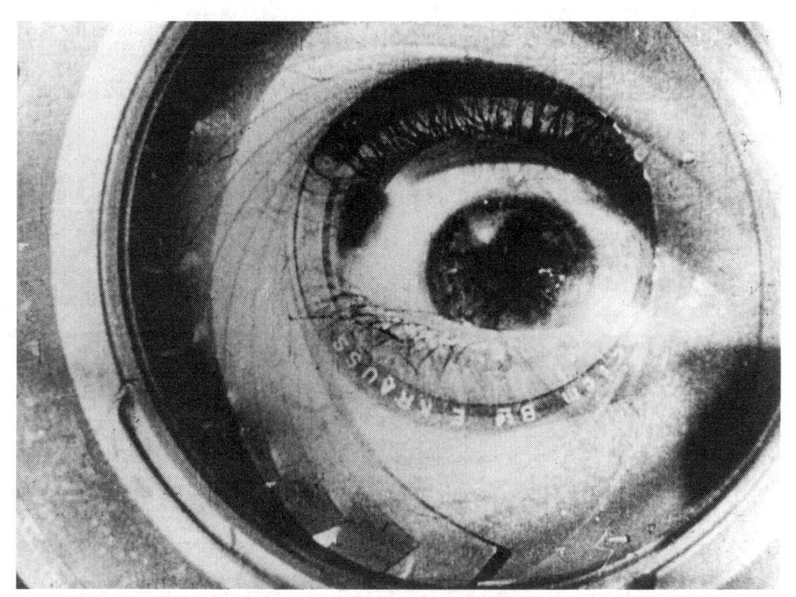

图5　苏联革命艺术家济加·韦尔托夫在《持摄像机的人》里进行了震撼的电影形式实验。济加·韦尔托夫导演，1929年

次。《前进吧，苏维埃！》(1926) 只在三家电影院短暂上映过，没有相关宣传。《在世界六分之一的土地上》(1926) 没有在影院首轮放映。《第十一年》(1928) 只对几千名乌克兰观众播放过，而《持摄像机的人》虽然在全国公映，但一般的观众对其并不欣赏。电影先锋谢尔盖·爱森斯坦是韦尔托夫最早的推崇者之一，却也对韦尔托夫的风格——用他的话说是“动机不明的摄像机恶
42 作剧”——越来越恼火。(韦尔托夫曾强硬回击，称爱森斯坦应当尊重现实的力量，而不是在讲故事时伪造现实。)

韦尔托夫的声誉在苏联遭到扼杀，却部分由于西方艺术家的热情而得到了维持。对于赫伯特·马歇尔等作家来说他也是一个重要人物，马歇尔在梳理韦尔托夫的职业生涯时，曾将他列为苏联几位“创造性遭到扼杀的人物”之一。他的声誉也被学者们所挽回，其中的关键人物有电影史学者杰伊·列达，他曾亲眼见证早年的俄国电影；还有电影学者安妮特·米切尔森，她以英文出版和分析了韦尔托夫的作品。

韦尔托夫对电影形式的挑战以及他的电影实验，激励了后
43 来数代的先锋派影片制作人：他想象出了一种影片形式，可以跳出解说模式和自然主义模式的故事讲述方法。对韦尔托夫和那些想用艺术来粉碎人们对现状的期待的制作人来说，罗伯特·弗莱厄蒂选择的那种现实主义，即含蓄或明白地讲述一个为生存而斗争的故事，让他们深恶痛绝。韦尔托夫和爱森斯坦的电影对格里尔森产生了重要影响，他们关于电影可以服务于社会变革的观点对格里尔森很有吸引力。20世纪60年代的一些纪录片制作人打破了纪录片中的一些习惯性的导演手法，他们将韦尔托夫视作一个文化英雄。马丁·斯科塞斯在一家碟片

商店中无意间发现了《持摄像机的人》，他声称该片让他看到了种种可能性，令他震惊不已。韦尔托夫那不太连贯的、不确定的、兴致高昂的、自信满满的实验，将继续让观众惊叹，也将继续给纪录片制作人带来灵感。

这三位奠基人为纪录片制作人，也为观众确立了对于纪录片的三种不同的期待：高尚化的娱乐（弗莱厄蒂）、有益于社会的故事讲述（格里尔森）、富于挑战性的实验（韦尔托夫）。他们的名字成为这些方法的代名词，他们自己也成为后来纪录片人的偶像。

真实电影

由以上三位传奇性人物引导的纪录片制作潮流，在20世纪60年代的一场电影革命中受到极大的冲击。这场革命没有确定的名称，有人将其称作真实电影，有人将它叫做观察式电影或直接电影。这种纪录片形式与当时的纪录片标准制作模式——事先计划、剧本创作、舞台、灯光、搬演和采访——截然不同。所有这些传统的方法，都是与庞大、笨重的35毫米电影设备相适应的，也符合当时观众对纪录片的期待。16毫米的设备由于战争期间军队的使用而变得更加受欢迎，流通也更广，真实电影（后面我们就采用这一涵盖很广的术语）就使用了这一轻便很多的设备。真实电影有着全新的声音，展现的主题常常也有所不同。 44

真实电影的制作人用更轻巧的、16毫米的设备将人们带去了他们从未见过的地方——普通人家的房间、少年们跳舞的场地、竞选活动的幕后密室、有名人的后台、罢工的现场、精神病院的内部——并且把他们所看到的拍成了纪录片。他们把海量的拍摄脚本带到剪辑室，通过编辑，找到他们要讲的故事。他们首次运用了音画同步这一新技术——运用16毫米的设备，有史以来第一次他们可以同时记录画面和声音——捕捉到日常对话，而多数影片也开始不再使用旁白。

真实电影派的践行者如今遍布整个纪录片领域，其中一些制作人早在真实电影运动前就开始创作，比如法国电影传奇人物阿涅丝·瓦尔达（《我和拾穗者》，2000），比如英国的金·隆吉诺托和中国的王兵（《铁西区》，2003）等体现了当今制作潮流的制作人，还有其他正在崛起的电影人。锐意进取的制作人普遍采用真实电影这一形式，“步入未来”项目（2002）可以证明这一点。这一由南非国家电视台（SABC）和几家欧洲公共电视台合作打造的项目聚焦于南部非洲的艾滋病这一争议话题。从这一项目中诞生了38部电影，大部分都是由第一次执导电影的制作人创作的，大部分在制作时都采取了真实电影的习惯手法。

发展历程

真实电影这一电影风格的革命开始时，正值人们对自上而下的媒体权威的不信任日益加剧；而此时人们体验过了第二次世界大战期间的宣传，广告作为一种洗脑的国际语言日益流行，大众传媒的影响力也开始凸显，这些背景或许也催化了这场革命。对于媒体的不信任背后，有着更为广阔的社会运动，即争取公正、平等、政治公开和包容性的运动。这些运动触及了世界的
45 每一个角落，带来了殖民主义的终结、政府机构的变革，也让社会低等级人群、妇女和残疾人等受歧视的社会群体在争取民权方面获得了胜利。

这场运动的最初迹象其实和技术并没有什么联系。20世纪50年代末英国出现了自由电影运动，其特征是公开嘲笑严肃的、格里尔森式的、为了教育公众和服务民族团结的任务而拍摄的电影。自由电影实实在在地将自己从这类任务中解放出来。林赛·安德森的《梦幻世界》(1953)与卡雷尔·赖斯和托尼·理查德森的《妈妈不让》(1956)带观众去看工薪阶层孩子假期的游乐园和爵士酒吧之行。这些纪录片没有含沙射影地批判片中的角色，不向观众灌输电影的结论，也没有告诉观众他们将要看的东西很重要。这些影片只是提供了一些机会，让观众观察到日常生活的生动场面，也直截了当地表明了制作人的兴趣所在。另外一些作品则体现出强烈的、与现状对立的道德立场。比如，法国纪录片制作人乔治·弗朗瑞拍摄了《野兽的血》(1949)和《巴黎伤兵院》(1952)，分别描绘了一家屠宰场和一家伤残军人安置院。《野兽的血》暴露了日常鲜肉供应背后的残酷，含蓄地将对动物的屠杀和对人的屠杀进行比较；而《巴黎伤兵院》则公开地表达了反军事和反教权的立场。

加拿大、美国和法国的制作人则迅速地将技术革新用于推广一种新的纪录片的拍摄方法。时间和生命广播公司资助罗伯特·德鲁进行了电影实验，德鲁与工程师D. A.佩内贝克以及制作人戴维·梅索斯、阿尔伯特·梅索斯和理查德·利科克一起合作。(利科克因为参与弗莱厄蒂制作的《路易斯安那州的故事》而和纪录片结下了不解之缘。)在法国纪录片制作人兼工程师让-皮埃尔·博维亚拉的帮助下，这些富有创意的制作人成功地研制出一套摄制系统，可以不用把所有设备都接在一起连到说话者身上就能同步录音。 46

在美国，电影实验也不断涌现，虽然并不总是成功的。德鲁的团队在纪录片《初选》（1960）中，追踪了约翰·肯尼迪和休伯特·汉弗莱之间的选战。看得一头雾水的美国广播公司节目制作人拒绝播放该片，说它看起来像"一团乱麻"（指没有经过剪辑的脚本）；现在看来，这部片子是精心制作的，虽然用珍妮·霍尔的话说，它有一种让人透不过气来的身临其境之感。不过，美国广播公司的节目仍然继续播放此类纪录片，虽然该公司经常为了自己的目的对影片进行重新剪辑。比如，理查德·利科克的《母亲节快乐》（1963）记录了一个五胞胎诞生的故事，要体现的是公众对这一事件的庆祝中极度商业主义的倾向，而美国广播公司却重新剪辑了此纪录片脚本，将其改编成一个全城人团结起来帮助一个家庭的温馨故事。（后来，利科克将原版本公之于世。）

真实电影（有时叫做直接电影、观察电影；在加拿大被叫做坦率之眼，是由一部电视纪录片剧集而得名的）以其各种可能性让制作人兴奋不已。戴维·梅索斯和阿尔·梅索斯[①]制作了一系列震撼的故事纪录片，在艺术电影保留节目巡演中备受称赞，这样的巡演是当时电影文化的主要体现。在纪录片《推销员》（1968）中，梅索斯兄弟的镜头追随一群推销《圣经》的人，这些人在不断兜售这本圣书的过程中，历经着美国梦带来的矛盾。电影的编辑夏洛特·兹韦林将这一脚本剪辑成了一个美国式的悲剧。影片对于梦想崩塌的呈现悲伤而煽情。该片播放时，美国社会因为对越战的不同态度和不同的文化价值观而空前分

① 即前面提到过的阿尔伯特·梅索斯。

化。不过，虽然《推销员》有着强烈的社会寓意，但梅索斯兄弟的多数作品均回避了政治话题。

在加拿大国家电影局内部，真实电影——开始时只是作为对社会道德主义的一种抨击——变成了纪录片的中心形式，这对于约翰·格里尔森创办的这个机构来说有点讽刺。《孤独的男孩》（1961）是加拿大最早的真实电影之一，讲述了少年偶像保罗·安卡的故事，该片开创了拍摄名人私生活的纪录片的潮流。加拿大国家电影局1966年开始了“为改变而挑战”项目， 47
该项目由科林·洛和约翰·凯梅尼发起，目的是为了鼓励加拿大纪录片出现新的声音和话题，方式之一是训练业余爱好者使用摄像机；这一项目采用真实电影作为其自然语言。格里尔森这个总是要急于表明自己影响力的人，立刻就宣称“为改变而挑战”项目只是追随了他倡导的影片记录社会问题这一传统。

全世界的纪录片制作人抓住了真实电影提供的制作观察型纪录片的机会。比如大岛渚为日本电视台制作了《被遗忘的帝国军队》（1963），这部纪录片关注的是日本军队中的韩国退伍兵，他们被夹在日、韩两国之间，享受不到退伍兵的待遇。著名制作人市川昆拍摄的《东京奥运会》（1965）是对德国导演莱尼·里芬施塔尔那部为纳粹政府精心制作的纪录片的讽刺致意。市川昆用镜头仔细地记录了运动员，却并没有像里芬施塔尔那样将他们当作国家的象征，而是将其塑造成一个个为个人最好成绩而艰难奋斗的个体。在印度，“平行电影”运动中也产生了真实电影风格的纪录片，比如S.苏克德夫的《印度1967》（1967）。

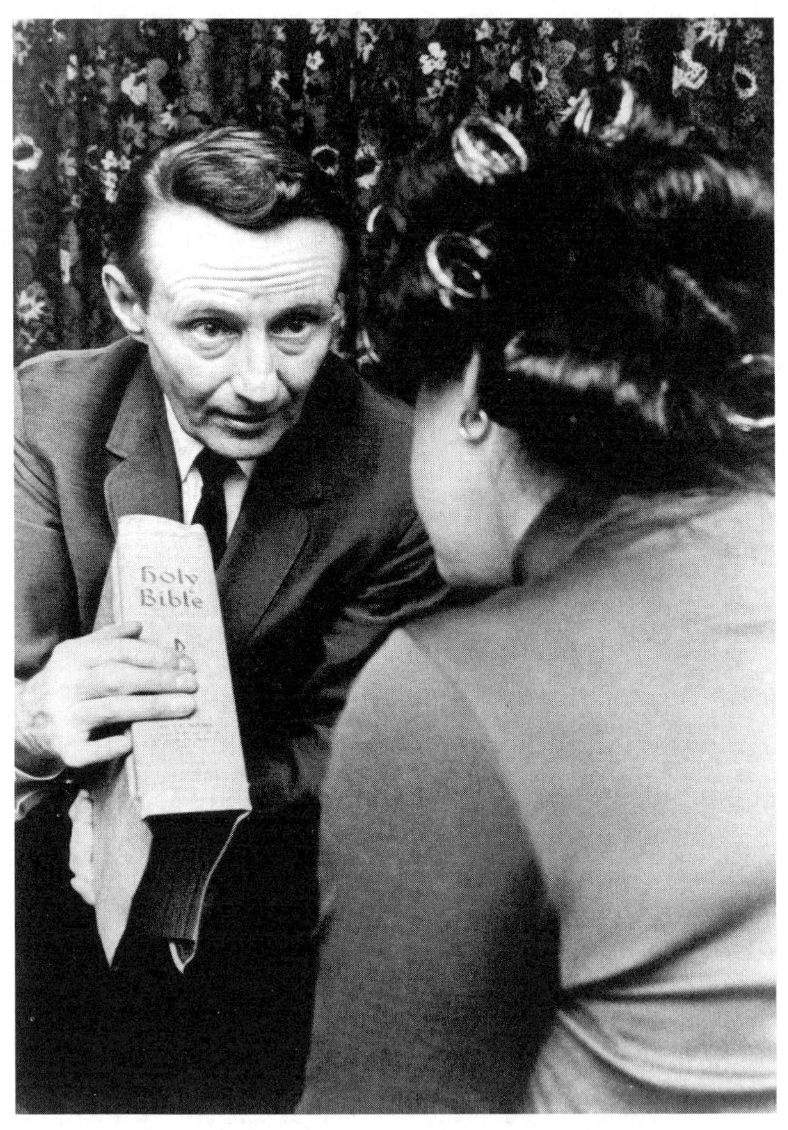

图6 《推销员》是真实电影的经典之作，将对《圣经》的兜售变成了一个关于美国梦的寓言。阿尔伯特·梅索斯和戴维·梅索斯导演，1968年

内部派别

弗雷德·怀斯曼出生于波士顿，做过律师，后来转行拍纪录片。他的作品主要在公共电视台制作完成，其作品一直有一种不变的、与众不同的基调。《提提卡蠢事》（1967）是他职业生涯中第一部表现制度下生存体验的纪录片，该片将观众带入马萨诸塞州的一家精神病院中。中学、医院、训练营、动物园、芭蕾舞团、法院、住房建筑工地和国家立法机构等许多地方都曾是他的拍摄对象。这些纪录片往往展现各种关系，以突出表现无情刻板的社会制度下的牺牲品和制度的执行者。影片中，观众看不到纪录片制作人，也没有旁白；他们直接看到制度下的情形。但是怀斯曼仍然通过锐利的剪辑手法和对主题的选择，鲜明地表达了他对制度和社会的看法：这个制度和这个社会将人当作有待解决的问题来看待。可能就是因为《提提卡蠢事》这种尖刻的、不指名的谴责，马萨诸 49
塞州当局禁播了这部纪录片，在其获奖后仍然继续禁播；当局申辩，怀斯曼没有获得影片中足够多人的同意，因此在银幕上再现他们的生活是不合法的。片中的精神病院后来被关闭，也有可能是由于影片的影响。从那以后，怀斯曼的作品就在美国公共电视台常演不衰，公共电视台用其来标榜自己追求创新和意义。

如果将《提提卡蠢事》的谴责性刻画和其他精神病院题材的纪录片作对比，就可以看到不同的电影人在运用参与和观察来解读制度时，方法可以截然不同。加拿大纪录片人艾伦·金最著名的作品之一《华伦岱尔少年感化院》（1967）带领观众走进一群问题少年的学校生活。金早期崇拜弗莱厄蒂；他反对英联邦国家流行的格里尔森的“宣传”模式，认为格里尔森给纪录片穿上了“政治束身衣”。《华伦岱尔少年感化院》的手法反映了他的人文主义视角。如果说提提卡是个恐怖的所在，那么华伦岱尔少年感化院——一个金所赞赏的实验——则既是牢笼，又是庇护所，在那里备受折磨的人们在帮助下试着自主疗伤。金在影片中将华伦岱尔少年感化院塑造成一个并不完美的地方，里面的人虽然有缺陷，却大体上是正派的。

最后，我们可以看看《骨瘦如柴》（2006），这部影片展示的是一家治疗进食障碍的美国诊所。该片由摄影师劳伦·格林菲尔德执导，D. A.佩内贝克的门徒R. J.卡特勒制片。影片将观众带入诊所内部，与观众分享病人和医务人员的视角。和怀斯曼的评头论足、金的感情投入不同，它让想要对影片话题一窥究竟的观众大饱眼福。

宣战手段

正如埃里克·巴尔诺所说的，一些纪录片制作人不仅用新的技巧来观察，也用这些技巧来作为宣战手段。法国的让·鲁
50 什是一名人类学家兼纪录片制作人，他想让纪录片中的人物讲自己的故事，因此用了新的16毫米技术（在这一过程中他和他的团队改进了音画同步技术）去探究战后后殖民时代巴黎的觉醒。他的团队从济加·韦尔托夫的《电影真理报》那里借用了“真实电影”一词，制作了《夏日纪事》（1961）。

《夏日纪事》记录了一小群年轻人之间的互动。这些年轻人是从副导演埃德加·莫林的朋友中选择的，他们属于一个政治上激进的小团体。这些朋友在大街上采访陌生人，并把自己的对话拍摄下来。影片中，一位大屠杀幸存者的故事让几位非洲

学生感到震惊，这些学生又揭露了宗主国平常对待殖民地居民的种族主义态度；一位神经质的意大利妇女寻找平凡的幸福，却毫无结果。在影片中，后出现的人物对先前的影片情节进行评论，而制作人也针对不同的方法展开辩论。

这一小小的实验在激进的制作人中引起了久久的回响。法国的激进派导演克里斯·马克用影片中的方法向法国人提问，比如影片《美好的五月》（1963）中的问题是："你觉得我们生活在一个民主社会吗？"捷克纪录片制作人扬·阿普塔在《最伟大的梦想》（1964）中用镜头调查年轻人的理想和希望。巴西纪录片制作人阿纳尔多·亚博尔在《公众意见》（1967）中，记录了里约热内卢的中产阶级下层居民的看法——此前，他们的声音从未在巴西的电影和电视上出现过。

争议

真实电影后来引起了激烈的争议，这部分是因为支持者对于其表现真相的一面的宣扬过于笼统。（罗伯特·德鲁用"假的"这个简单的词，笼而统之地否定了之前的大多数纪录片。）1963年，在法国里昂的一次电影大会上，制作人对这种新的电影制作方法展开了辩论。一些情绪激动的人谴责了格里尔森式纪录片的专断与说教模式，鼓吹真实电影的正直与准确。其他人则表示不同意。 51

荷兰的激进派纪录片制作人约里斯·伊文思则对"真实电影"一词的隐含意义很反感，他认为这个词语不仅暗示自己讲述真实，而且暗示之前的纪录片都在说谎。他又提出，真实电影的隐含意义回避了一些重要的问题，比如"什么样的真相？对哪些人来说是真相？哪些人会看？为什么人而看？"他认为功能先进的轻型设备同样会存在隐患，即“对真相一带而过而不是深入挖掘”。他说，有时电影不能停留在观察的层面，“而要鼓动人心”。法国激进派导演让-吕克·戈达尔攻击真实电影的倡导者，说他们有意选择忽略遴选素材与深度表达的好处：“在思想没有发挥作用的情形下，利科克的镜头虽然很真实，却少了电影最基本的两种元素：智慧与情感。”

从那时候起，这样的争论就从未停止过。就连这种电影制作方法的命名都存在争议。虽然真实电影这一名词是由鲁什命名的，但他和其他法国纪录片制作人后来又开始称自己的作品为“直接电影”。在同时期的英国，也就是直接电影起源的国度，真实电影变成了一个包罗万象的词，在美国也是一样：只要是没有旁白、用手持摄像机拍摄、捕捉动作的电影，都叫真实电影。

一些人反对真实电影这一名词，还有一些人则反对真实电影的整套制作方法。德国纪录片制作人维尔纳·赫尔佐克曾对D. A.佩内贝克说：“真实电影是会计拍的电影。”弗雷德·怀斯曼称自己的电影为“实况故事片”，声称他不打算客观地再现现实，而是想展示他看到的**内容**，以及他觉得其中有意思的部分。他说，连“实况故事片”这个词也是“戏仿和自夸的术语”，是为了取笑真实电影的装腔作势而发明的。美国纪录片人埃罗尔·莫里斯也猛烈抨击真实电影，声称：“手里摇晃着摄像机，鬼鬼祟祟地躲在房间的角落、柱子的背后，就解决了方法上的难题。好像如何认识世界在这一过程中已经不重要。这样就是真实的电影，用摄像机拍出来的就是真理的化身！”林赛·安德森
52 是自由电影的先驱者之一，她认为直接电影只是“一个借口，实际上就是缺乏创意，是装模作样的新闻腔”。

那些自豪地将自己的电影称作“真实电影”的人，也仍然纠结于真实电影到底提供**哪种**真实这一问题。让·鲁什指出电影制作的过程是“一种催化剂，让我们可以带着疑问，展示所有人身上都有的虚幻的那部分，但对我来说这正是一个人身上最真实的部分”。加拿大摄影师、发明家迈克尔·布罗则巧妙地回避了这一问题，他告诉影评人彼得·温顿尼克：“你无法讲述真相——你只能展示它。”加拿大纪录片制作人沃尔夫·凯尼格（《孤独的男孩》的制作人）则告诉温顿尼克一个熟悉的理由：“每一次剪辑都是一个谎言，但你说谎的目的是为了表现真相。”由“真实电影”这一词语引发的多种解释，让人想起了理论家诺埃尔·卡罗尔的一句讽刺评论：“拍摄直接电影就像是打开一个装满了虫子的易拉罐，然后被虫子吃了。”

影评人质疑纪录片制作人是否像他们宣称的那样，表现的是没有经过修饰的真相，哪怕是主观的真相。珍妮·霍尔认为，D. A. 佩内贝克的开创性纪录片《别回头》用真实电影的方法记录鲍勃·迪伦的巡演，但实际上影片经过精心的剪辑，目的是为了表现制作人自己对媒体的批评。托马斯·本森和卡罗琳·安德森也对弗雷德·怀斯曼发出了攻击，认为他的影片自相矛盾，他扮演作者的角色，创作了一部带有意义的作品，但又在观众面前将其意义隐藏起来，这样一边对他所表现的机构进行揭秘，一边却将自己的角色神秘化了。A. 威廉·布吕姆则探讨了一种可能性：真实电影中的率性和情绪化会让观众的理解变得困难。

还有人指出，真实电影这一方法产生的结果可能会与纪录片人所期望的相反。彼得·戴维斯的《中心城》（1982）本来意在总结一项社会学研究的成果，而为了集中展现某一特定时期这一城市生活中的危机和鼎盛时刻，该片有意忽略了研究的结论。布赖

53 恩·温斯顿指出，戴维斯所选择的真实电影方法，偏好日常生活中
的冲突，而不是研究报告中的社会学见解。1968年“五月风暴”过
后，法国激进派纪录片制作人及理论家居伊·埃内贝勒提出，一些
看起来很直接的拍摄方式——比如工人们说话的实况场景，激进
派电影人士认为这样的场景能起到动员革命行动的作用——可能
只会加强工人自己的“虚假意识”[①]。他指出：“还不如坦率承认制
作人对影片的控制，并运用一切的电影制作武器让其赏心悦目。”

真实电影制作人和其拍摄对象之间的关系，常常被认为是道
德问题。纪录片制作人很可能会在不经意间就改变了拍摄对象的
现实，他们也会因为究竟应该在多大程度上介入而苦恼。卡坦昆
电影公司《篮球梦》（1994）的制作人员，跟踪拍摄两个贫穷的非裔
美国家庭五年多，有时候会在经济上帮助这两个家庭。他们认为
54 适度的帮助是和这两个艰难家庭建立真诚关系的一部分。纪录片
《美国家庭》（1973）中劳德一家的母亲也哀叹，他们可能永远无法
摆脱这部纪录片带给他们的知名度。确实，劳德一家此后几十年
都不堪其扰。梅索斯兄弟曾拍摄过滚石乐队的一场演唱会，后来
制作成纪录片《给我庇护》（1970）；演唱会举行时“地狱天使”组
织被雇来维持秩序，但演唱会上他们与乐迷发生了冲突，导致一人
死亡，场面被纪录片摄制人员拍下来，这一行为引起了一些批评。
特里·齐戈夫的《克鲁伯》（1995）展示了漫画大师克鲁伯家族成
员的私人生活，将一个精神病态的家庭当作电影的卖点。齐戈夫
征得了克鲁伯及其家人的同意，但有人提出质疑，认为病情较为严
重的那些家庭成员没有能力做出这样的同意。

① 一些马克思主义者用“虚假意识”一词来指资本主义社会用物质、意识形态和社会制度对社会中的无产阶级成员进行误导的过程。

图7　卡坦昆电影公司用真实电影这一手段展现不为人知的故事，比如非裔美国儿童的故事（《篮球梦》，1994）。卡坦昆电影公司制作

真实电影已经不再是一种革命性的影片。它现在是音乐题材纪录片、各种幕后纪录片和诞生过程纪录片的默认语言；它是警方题材片和纪实肥皂剧的核心要素，也是让真人秀节目显得可信的重要工具。它成为草根视频节目增加表达效果的固有形式，比如20世纪90年代英国广播公司的《视频日记簿》节目。英国纪录片制作人尼克·布鲁姆菲尔德的职业生涯就得益于真实电影，他用这样的影片形式窥探名人和反面人物的生活，取得了国际性的成功。真实电影的技巧也被普遍应用于政治宣传，以制造新鲜感和可信度。真实电影这一形式虽然已经不再是新生事物，但它仍然可以说服观众：他们就在现场，他们看到的是未经虚构、毫无争议的真相。

第二章

子类目

我们已经阐明，纪录片是这样一种影片类型：它向观众承诺他们将要看到和听到的是一件真实而准确的事情——而且，理解这件事情还常常对我们有很重要的意义。不过，纪录片制作人必须用大量的技巧来证明以上承诺，而他们中的许多人都在商业或者准商业的环境中工作，可以运用的手段十分有限。随着纪录片的不断发展，纪录片制作人制作影片的标准、习惯、习惯手法甚至桥段都在不断更新。

我们现在就来研究几种不同的纪录片，从而了解制作人如何在不同的题材领域解决再现现实的问题。

公共事务纪录片

纪录片的子类目五花八门，我们不妨从公共事务纪录片开始。此类纪录片常在以下节目中播出：公共电视科学节目《新星》，有关贫困、政府福利项目、集团腐败、医疗卫生，以及其他公共服务类题材的特别节目。这类纪录片常常采取调查或问题导向的形式，用旁白，有时也由主持人严肃地指出问题。它们自由地使用背景脚本和辅助画面，将镜头对准某些有代表性的个人，由他们呈现或阐释问题。这类影片呈现出一种权威的、常常从社会科学的角度观察问题的视角，并以专业新闻人的口吻代表受到该问题影响的公众发言。 56

公共事务纪录片的社会影响力和审美价值都经久不衰。它在早期纪录片制作人的实践中诞生，在新闻人的风格影响下成长。这类纪录片影响了许多观众对于纪录片的期待，让他们认为此类影片就应该客观和严肃；也同样解释了人们感到惊讶的问题：在纪录片的短短历史上为何会产生种类繁多的影片？

20世纪50年代中期到80年代中期是电视公共事务纪录片的黄金时代，这些纪录片主要在商业电视台播出。该类纪录片的主要投资者是广播电视公司，它们制作这些影片是为了获奖和赢得声誉，为了证明自己从政府那里获得的电视播出许可被用于了正途，同时也是为了完成一部分公共服务的任务，这是管理机构明确要求它们的。随着电视成为人们在自身经验之外认知世界的主要途径，电视播出机构对公众的影响力——以及随后对精英决策的影响力——大大增强。随着广播电视机构的不断扩张，它也越来越多地参与到精英政治中来。

公共事务纪录片是作为一种更老到、更深刻的新闻而不断发展的——类似一种针对头条新闻的特刊。曾与爱德华·R.默罗合作、之后成为公共电视界领军人物的传奇制作人弗雷德·弗兰德利认为，制作公共事务纪录片的任务是“当人们的理解落后于事情的急速进展时，为人们提供解释、背景和理解”。制作这些纪录片的一般是男性，少数情况下也有女性，他们将自

己视为新闻撰稿人，很多时候是从事调查的新闻撰稿人。他们
57 相信新闻界作为第四等级[①]的力量：它是权力的监督者。同时，小心谨慎的执行制作人又需要较高的收视率来保持继续运作；他们也相当清楚，大权在握的政客在严密地监视他们，而这些政客手中握有发放许可和命令的权力。

历史与文化

20世纪50年代电视时代的到来，为纪录片人带来了截然不同的机遇和挑战。早期的纪录片是由电影人制作的；现在，人们却离开广播和纸媒新闻，投入了电视的怀抱。英国广播公司推出了《特别调查》（1952—1957），还有一直持续到现在的《全景》。英国的格拉纳达商业电视台推出了《世界在行动》（1963—1998）。在美国，三大电视台分别推出了自己的系列纪录片：哥伦比亚广播公司的《现在请看》（1951—1958），1959年又有了《CBS报道》；全国广播公司的《白皮书》；以及后来美国广播公司的《零距离》（1960—1963）。澳大利亚广播公司推出了《纵横》（1970—1972）和现在仍在播出的《十字路口》。因为这些公共事务纪录片都是以系列片的形式通过主要的新闻和信息频道播放，所以背后有一个隐含的论断：它们涉及的都是日常生活中最重要的话题。

电视商业的每一次发展，几乎都曾给公共事务纪录片系列剧带来过威胁。电视观众数量的增长增加了收视率的风险，多频道的有线电视、卫星电视和互联网电视的到来引入了更多竞

① 1774年，英国国会举行会议时，政治家爱德蒙·伯克在会上称记者为“第四等级”，与贵族、僧侣、资产者并列。现多为西方社会对于新闻媒体在社会中地位的表述。

争，让纪录片越来越难有理由获得高额预算。管理放松和私有化大大减轻了电视台弘扬公共利益的职责。20世纪七八十年代，美国电视台纷纷放弃了系列片，改为制作特别节目，有时候会将这些节目外包给自由纪录片人，包括以好莱坞为中心题材的导演戴维·沃尔珀和不拘小节的独立制作人乔恩·阿尔佩特。

20世纪70年代时事杂志节目开始流行起来，如《60分钟》和《20/20》。这些高度模板化的节目在利用电视公共事务纪录片名气的同时，也进一步冲击了这类纪录片。制作人汤姆·斯佩恩曾在理查德·佩利治下的哥伦比亚广播公司拍摄 58
《20世纪》，从这里开始了他的职业生涯，他认为纪录片的“好日子”——其他人叫做“黄金时代”——终结于“《60分钟》开始走捞金路线的时候……或许，我们会把自己看成佩利先生圈养的一大群好狗——他可以在人前炫耀我们，让我们变戏法，或让我们变成招徕顾客的特价商品”。到20世纪90年代，“黄金时代”的公共事务纪录片模式在各个商业电视台已经非常少见。公共电视台还在制作高端的公共事务纪录片，但制作人也在寻求各种方式来缩减成本、改换模式，制作有意义的作品。比如，美国公共事务纪录片系列《前线》一直勇于创新，它仍继续制作自己的王牌节目，同时也尝试推行低成本的节目，有时会在互联网上播出，运用的是最新的数字设备。

公共电视

公共电视在美国的诞生，一部分原因是大型基金会对于公共事务纪录片在商业电视台的播出限制感到失望。福特基金会资助了一项行动，得到了白宫的支持；1967年，它成立了一个机构，将联邦拨款分配到全国上百个地方电视机构（不过，联邦拨款从未超过公共电视资金来源的五分之一）。该基金会出资拍摄了一些颇具争议的纪录片，其中《银行与穷人》（1970）批评了银行的贷款政策将普通民众排除在外。其中一个放贷机构是尼克松总统竞选的主要赞助者。后来尼克松发起了反对在公共电视上播出公共事务纪录片的行为，直到他遭到弹劾才被迫停止。

这一经验让电视机构的经理人开始对所有的公共事务纪录片都更有顾虑。各种基金会出资赞助那些可以消除公共广播机构及其成员机构疑虑的纪录片人。专业新闻人比尔·莫耶斯、
59 罗杰·韦斯伯格、赫德里克·史密斯和阿尔文·珀尔马特对一些大的话题如教育、中产阶层化，甚至死亡和濒死进行过调查深入、高度专业的报道。对当前的政治话题进行调查性新闻报道则更具有争议，也更难找到赞助。

20世纪70年代纪录片制作成本的降低，催生了一代以纪录片表达不同政见的人士。独立的纪录片制作人组织起来，要求要在公共电视上占有一席之地。在他们的努力下，产生了《前线》等以调查性新闻为主要特色的系列作品和《视角》等展示个性化纪录片的节目。1991年，独立制片人终于成功地为主要制作纪录片的独立电视台获得了用于公共电视的联邦资金。

影响与意义

电视公共事务纪录片常常引发巨大的关注。《现在请看》的几集曾引起过激烈的争议，在这几集中爱德华·R.默罗质疑了对共产主义者进行政治迫害的反民主行径，最后将目标对准了最出风头的迫害者约瑟夫·麦卡锡参议员。（2005年的故事片《晚安，好

运》就取材于这段故事。）1968年《CBS报道》中的节目《美国的饥荒》暴露了联邦福利制度的失败，在公众中引起了强烈反响，以至于参议院举行了一场听证会，该节目也获得了更多赞助。哥伦比亚广播公司的《美国的国防》（1980）同样引起了震恐，这部关于美国核军事政策的纪录片在欧洲拥有众多观众，并可能导致了欧洲各国政府对美国军事计划的敌对态度。英国制片人阿德里安·考埃尔为英国商业电视台制作的纪录片《毁灭的年代》系列（1980—1990），记录了巴西热带雨林遭到破坏的情况，这部纪录片引发一些非政府组织进行了一次成功的行动，促使世界银行的环保政策做出了改革。英国广播公司的纪录片《噩梦的威力》（2004）由亚当·柯蒂斯导演，片中指出极端组织的势力上升，背后有美国新保守主义狂热分子的支持，影片在国际上引起了轩然大波。 60

与此同时，节目播出方却常常避免介入某个尖锐问题的争论焦点。比如，爱德华·默罗足足等了两年才有了曝光麦卡锡的机会。英国广播公司对是否播出《噩梦的威力》也很迟疑，最初播出的时候都没有做任何宣传。直到20世纪60年代后期之前，美国的电视机构都刻意地避开越战话题；不仅如此，它们还从不提及其他国家包括古巴和越南针对越战题材制作的纪录片。由世界知名的广播电视记者迈克尔·麦克利尔和贝丽尔·福克斯等人制作的几部加拿大纪录片，也从未在美国播放过，这可能是因为电视台的管理层不愿意惹恼政客，或者就是因为他们也长期混迹于政治精英的圈子，受圈中人的影响，也讨厌不同政见。

最终，哥伦比亚广播公司的《莫利·塞弗的越南》（1967）打破了沉默，用没有评论却充满谴责意味的影像，展示了一场与政府宣传影片中完全不同的战争，而且这部纪录片似乎开启了播出越战题材的可能性。哥伦比亚广播公司原来安排英国记者费利克斯·格林去拍摄一部关于北越的纪录片。但该公司显然后来临阵退缩，取消了与格林的合同。不过，新生的公共电视台接受了这一纪录片。格林的《北越内部》(1968)展示了一个意志坚决，甚至充满欢乐的民族，其民族主义的雄心壮志让一些评论者想起美国殖民开拓者的豪情。这部纪录片激怒了一些国会议员，其中有一位威胁要切断对公共电视的资金支持。

随着反越战游行与公众反对意见的日益升级，美国的电视机构有了更大的勇气。1971年，哥伦比亚广播公司播出了纪录片《五角大楼的推销术》，该片常被认为是此类公共事务纪录片的巅峰之作。片中揭露了美国军方公关制度的运用范围之广，甚至批判了该电视台自己也(时而)参与其中。片子的播出引起了极大的关注(政府和五角大楼对此感到很恼火)，因此又播
61 出了第二遍，收视率比第一次还要高。后来五角大楼撤掉了片子中所批评的一些公关资源。

与此同时，独立制片人制作了一些风格迥异的作品，这些作品从未在电视上播出。他们的作品常常不像电视纪录片那样采取严肃客观的立场或声称要全面详尽地展现问题。加拿大纪录片《黄皮肤的哀歌》(1969)由迈克尔·鲁伯制作，几个人的摄制组跟拍了三位美国记者的越南西贡之行，这部片子被反战激进人士用来动员人们支持他们的事业。在纪录片《猪年》(1968)中，埃米尔·德安东尼奥对越战进行历史分析，认为其是帝国主义政策的延续，该片在影院上映。1974年，曾制作《五角大楼的推销术》的彼得·戴维斯又推出了《心灵与智慧》，一部尖锐的、令人心碎的纪录片，影片展现了戴维斯的观点：越战背叛了美国

的基本信条与理想。如果说《五角大楼的推销术》是一个严厉而尖刻的报道，那么《心灵与智慧》则是悲伤与愤怒的表达。

习惯手法与批评

《五角大楼的推销术》和《心灵与智慧》在风格和基调上都有所不同，这样的不同体现了公共事务纪录片的习惯手法。电视纪录片是精心制作的、制度化的产品。它们由专业人士制作，所运用的灯光、剪辑和编剧技术都是从好莱坞电影中学来的。负责这些影片的制作人的个性，甚至他们的名字，都被融入了电视台的集团形象，这一形象在节目主持人身上集中体现出来。

制片人创造了一系列的习惯手法来表现纪录片的权威、亲民、平衡、准确和重要意义。他们通常会请一位既有权威感又有亲切感的采访者或主持人。爱德华·默罗就是一个典范，他袖子卷起、烟不离手、语调凝重，周围不仅环绕着电视设备，还有他在广播事业的名声所带来的光环。他的举止让人把他和知识联系起来，却并不给人高高在上的感觉。这些节目有大量的辅助 62
画面和象征材料，随着电视的节奏加快，它们用采访脚本作为故事素材，剪去评论，将其插入故事主线。声音最重要，旁白和配乐都可以帮助观众领会。

在这样的情形下，1959年，当《生活》杂志的摄影师罗伯特·德鲁和他的团队向美国广播公司提出一种完全不同的公共事务纪录片制作方式时，美国电视界的管理层感到十分震惊。这种纪录片用更轻巧的、方便移动的仪器，不再录制采访而是录制事件本身，制片人向观众承诺，他们会获得身临其境的个人感受，而不只是会听到陈词滥调的分析。节目编排者带着巨大的怀疑开始尝试播出这种类型的片子。渐渐地，真实电影的风格开始影响电视公共事务纪录片，但并没有全盘推翻精心编辑、添加解说的老传统。英国广播公司和加拿大广播公司也试着播出了观察性的公共事务纪录片，同样没有抛弃精心编辑的分析型模式。新形式的纪录片继续出现。1964年，英国商业电视台格拉纳达电视台大胆地播出了《人生七年》，这是一部系列纪录片的第一集，拍摄同一间教室里出身于不同社会经济地位家庭的孩子们，然后每隔七年再拍摄他们的人生。这部系列片中既有真实电影对普通人真实经验的观察和关注元素，又有成熟的公共事务纪录片中的解说、采访和问题导向等元素。

前有线电视时代的电视公共事务纪录片具有相当的影响力，但它们也伤害到了一些人。为了反映贫困和不公正现象，数部电视纪录片都将镜头聚焦于阿巴拉契亚一带的乡村，当地很多人都讨厌成为"贫困"海报上的儿童，认为他们的文化价值观被轻视。同时，在林登·约翰逊总统"伟大社会"计划的支持下，联邦政府出资在当地成立了一家艺术中心"阿巴工坊"。该中心的首要任务就是制作有关当地山区文化的纪录片。由该中
63 心的创始人之一伊丽莎白·巴雷特制作的《持摄像机的陌生人》（2000）展现了纪录片制作给当地人和媒体人带来的长期的伦理道德纷争。这部纪录片浓墨重彩地描述了1967年的一次事件：当地一位坏脾气的土地所有者对外来的媒体人怒不可遏，开枪射杀了一名与公共事务电视相关的加拿大自由派摄影记者。

从事电视纪录片研究的人更多的是记者和新闻学者，而不是电影研究学者。（部分原因可能是这一类型的纪录片以团体制作为特点，这在习惯于导演中心论、导演主创论的电影学者那

里显得复杂化了。）澳大利亚独立广播记者约翰·皮尔格曾激动地提出，传统的电视纪录片过于吹嘘其客观公正性，实际上“表达的是中产阶级达成的政见”，是为权力而服务的。与此相反，他主张，记者们应当不遗余力地监视权力的运作，维护公众的利益。传播学学者们也研究了公共事务电视新闻片的习惯手法。托马斯·罗斯特克指出《现在请看》中对麦卡锡的报道经过精心策划，很狡猾地表达了对这位参议员的偏见，却呈现出公允客观的面貌。理查德·坎贝尔分析了电视新闻杂志的形式，认为这些形式大大弱化了公共事务纪录片的使命，《60分钟》系列片的结构就好像侦探故事。这样一来，不符合侦探故事模式的事件，或者不能以“找到坏人”的方式来解决的事件，电视新闻节目就没法报导。而事实上大多数问题，不管是全球变暖还是交通拥堵，基本上都不是某一个坏人的过错造成的。

公共事务纪录片已经失去了最慷慨的赞助者，即老式的商业电视台和全国性的电视台；这两类电视台都面临着激烈的竞争，因而经费大大缩水。权威的电视记者的角色也正在受到质疑。但精心剪辑的、带解说和主持的纪录片仍然是坚不可摧的模式，这样的纪录片设定一个重要的问题，然后带领观众去调查和理解，有一个名气很大的、受人信赖的主持人。这样的模式仍
然是电视新闻的默认模式；很多非营利性组织努力想要在某个 64
特定问题上表现其合法性和权威性的时候，也常常会自己或请他人模仿此类作品制作纪录片。

政府宣传纪录片

公共事务纪录片依靠新闻报导的专业性来彰显其权威性，

而以另一种截然不同的方式彰显其权威性的是政府宣传纪录片——这类影片是全世界的纪录片人获得资金和训练的重要渠道，也时而会强有力地影响公众的观点。

宣传纪录片的制作目的，是为了让观众相信一个组织的观点或者事业。这些影片推销的不是制作人的信念，而是某个组织的事业，当然也有某些制作人自己就全心全意地支持这项事业。虽然这样的作品可以出自任何人之手，包括广告商和激进分子，但“宣传”这个词更常常和政府联系在一起。纪录片之所以对政府来说很重要，正是因为它宣称自己逼真而忠实地表现了现实生活。宣传纪录片地位最重要的时期，是在第二次世界大战及其前后，那时电影是最主要的视听媒体。

自从有电影开始，政府就用纪录片来影响公众观点。在第一次世界大战中，当战事升级为“全面战争”时，各国政府开始用各种媒体来激励自己的军队、动员自己的民众，也让他国政府相信自己的力量。英国纪录片《索姆河战役》（1916）就是一个著名的例子，该片在英国影院上映时大获成功，很大程度上是因为影片中有真实的战斗画面。

第一次世界大战之后，全世界的政府开始将纪录片视作一个新的、强有力的工具。德国纳粹党1933年上台之后，牢牢控
65 制了所有电影的制作、发行和放映。纳粹党的政治合法性直接通过宣传来强化。日本政府1933年也通过了一项法律，要求纪录片制作人遵从政府的路线，要求每家剧院的电影场次安排中都要有纪录片。第二年，日本政府强制合并了几家最大的新闻电影公司，以促进信息传达的一致性，从而促进国民行为的统一化。新生的苏联政府也将一切媒体国有化，为政府的目标服务。

20世纪20年代的苏联曾经有过波澜壮阔的艺术运动，这从济加·韦尔托夫的职业生涯就可以看出，但后来这一运动就土崩瓦解，被严厉的斯大林式社会主义现实主义所取代。

美国和英国都成立了一些宣传机构，但这些宣传机构需要与商业制片机构、发行机构和放映机构进行协调，才能够把信息传达给本国的公民，军队除外。英国成立了信息部，但从一开始就因为政策上的矛盾而问题重重。美国的战争信息办公室从来没有得到过罗斯福总统的全面支持，而陆海空军却都控制着自己的宣传片制作。美国的政治宣传片制作也遭到了来自好莱坞的抵制，好莱坞的电影制片厂阻挠生产一切会影响到它们生意的政府宣传片。

在英国，格里尔森的团队制作了一些批评家们最为重视也感到困扰的纪录片。巴兹尔·赖特的《锡兰之歌》(1934)就是一个很好的例子。片子不仅以浪漫的方式展示了英国最重要的茶叶来源地之一——锡兰的前殖民时代生活，而且赞颂了一个令人惊叹的工业过程，正是这一过程让茶得以出现在英国人的厨房里。正如威廉·吉内所指出的，这为品茶这一行为增添了光环，让品茶成为一种向往异域文化的怀旧行为，同时又赞颂了英国的活力与强大。

罗斯福的“新经济政策”以新的政府行为介入公民的生活——从资金投入和干预程度上来说都是惊人的——来缓解经济危机，这一改变需要说服民众。各种不同的政府机构雇用了
很多纪录片人，其中很多都是之前制作煽动性纪录片的激进派 66
艺术家。这些机构中最大的是再安置局，该局的作家和分析家佩尔·洛伦茨制作了几部享有盛誉的纪录片。

洛伦茨对国家的目标深信不疑，并努力用艺术化的作品为这些目标服务，就如同英国的格里尔森和苏联的韦尔托夫一样。他的作品体现了来自欧洲和苏联艺术家的不同观点的影响。这些作品把声音作为独立的元素，而不仅仅是背景；它们利用视觉和听觉诗歌让观众产生联想；它们让人想起了城市交响曲纪录片的结构。洛伦茨的每一部影片都在制作人常常较为激进的分析和官方的指令之间寻求平衡。威廉·亚历山大称洛伦茨将社会评论，尤其是指名批评贪婪资本家的评论变得温和了。

《开垦平原的犁》（1936）以鼓励公众支持再安置局（后来的农业安全局）的救济计划为使命。这部作品带着反思的目光，回顾了民众的行为使中部平原地区生态平衡遭到破坏，从而导致大规模移民的过程。好莱坞电影圈拒绝向洛伦茨提供电影脚本，主要院线发行商也拒绝在其影院放映该片，但独立影院却播放了该片，并造成了一定的影响。影片《河流》（1937）则通过展示密西西比河的破坏力，以诗意的方式提出政府应当对水资源管理和保护进行干预。洛伦茨有时将这一影片称为一部“歌剧”。派拉蒙电影公司发行了该片，并获得了利润，但各种电影制片厂仍然对政府制作的电影怀有敌意。

由于其大胆的艺术实验，洛伦茨制作或监制的纪录片成为电影专业学生的经典教材。对于历史学家来说，这些纪录片很有魅力，因为它们捕捉到了全世界政府——无论其目的是崇高还
67 是邪恶——一夜之间开展改造社会和自然的巨大工程的时刻。

不同的目标，迥异的风格

如果我们比较三部不同的政府宣传纪录片，就可以发现由

于政府命令、文化背景和艺术家本人的不同，宣传片的风格也会不同。本节中提到的三位纪录片制作人选取了三种不同的风格，来应对用现实塑造观众的意识形态这一挑战。

德国纪录片制作人莱尼·里芬施塔尔的《意志的胜利》（1935）代表性地阐释了纳粹电影宣传的目标：将希特勒和整个民族融为一体，将纳粹党以及后来的整个国家表现为一股整体的、团结的、不可战胜的力量。纪录片只是达到这一目标的众多采取象征性手段的工具之一。里芬施塔尔将这样的象征性力量运用得淋漓尽致，其用意在于鼓舞支持者、震慑他人，比如外国的敌对势力。

《意志的胜利》由德国国家电影制片机构“乌发电影公司”出资拍摄，记录了1934年的纳粹党代表大会。在精心的剪辑下，影片将一个本来已经很声势浩大的事件再现得更加轰轰烈烈。影片从视觉上将希特勒神化——开场的镜头就是他乘飞机从云中抵达。影片将德国人再现为一个纪律性极强的、对希特勒极度崇拜的群体，他们的行动只有一个目的：为这个国家的化身希特勒服务。影片拍摄了希特勒的崇拜者欢乐的脸庞、让人敬畏的人潮涌动的场面，运用了高亢兴奋的音乐，展现了一个个男女老少做着同样的动作、分享着同样的情感的画面。用弗兰克·托马苏洛的话来说，通过这些手段，这部纪录片让政治上的统一变得正面而性感。虽然影片记录的是一次政治会议，却很小心地避开了政治上的争论。电影展现的，是归属感和参与一项重大的历史性事业所带来的激动。

第二次世界大战开始后，英国人面临着与德国人完全不同的困境。“人民的战争”需要动员群众来打赢，但英国却在第一 68

次遭受进攻时就几乎已经输掉了战争。英国人需要对自己的抵抗力更有信心。英国的政府宣传刚开始时很不连贯，以说教为主，且审查严格，但后来却因诚实和表现真相而闻名——向英国人呈现真正的事实、真正的战场画面、真正的战争新闻和真正的人物。

格里尔森的团队制作了几十部这样的纪录片。或许其中汉弗莱·詹宁斯的《倾听不列颠》（1942）最好地体现了英国政府的宣传方法，即歌颂普通民众在重压下捍卫自己文化的能力。这名来自社会上层的艺术家制作了好几部著名的战时纪录片，其共同的显著特征就是注重刻画微小而生动的细节。《倾听不列颠》和其他作品，都是他和才华横溢的电影编辑斯图尔特·麦卡利斯特一起制作的。

《倾听不列颠》是一首视觉诗，捕捉了在时刻防备飞机和炸弹的情形下，英国日常生活中的一些瞬间。随着摄像机镜头穿过大街小巷来到室内，观众好像不经意间听到了日常生活中那些绵延不绝的声音——孩子们在庭院里跳舞，救护人员合唱一首传统的歌谣，一场上流社会的音乐会正在进行，一位美国大兵在教盟国军队的人唱《牧场是我家》。拿着公文包的男人们穿过轰炸过后瓦砾遍布的街巷去上班，女人们则是毫无怨言地承担起了放哨的任务。

一些人认为，詹宁斯在片中暗讽了阶级界限分明的英国在战争的威胁下愉快团结起来的神话，另一些人则认为他巧妙地利用对比鲜明的形象指出了英国阶级关系紧张的现实。不论以何种方式解读，詹宁斯创作的这部极受欢迎的短纪录片都让英国人达成了一种共识：为了胜利，他们应当毫无怨言地做任何事情，而且在这一过程中并不需要放弃自己原有的身份。相对于他想传达的信息来说，他的方法是相当适宜的。他让影片看起来一点都不像政府宣传，以此让人们卸下防备。 69

此时的美国则面临着另一种不同的挑战。联邦政府之前并没有独立的宣传部门或纪录片制作部门。美国很晚才加入第二次世界大战，直到日军轰炸珍珠港之前，很多美国人都反对支持盟军。不仅如此，很多被动员参军的年轻人都来自农场或小城镇，受教育程度很低；他们不理解自己为何应该冒着丧命的危险参与战争。

美国战争宣传片的标志性作品是《我们为何而战》（1943）系列，由好莱坞知名导演（同时也是一位来自西西里岛的移民）弗兰克·卡普拉为陆军的信息和教育部门制作。影片的宣传对象是孤立主义者和无知者。这一由美国陆军授意制作的系列片共分八集，主要向军人们解释美国为何会参与到这场战争中来。卡普拉借鉴了美国通信部队制作的宣传片，并自如地运用了他的好莱坞背景。他的最重要法宝，在于借鉴了其他国家宣传片制作人的作品——特别是里芬施塔尔的作品。他将好莱坞电影里的画面（在战胜了片场的抵制之后）、迪士尼片场的动画地图、美国陆军的影像资料，以及敌人的宣传结合起来，描绘出当前危险的态势。里芬施塔尔让德国观众震慑的那种能力经过美国人的重新创造，呈现为一种警示的声音。

《我们为何而战》系列片以强烈的说教性和饱满的情绪，力证美国应当参与这场战争。该片借鉴了不少流行文化媒体，如报纸、电台和当时美国年轻人最主要的媒体食粮——电影，其风格是自鸣得意、信心满满，甚至有点自以为是。有关政治的论点则被简化，有时到了制造假象的地步。比如，片中没有提及种族隔离正在悄悄侵蚀美国民主的美好画面。卡普拉将他标志性的、对“美国式生活”的民粹主义情结带入了影片中。影片将当
70 前的政治危机置于美国民粹主义和民主价值观的背景下，融入小城镇、小社区的生活来展现。影片明显的政治信息是由军方人员所设定的，卡普拉本人几乎没有决定权。

这三位纪录片制作人采取了三种截然不同的形式——令人眼花缭乱的大场面、精心设计的低调陈述、直截了当的说教；他们的作品反映了不同的文化背景和政治任务。但这三位纪录片制作人又都有一个共同的核心策略：将眼前的危机和可被观众视为自身传统价值观和文化传承的东西联系起来。

有效性

宣传纪录片有效果吗？尼古拉斯・雷韦斯从大量的媒体效果研究文献中得出，这些纪录片和政府的其他宣传工作一样，有时能增强民众信念，在这种情形下它们可以说是成功的；但宣传纪录片在改变公众观点方面从未有过明显作用。说某一部宣传片有着毒化或控制观众的力量，这在哪里都显得言过其实。但同时，每部纪录片又构成了政府说服民众和制定目标的一部分，给人们制造一种期待，逐步地改写人们脑海中对于正常事物的概念。

宣传纪录片也缺乏商业故事片的那种吸引力。第二次世界大战期间，宣传纪录片通常在电影院以外的地方播放。在日本，纪录片被强制推行，战时研究却显示相对很少有女性对纪录片感兴趣。在德国，虽然希特勒政权大张旗鼓地将《意志的胜利》推销给影院老板们，但影院常常只会上映一个星期，因为观众太

图8 《意志的胜利》不仅成为纳粹的宣传工具，当被剪接入盟国的宣传影片时，也成了盟国的宣传工具。莱尼·里芬施塔尔导演，1935年

少。当时经济形势的恶化和纳粹的反犹极端主义导致公众产生了不满和警觉，这部影片似乎也未能缓和民众的意见。《意志的胜利》的成就也许体现在民意调查反映不出的更深层次：它将新政党纳粹党与深层的文化和历史传统联系起来。 71

在英国的影院，比起针对时事的、说教的宣传片，以“人民的战争”为主题的纪录片卖座更久。由汉弗莱·詹宁斯导演、1940年上映的纪录片《伦敦能坚持下去》是此类纪录片第一次在票房上获得成功。影片以一位美国记者的报道为线索，背后的主题是德国人无法“消灭伦敦人民不可战胜的精神和勇气”。另外一部受到观众欢迎的片子是《倾听不列颠》，但这样的情况并不多见。有了16毫米的播放设备以后，纪录片也被带到影院以外的地方，为有组织的群体放映。

在美国，几乎每个身在国内或国外的士兵都看过卡普拉的系列纪录片。研究表明，在刚刚观看过电影以及一段时间以后，
72 士兵原有的观点均受到了影响。影片简单直接地赞扬盟国，因此也很受英国和苏联政府的欢迎，两国政府都要求国内的影院播放这一系列纪录片。在美国的电影院里该系列片却没那么成功。影院老板不愿意放映《我们为何而战》，部分是因为纪录片一向不叫座，还有就是因为片中用了很多观众在电影院里看过的画面，特别是新闻短片中的镜头。

对于能识别出的宣传鼓动，观众不会轻易缴械。《意志的胜利》之所以能被许多人如此有效地用于反宣传，正是因为其中体现出对观众的强大控制。它从视觉上象征了用意志去战胜和摧毁的行为。《倾听不列颠》受到观众厚爱的一个原因，是它给观众留下了这样的印象：它并没有要控制观众的思想，只是邀请他们来观察现实。

宣传片带来的效应可能会是完全意想不到的，里芬施塔尔的作品被其他纪录片使用就说明了这一点。美国的好莱坞导演约翰·休斯顿为美国军队制作了一部战时电影《圣彼得罗战役》（1945），目的是为了让美国人知道对意大利的那场高伤亡率作战是必需的。由于画面过于惨烈，政府决定不在战争期间放映该片，害怕引起公众恐慌；不过在战争结束后政府又改变了决定。该电影及其独特的战斗画面，此后却被很多人，特别是反战激进人士用来展示战争给人类带来的惨痛代价。

岩崎昶的作品，引用埃里克·巴尔诺的话来说，是一个关于

宣传纪录片被利用和封杀的讽刺故事。第二次世界大战期间，
岩崎昶被迫为日本政府制作纪录片，因此拥有所需的设备和技
术，将广岛和长崎遭受轰炸后的景象记录下来。但是战后占领
日本的美国军政府却将其作品没收并对外保密。当作品解密之 73
后，埃里克·巴尔诺制作了一部简短却有震撼力的作品《广岛—
长崎，1945年8月》。岩崎昶看到这部作品时，才第一次在银幕
上看到自己当年拍摄的脚本。

伦理道德

如果说纪录片承诺向观众诚实地再现现实，那么一个诚实的制作人是否能够制作宣传片，并郑重其事地将其称为纪录片？许多广播电视记者会认为和政府合作无异于自毁职业生涯。同样，独立制片人也非常看重自己的自主性，不愿受政府命令和审查的约束。与此同时，许多电影制作公司却靠为政府提供培训和宣传纪录片为生，虽然这通常会被认为很不光彩。

第二次世界大战期间的纪录片制作人常相信他们不仅有权利，而且有义务制作宣传片。约翰·格里尔森认为知识分子有义务为一个强大、团结却仍然开明的社会而工作。正如他曾解释的："简单地说，**宣传就是教育**。我们影片中的'操纵'将审美与民主改革的构想融为一体。我们是受雇于策划者的推销员。我们帮每个人孕育关于一个社会的生动构想，而这个人则有幸服务于这个社会。"对电影人来说，妥协既是一种残酷的现实，也是一种荣幸。一次，他解释为何自己为政府制作的电影中没有阶级斗争时说："制作电影的第一条准则，就是别得罪拿着钱包的人。"

弗兰克·卡普拉并不因为美国陆军工作而感到不妥，虽然

他常常遇到各种困难并为此恼火，而军方各部门的要求相互冲突，也常让他备感挫折。卡普拉自豪地将自己的才能投身于反法西斯的事业，这和其他的好莱坞领军人物大同小异，他们中有些人有左翼的政治信仰，还有些人认为法西斯主义是未来更公
74 平社会的主要威胁。电影制片人兼剧作家斯图尔特·舒尔贝格则在战后出品了一系列纪录片向欧洲推销马歇尔计划。

另一方面，在失败的这一方，莱尼·里芬施塔尔在第二次世界大战后的去纳粹化运动中蹲了四年监狱，她发现自己与希特勒的联系使她的余生沾上了污点。她试图分辩自己只是制造艺术而非宣传，她只是在被迫的情形下拍摄宣传片。她于2003年去世，时年101岁，她生前一直坚称：自己从未成为纳粹党员；她当时别无选择，只能为希特勒工作；她只是在那种情形下尽可能地制作出了最优美的作品。

留下的财富

宣传片，或者叫做虚假信息、公共外交、战略沟通，现在仍然是各国政府的重要工具。但单独的纪录片已经不再是针对普通大众的公关活动的重要部分。不过，政府宣传却一直是纪录片人关注的目标；比如电视公共事务纪录片《五角大楼的推销术》。由杰恩·洛德以及凯文·拉弗蒂和皮尔斯·拉弗蒂兄弟拍摄的《原子咖啡厅》（1982）也是一例，该片讽刺了政府对于核时代的宣传。罗伯特·斯通的《比基尼电台》（1987），则讲述了美国政府针对第一颗氢弹爆炸所进行的非同凡响的公关战。

战争期间发展起来的政府宣传机构，在和平时代羽翼渐丰。加拿大国家电影局就是从一项战时的事业发展起来的。日本政

府对第二次世界大战宣传片的支持，也大大扩充了这一行业的能量，为战后私人投资的电影制作作好了准备。

纪录片对于一个时代的人来说是宣传，对于另一个时代的人来说就是宝库。新闻短片、纪录片、培训资料和其他实况资料 75
等丰富的档案录像，成为后来电影和电视纪录片专辑的资源。比如，美国电视系列纪录片《海上雄风》（1952—1953）用了很多海军纪录片的影像资料。有线频道播出的第二次世界大战题材的纪录片，有赖于公共领域的第二次世界大战时期的政府录像资料。对美国政府的录像资料进行编目和检索的私人产业方兴未艾。互联网影像档案库Prelinger Archives让公众可以从网上免费下载数字化的政府录像。

虽然纪录片已经不再是政府宣传的首要工具，政府却仍然继续对电影和视频投资，这出于一个完全不同的目的：监管。这种无所不在的监管本身也可以成为纪录片人的素材。在东欧，1989年柏林墙倒塌后，政府录像成为纪录片重新审视历史的原材料。在波兰纪录片制作人彼得·莫拉夫斯基的纪录片《秘密录影带》（2002）中，曾身为秘密警察的纪录片制作人一边回忆自己从前的工作，一边对着画面解说这些画面是从一盒被偶然丢弃的录影带中找回的。影片中制作人对他们从前的工作显然十分怀念，这为该片添上了一丝不易觉察的幽默。在秘鲁，情报部长弗拉迪米罗·蒙特西诺的非法受贿记录，最终被在电视上曝光，为索尼娅·戈尔登贝格的讽刺纪录片《眼间谍》（2002）提供了素材。

纪录片在再现现实时所存在的固有问题，在宣传纪录片这一体裁上暴露得尤为明显。宣传纪录片运用的手段和其他类型的纪录片并无二致。和其他纪录片一样，它们的目的是向观众展示一些自认为是可信的东西；它们所表现的现实总是与某个意识形态相适应，这样的意识形态背景赋予了影片意义。制作这些影片的人并不一定是居心叵测的。实际上，这类影片的制作人常常是爱国者，认为自己在用个人专长为公益作贡献。这些纪录片甚至有可能是真实的，至少展示了制作人自己所认定
76 的真实情况。

宣传纪录片和其他纪录片不同的一点，在于其支持者是国家机构——这些社会机构规定和推行着社会的制度，并最终通过强制手段来确保这些制度得以实行。这些支持机构控制着宣传纪录片所要传达的信息。这些不同让宣传纪录片的意义也有所不同，因为宣传纪录片所刻画的现实背后，有这样一股巨大的力量在操纵。这一类型的纪录片戏剧性地说明：没有一部纪录片是展现现实的透明窗户，所有的意义之所以产生，背后都有其推动力。这一类型的纪录片也提醒我们，研究任何文化表达形式背后的条件相当重要。

倡导纪录片

为了政治事业或由倡导者和激进分子所制作的纪录片，和政府宣传片呈现的问题很类似，但它们生存的环境不同。

美国公民自由联盟出品的《自由档案》或《塞拉俱乐部纪事》这样的倡导纪录片（两者都在美国公民自由联盟电视台播出），和弗拉克·卡普拉的战时宣传纪录片，有什么不同呢？两者都是制作人为了某些机构而拍摄的，目的都是为了宣扬该机构的目标。两者的本质不同在于赞助机构的性质。国家对公民运用的是一种独一无二的权力和权威，其宣传常常是其镇压工

具中的一种。

相反，在一个开明的社会里，民间团体对于自身目标的宣传，被认为有益于建设一个活跃的公共领域（有极少数例外，比如对叛国和淫秽的宣传）。如果一个社会拥有众多不同的民间团体，它们可以表达不同观点并吸引公众加入，这样的民间团体活动越多，这个社会似乎就越健康。美国的法律更是在宪法第一修正案中定下支持言论自由的原则，用最高法院大法官路易斯·布兰代斯的话说：不良言论的纠正办法是更多的言论。 77

那么，美国保守派倡导团体“公民联合”拍摄的倡导纪录片《摄氏41.11度》和该片所针对的、备受争议的独立纪录片《华氏9·11》，又有什么不同？答案有两个：一是倡导纪录片依附于某个组织；二是倡导纪录片通过激发公众的实际行动，致力于支持该组织的事业。你可以同意迈克尔·莫尔的观点，也可以不同意，但就算他是名人，他也只是代表他自己。莫尔的观点会引起人们的讨论，也许会让一些观众对国家的外交政策产生不同意见（也有一些人会攻击迈克尔·莫尔和自由派人士）。这类影片是对公共言论的直接干预。倡导纪录片则与之相反，是一个组织为了特定的问题或事业而动员公众行动的工具。

倡导者或激进人士常常选择纪录片作为他们的工具，是因为用它来对抗主流媒体中对于现状的描绘，相对成本较低。在寻找吸引观众的最有效方法的过程中，制作人对于倡导纪录片的主题和形式问题花费了很多心思。倡导纪录片通常焦点明确，其制作目的就是为了动员观众从事一项特定的行动。和政府宣传片一样，这些影片的制作人很可能非常认同某个组织的目标，带着诚意去制作。和政府宣传片一样，对于想懂得说服技巧的人来说，这些影片很值得重视——没有什么像现实一样具有说服力。

“责任感”

在动荡不安的20世纪30年代，大萧条从根本上动摇了许多人对于资本主义未来的信念。此时的许多左翼政治团体，以及许多被赶时髦的左翼年轻人占据的电影俱乐部，都将纪录片看作挑战现状的工具。他们想要拍摄“责任感”纪录片——用这样的纪录片来支持社会变革甚至革命。

78 在欧洲大陆、英国、日本和美国，热切的年轻人在遍布全球的电影俱乐部里讨论着韦尔托夫、爱森斯坦、弗莱厄蒂和格里尔森团队的近期作品。受韦尔托夫《电影真理报》新闻短片的影响，他们制作了自己的新闻短片，反击电影院中播放的那些流行的、常常带有右翼色彩的纪录片。在美国，电影与摄影协会制作了家喻户晓的以工人为主角的系列新闻短片，主要报道罢工与游行。这些纪录片简单地记录事件，拍摄时对工人报以同情的目光。制作人互相观看各自制作的影片，也放给其团体的新成员看，放给政治团体和集会群众看。

这些政党和电影俱乐部培育了一批纪录片人。为罗斯福政府的佩尔·洛伦茨工作的纪录片制作人，以及荷兰激进派纪录片制作人约里斯·伊文思都从这些地方开始他们的职业生涯。他们的作品风格强硬，短纪录片《博里那奇矿区》（1933）就是其中一例，该片由伊文思和比利时电影俱乐部的领袖人物亨利·斯托克联合制作，描绘了一群被生产过剩这一经典资本主义危机残酷逼入贫困境地的煤矿工人。斯托克后来曾经说：“我们想用最震撼的画面高喊出我们的愤怒。”该片充满了说教而愤怒的谴责，片中运用了搬演和带有批判意味的并列展示手法。

随着大萧条形势日益严峻，在许多国家，与苏联联系紧密的共产党威望逐渐上升。共产党对于世界的进步政治产生了很大影响，也对与进步政治有关的作品产生了很大影响，其中包括电影。比如，美国电影与摄影协会的许多制作人都是共产党员，该组织也是共产党“文化前沿阵地”的非正式成员。

与共产党的联系对纪录片至关重要：不仅产生了圈子，让人们可以整合资源，还带来了观众，并且让影片有了明确的信息。西班牙内战可以很好地说明这一问题。1936年，包括佛朗哥在内的军官对左翼的、由人民阵线领导的共和政府发动政变，内战 79
随即爆发。共和政府在共产党的支持下进行反击，共产党的背后有来自苏联的支持。西班牙共产党的领导人物反对无政府主义等其他政治派别。1939年，佛朗哥在纳粹的支持下获胜。一些国际势力认为这场战争是反法西斯斗争，需要全世界团结一致来应对，而另外一些反共势力则将其视为西班牙内政，认为自己不应当干涉。

世界各地的纪录片制作人组织起来，拍摄有关这场战争的电影，为反佛朗哥力量募集支持和资金。这些电影对西班牙内部的派系争斗一笔带过，倡导全世界支持共和政府，以适应共产党的需求。《西班牙土地》（1937）是这一背景下最著名的纪录片之一。该片的制作团队由来自不同国家的人组成——导演是伊文思，影片编辑是海伦·范东恩，欧内斯特·海明威则担任了编剧和旁白——幕后赞助来自好莱坞。该片展示了一种艺术地展现政治真相的方法，附带体现出伊文思在运用美学技巧方面日益多才多艺；直到1989年去世之前，伊文思都是激进派纪录片制作人的领头先锋，许多人以他为师。

这部影片的方法让人想起了罗伯特·弗莱厄蒂的浪漫现实主义。它带领观众来到了马德里附近一个小村庄的日常生活中。影片拍摄时交战正激烈。影片主要记录了一条灌溉渠的建设，灌溉区出产的粮食供应战斗中的马德里地区，因而十分重要。镜头聚焦于日常生活中的点滴，带观众观看村民的劳作和习惯。观众可以看到，战争也成了村民日常生活的一部分。观众看到村民扛枪、放哨、查看轰炸过后的废墟的情形。村民们对反佛朗哥事业的大力支持融入了他们日常的价值观和生活中。

在海明威简洁的解说词的配合下，伊文思竭力避开了有关国内派别斗争的复杂政治问题。该片主要传达的是人性的温暖而不是政治信息。伊文思用现实主义的技巧唤醒观众的情感。
80 虽然影片上映的时间不长，却在影院、电影俱乐部和私人场合都播放过，为反佛朗哥的共和人士筹集到了很大一笔资金。

影片《西班牙土地》也对当时激进派纪录片制作人中的一场论争作出了回应：是应该制作“鼓动性”电影动员自己的民众起来战斗，还是应该用影片说服更多的观众相信某种观点？第二种方法需要更多的艺术技巧，而《西班牙土地》成功地做到了这一点。纽约的一些纪录片制作人由于政治和审美取向不同，与电影及摄影协会分道扬镳，之后成立了电影制作社团“纽约电影”。他们也采取了后一种方法，制作了当时另一部著名的倡导纪录片《家乡》（1942）。剧中运用了戏剧性的搬演，展现了国会对多起违反公民自由的行径的一桩调查，努力想要鼓舞公民要求更多的社会正义以及合理公平的法律待遇。不过，该片无法与好莱坞的影片制作水准抗衡；到了1942年，片中要传达的观点也淹没在战时的爱国主义热情中。

第二次世界大战的到来给许多“责任感”电影实验画上了句号。在德国和日本，政府无情地对各种电影俱乐部实施镇压。共产主义者开始遭到政治迫害；1956年后苏联共产党对斯大林主义恐怖政治的批判，意味着对苏联的自我否定，加上苏联对匈牙利的进攻，这些因素综合在一起，使很多知识分子和艺术家远离了政治。

“第三电影”

20世纪60年代，民权运动和人权运动方兴未艾，反殖民斗争风起云涌，核武器和冷战军备竞赛如火如荼，这些都标志着一个政治动荡的年代。技术的突飞猛进使得真实电影成为可能，
1967年便携录像设备的产生开启了录像时代，这促使很多人再 81
次将纪录片看作政治运动中的工具。

激进派的纪录片制作人将自己看作变革的文化先锋。这些人常常是学生或者是已经离开学校却仍混迹大学圈的人，他们成立了一些团体或项目组，分享工作和利益。在美国，纽约、旧金山和芝加哥等地都成立了一些新闻短片制作团体，它们以唤起劳工阶级对于社会不公正现象的认识为己任。在法国，在1968年大罢工的酝酿阶段，让-吕克·戈达尔和其他电影人成立了名字响亮却昙花一现的济加·韦尔托夫电影小组，对先锋的电影手段进行实验。克里斯·马克则和其他人成立了更加带有军事色彩的组织“火星报”，这是根据列宁创办的地下报纸命名的，其拍摄主要聚焦于劳工事件。在英国的伦敦纪录片制作人

合作社和伦敦女性电影合作社等团体中，成员们都在讨论什么样的影片风格更引人入胜和影片应该针对什么样的观众。

电影人之间的联系常常是跨国的。在南非和全世界，反种族隔离的激进主义者用纪录片《对话的终结》（1971）来号召全世界的支持。影片由流亡伦敦的电影人制作，严肃地暴露了南非富有白人和黑人之间日常生活的鲜明对比。在印度，激进的纪录片制作人阿南德·帕特瓦尔丹和示威者们一起记录下了他们反抗政府腐败的斗争。他将影带偷带出国，并在加拿大开始了一份工作；在加拿大，他和印度临时政府的反对者一起制作了《革命的浪潮》（1975）。该片在全世界公映（在印度却被禁演），政治组织用它作为工具，组织反抗临时政府的行动。

在整个拉丁美洲，受到古巴革命反抗美国霸权的鼓舞，纪录片制作人联合起来工作，逐渐形成了一个“第三电影”的概念，这
82 个词被用来描述全世界范围内的激进主义电影。践行这一概念的，不仅有发展中国家的纪录片制作人，还有世界其他地区那些觉得自己被边缘化或认为自己代表被压迫者的电影制作人。

“第三电影”一词来源于“第三世界”的概念，指的是在冷战时期超级大国的斗争中寻求独立的国家或文化运动。它让人们看到政治变革的希望，但这种政治变革已经不再依附于苏联共产党。全世界的知识分子和艺术家将文化看作这一运动的武器。拉丁美洲独立和不同政见电影运动——nuevo cine，在巴西被叫做cinema novo——在第三电影运动中成了开路先锋，用迈克尔·沙南的话来说，纪录片是第三电影的重要特征。

古巴1960年将电影业收归国有。在自己国家遭受攻击的独立纪录片制作人聚集于此，制作影片并寻求支持。（约里斯·伊文思

20世纪60年代就曾和一些古巴纪录片制作的领军人物一起工作。）古巴摄影师兼纪录片制作人圣地亚哥·阿尔瓦雷斯创立了古巴自己的《电影眼睛》新闻短片，自己也制作了许多纪录片。这些影片不仅表达了对不公平现象的极度愤怒，也以抒情的方式表达了对革命的支持。阿尔瓦雷斯最早的纪录片之一《现在》（1965）因为使用了搜集来的图片而显得很有意思。在片中阿尔瓦雷斯用从杂志和报纸上找来的、有关种族冲突的图片，抨击了美国的种族主义。影片的背景乐是莉娜·霍恩演唱的一首关于自由的歌。

在阿根廷，费尔南多·比里成立了一个关心社会现实的电影流派，第一部作品是《给我一个铜板》（1960），影片展示了一群孩子通过向过路的列车乘客乞讨来养活他们家庭的故事。影片部分借鉴了比里在意大利学到的新现实主义风格，几乎没有旁白评论，只是追拍孩子们跟着列车奔跑的场景：这是通过镜头展示来表达批判。

随着阿根廷政局对立日趋紧张，接受比里指导或受到其启发的纪录片制作人纷纷参与有组织的抵抗或武装斗争，他们常常受到迫害甚至可能“消失”。

运动中最有影响力的纪录片制作人里，有阿根廷纪录片制作人费尔南多·索拉纳斯和阿根廷社会学家奥克塔维奥·赫蒂诺。他们两人一起发布了一个口气颇大且很有影响的宣言，呼吁“第三电影”。（前两种电影分别是好莱坞电影和“艺术”或作者电影。）他们断言，电影不应当仅仅是格里尔森所说的“锤子”，它本身就应当是一个“去殖民化”的行动。他们的目标是“将审美融入社会生活中”，让知识分子和大众一样与革命紧密相连。理论上，这样的电影应当由革命团体制作，在“解放了的空间”播放。不会再有纯粹的观看者,集体生产的艺术会煽动观众投入行动。这样的电影能够对最强悍的敌人发起攻击——这个敌人在我们所有人的内心,会抵制革命“新人”的产生,而古巴正在制造这样的新人。

在“自由电影集团”内部,索拉纳斯和赫蒂诺在纪录片《燃火的时刻》(1968)中实践了他们的理论。该片共分三部,加起来时长超过四个小时,片中时而抨击,时而关注,时而解释,时而思考,像一位愤怒的教授振聋发聩地质问他的学生。第一部分有关阿根廷的新殖民主义。第二部分表现了深受工人阶级爱戴的阿根廷社团主义派总统胡安·庇隆的崛起,并对1955年推翻他的那次政变表示了反对。第三部分是对于通向革命未来的道路的思考。影片运用了很多让人困惑和震惊的技法:单词瞬间复制布满整屏的幕间标题、空白屏幕,还有一个对切·格瓦拉死后面孔连续五分钟的展示,而影片正是献给这位人物的。

该片在阿根廷和其他拉丁美洲国家秘密播放,也在世界其
84 他地方的电影节和影院广为播映。在美国,《燃火的时刻》在激进政治团体中很流行,比如在芝加哥,波多黎各人团体“青年洛德党”就播放了该片。索拉纳斯、赫蒂诺和其他很多人之后很快逃亡国外。

其他较有价值的“第三电影”多由流亡人士完成,比如智利的纪录片制作人帕特里西奥·古斯曼的三部曲长篇纪录片《智利之战》(1975—1979)。古斯曼是约里斯·伊文思亲手栽培的又一位弟子。伊文思1969年的作品《瓦尔帕莱索,我的爱》就由他担任摄像,片中将瓦尔帕莱索这座智利港口城市的贫富状况进行了尖锐的对比。(克里斯·马克为这部城市交响曲纪录片撰

写了解说词。）

《智利之战》中有珍贵的录像脚本，是从一项记录萨尔瓦多·阿连德总统生涯的为期三年的录影项目中抢救出来的。军事政变推翻阿连德的统治后，这一拍摄也就停止了。古斯曼将录像偷带出境，逃亡欧洲。这一电影项目成了全世界动员人们反抗军政府的工具。该片最终在法国完成，得到了左翼电影俱乐部和古巴收归国有的电影组织“古巴电影艺术与工业协会”的帮助，在除了智利之外的其他国家得以播放。《智利之战》批评了智利的一些军方组织、中产阶级以及美国政府，指责他们推翻了一个合法的、经选举产生的政府。充满悬念的剪辑和简洁的解说勾勒出导致这一悲剧的过程。

纪录片人对“第三电影”、真实电影和草根录像的政治能量很感兴趣，因而在全球范围内掀起了影片制作的热潮。在日本，小川绅介领导的一个电影制作小组，将农民抗议建设成田机场的行动拍成纪录片。其中的一部《第二堡垒的农民们》（1971）在租用的市政大厦内向全日本进行播放，在各个左翼组织的配合下，在全世界广为流传。小川绅介后来一生都在制作这样的
影片。在和成田的村民们一起生活了多年之后，他又搬到了山 85
形县的小村庄，制作了几部纪录片，拍摄那里人们的生活。另一部日本纪录片由一个小渔村的居民和导演土本典昭合作，记录了该村村民由于工厂污水排放导致汞中毒，因而声讨正义的情况。这部名为《水俣病》（1971）的片子引起了全世界对汞污染的重视，也使日本政府蒙羞，不得不正视这一问题。之后，土本继续用纪录片来吸引全世界对该问题的重视，也利用纪录片继续与水俣的村民合作，对政府施加压力以解决汞污染相关问题。

在20世纪70年代的中国台湾地区，当地政府不愿承认对台湾原住民的压迫。70年代后期，一群艺术家制作了系列电视纪录片《芬芳宝岛》，歌颂了台湾原住民文化的美。该片不但出了一系列续集，也催生了一系列的社会批评语汇。

苏联铁腕统治下的地区没有言论自由，一切反抗组织均被粉碎，这里的纪录片人将观点直接或间接地寓于作品中，巧妙地混过审查。在苏联统治下的东欧，所谓的“黑纪录片”或“持异见者纪录片”十分盛行。爱德华·斯科泽斯基和克日什托夫·凯希洛夫斯基等波兰制作人的纪录片作品，观察敏锐，给观众提供了一面镜子，映射令人困惑的现实。

20世纪六七十年代的倡导纪录片，和其他时代的纪录片一样，是理想主义和实用主义的结合。这些影片中使用了之前纪录片人所开创的所有手段。《给我一个铜板》等影片中运用了弗莱厄蒂派的现实主义和新现实主义策略，让观众看到新的现实。格里尔森派的社会任务传统也在各种纪录片中发扬光大，但此时纪录片的任务不是为了巩固国家政权而是为了推翻它。在戈达尔的实验纪录片中则可以看到韦尔托夫式的眼花缭乱的形式挑战，在古巴的纪录片中也可以看到苏联纪录片制作人的影响。倡导纪录片人
86 士对影片的形式选择问题进行了激烈的辩论。他们也利用各种创新，让自己的作品更加生动。真实电影的设备和技术也很快被运用。不过，居于统治地位的还是实用主义。比如，如果一部真实电影的纪录片需要旁白才能说明问题，那么制作人就会运用旁白。

留下的财富

“责任感”电影、第三电影或激进电影的榜样影响广为传播，

直到现在还会应危机和机遇的需要，重新浮出水面。20世纪70年代，韩国的一些年轻人接触到了法国和德国一些文化中心的激进思潮，在80年代政治破冰运动“汉城之春”行动中，制作了劳工和农村题材的“人民的电影”，为以后独立电影组织的形成奠定了基础。汉城视觉艺术组织的目标是“为大众争取社会权利”。在中国，20世纪90年代之后电影人们开始了“新纪录片”运动，更注重实录而非豪言壮语，这无形中挑战了某些教条，鼓励了各种意见。吴文光的《流浪北京》（1991）是关于大城市中边缘艺人的纪录片，对城市激进人士来说是一部里程碑式的电影。在21世纪初的阿根廷，在全国性金融危机过后，电影制作团体成为政治动员的力量，和政治及劳工团体合作拍摄电影。

激进派电影制作潮流中产生了很多机构。其中不少影片发行机构都是20世纪60年代“责任感”电影制作中留下的，如加拿大的DEC电影集团、美国的“女性制作电影”（一家带有女权主义色彩的经销商）、“第三世界新闻短片”（主要制作关于有色人种的社会批评影片）、“加州新闻短片”（主要题材与非裔美国人、非洲、种族和劳工问题相关）、“新一天”（一家鼓励电影人自行发行影片的机构）、法国的“火星报”等。一些组织开始播出传达草根和区域性声音的片子，比如美国的“城市社区电视中心”和“阿巴工坊”，它们长期运营，并培育了新一代的纪录片制作人。有线接入中心是美国特有的，诞生于当时媒体激进主义的背景下，指的是一些有线频道致力于播放由当地公众制作或者为当地公众制作的影片。美国纪录片制作人乔治·斯托尼是这场运动的领军人物，他在1968到1970年间曾参与加拿大的“为改变而挑战”项目，并从这一段工作经历中收获良多。

许多其他的纪录片制作人最终将他们的理想主义和电影制作技巧用于更传统的领域，特别是公共电视、公共服务电视和高等教育领域。许多在职业生涯开始时制作政治激进主义影片的美国纪录片人，后来也拓展了他们的领域，以吸引更多的观众。比如，芭芭拉·克普尔曾在20世纪60年代后期和真实电影的先锋人物梅索斯兄弟一起学习，她在肯塔基州罢工的煤矿工人的配合下，制作了纪录片《美国哈兰县》(1973)。该片对工人和工会组织意义非凡，并获得了当年的一项奥斯卡奖。克普尔后来继续和社会正义组织和非营利性组织合作，同时也执导电视剧并制作商业纪录片，如《野人蓝调》(1997)——影片中，电影导演兼爵士音乐家伍迪·艾伦给观众带来了一段音乐之旅。

不少电影组织在这一时期得以巩固生根，也推出了截然不同的作品。芝加哥大学的三位毕业生受到约翰·杜威作品的启发，也看到了新一代便携式摄像机的能力，成立了总部位于芝加哥的卡坦昆电影公司。他们的第一部作品《老人院》(1966)以真实电影的风格反映了养老院生活的种种屈辱。但该片未能给医疗政策带来任何改变。之后，已经成为一个政治团体的卡坦昆电影公司将目光转向了更能号召行动的电影，制作了《芝加哥产妇中心的故事》(1976)，该片抗议了芝加哥最后一家公共妇产中心的关闭，这也是反对公司化医疗行动的一部分。政治行动团体解散后，卡坦昆电影公司继续制作电影，并将目标对准一般观众。史蒂夫·詹姆斯的《篮球梦》(1994)在圣丹斯电影节获奖之后，在全球热播。七小时时长的长篇电视纪录片《新美国人》(2004)由卡坦昆电影公司的联合创始人戈登·奎因和史蒂夫·詹姆斯联合执行制作，该片追踪了移民从他们的母国来到

图9　卡坦昆电影公司改变社会的宗旨，在其不同时期的电影作品中有不同的表达方式。上图为《新美国人》(2004)中耶路撒冷的奈马在和她身在美国的未婚夫通电话。卡坦昆电影公司出品

美国的过程。卡坦昆电影公司继续鲜明地表达着它在最初的作品中就关注的问题：让拍摄对象发出自己的声音，带着尊重邀请观众走入拍摄对象的生活，激发人们对于现状的质疑。

事后再看的话，倡导纪录片生动反映了历史上的政治斗争中某一方的立场。《西班牙土地》和《燃火的时刻》就是这样的例子。的确，《智利之战》在智利恢复民主制之后重获新生，现在被用来当作智利人的历史教材；在皮诺切特时代的书籍中，阿连德时期的痕迹几乎全部被抹去。

到了21世纪，各种倡导组织都在利用日益复杂的电影制作手段，委托制作或自行制作纪录片，作为它们战略性沟通的一部分。勇敢新电影出品的《出售伊拉克》（2006）披露了伊拉克战争中大集团的贪婪牟利；而保守派的联合公民出品的《边境的战争》（2006）是关于美国外来移民的。这两部电影都是作为思想论战的武器而创作的。美国国会曾打算开放北极国家野生动物保护区进行石油开采，针对这一情况，塞拉俱乐部和其他非营利性环保组织联合制作了《冰上石油》（2004）。这部电影由彼得·考约特解说，审视了北极国家野生动物保护区内有关石油开采的斗争及其给环境和原住民带来的影响。该片在电影院、公共电视台和许多大众场所播放。DVD版本还包含了一个短片和一份组织行动方案。发起拍摄该片的组织称赞其引起了全国人的关注和抵抗行动，而正是这些行动最后促使开放石油开采的立法计划破产。

纪录片含蓄地向观众承诺自己诚实地讲述了一个关于真实生活的重要故事，不管从何种角度来看，倡导组织和非营利性机构都是这一承诺的受益者。为了兑现这一承诺，倡导纪录片不

仅仅运用自己背后组织的公信力，也运用能表达自己可信度的拍摄手段。这些手段包括（当然不仅仅限于）权威人士（比如名 90
人彼得·考约特）的解说、对日常生活的现实主义描绘（《西班牙土地》）、大胆的对比（比如《博里那奇矿区》中的）、真实电影手段的运用（《智利之战》）、说明观点的数据（《燃火的时刻》），以及对专业人士的采访（《出售伊拉克》、《边境的战争》）。但是，如果火药味浓烈的纪录片成为政治战争必不可少的元素，它们可能会损害纪录片长期积累起来的可信度，因为纪录片关注的热点事业和事件，由于大众传媒对于轰动事件和名人效应的热衷而显得浅薄了。

历史纪录片

“历史不是自我完成书写的，”历史学家小阿瑟·施勒辛格说过，“不是你把一块硬币投进去，就有一段历史出来。”所有的历史都是为当下的人写的，为他们呈现一种东西，历史学家把这种东西叫做“可利用的过去”——这个关于过去的故事可以帮助我们建立对自己的理解。历史也总是在它之前的历史的基础上写成的——有的时候是对之前的否定，有的时候是加强，有的时候则是提出原来历史中没有写过的东西。

用电影讲述历史的纪录片人，会面临他们的电影同行们面临的所有挑战。他们也和历史学家一样面临着获得资料的问题。他们常常要再现某些没有影像资料的历史事件，也常常会利用一些从未被当作历史记录的材料来再现事件。他们会用一些手段来代替历史影像，如照片、画、代表性的物体、重要文件的图像、搬演，还有众所周知的手段：镜头前的专家。他们运用唤起某个时代感觉的音乐，让歌手来演唱那个时代的歌，制造一些音效来刺激观众的感觉，让观众觉得眼前看到的是某个真实的历史时刻。他们苦恼的问题在于，多大程度的搬演是适合的，以及怎样实现搬演。

这些纪录片人同样面临着专业知识的问题。通常，看纪录
91 片的人要比看历史学家著作的人多得多，但纪录片制作人很少有历史学家那样的学术背景。事实上，纪录片制作人常常避免请一系列的专家来当顾问。在纪录片制作人眼中，历史学家常常对很多事情吹毛求疵，如历史事件的准确时间顺序、事件的多种解释、加入小人物的必要性，以及准确的细节等等，所有这些都影响影片故事叙述的清晰性，不利于吸引更多观众。公共电视台常常要为纪录片制作配备专业知识指导委员会，而商业电视台对它们出品的纪录片则很少有这样的要求。

最后，著书立说的历史学家们可以批驳、评论或解释事件，而纪录片人则不同；他们从事的工作是用画面和声音模仿现实，其本身就隐含了对某个单一真相的肯定。这就让他们更难以在影片中引入对事件的其他解释，甚至不能让人感觉到他们实际上是在分析事件。

纪录片制作人常常选择不去考虑他们选择背后的意义：他们可以认为自己仅仅展现了历史事实，或者不带批判地持有带有偏见的观点。但是，他们的作品却是让人们理解过去的第一扇门。

故事

所有的历史纪录片都是关于“可利用的过去”的故事，这一点可以以下几部影片为例来加以解释。

俄国革命成功后不久，叶斯菲里·舒布制作了一部历史纪
录片《罗曼诺夫王朝的覆灭》(1927)来批判沙皇的统治；该片
运用的影像脚本全部来自沙皇的影像资料，包括沙皇的家庭电
影。舒布开创的这种电影，后来被叫做“汇编纪录片”。事实
上，沙皇的家庭成员要是看到自己奢华的生活场景和人民贫苦
悲惨的生活场景交织在一起，非得大吃一惊不可。舒布通过对 92
材料做选择性的整合和并置，改变了原来影像的意义，将一个养
尊处优的家庭的温情录像，变成了对被推翻政府的强烈谴责。

第二次世界大战期间，各国政府都对宣传纪录片大笔投资，政府录像迅速发展；冷战期间，双方阵营都利用了这些资料拍摄历史纪录片，这再一次体现了历史的“可利用性”。故事的讲述方式是适应观众——共产主义或资本主义国家的观众——和适应时代的。在新生的东德，安德鲁·桑代克（出生并成长于德国的德裔美国人）和安内利·桑代克夫妇利用档案影像制作了很多纪录片，包括歌颂和全面展现苏联历史的《苏联的奇迹》(1963)。在美国，从海军公关部门退役的亨利·“皮特”·萨洛蒙来到美国全国广播公司工作，他与海军有关部门合作，利用档案影像制作了《海上雄风》，这是一部播放周期很长的26集系列纪录片，歌颂了第二次世界大战期间美国海军在太平洋地区扮演的重要角色。理查德·罗杰斯作曲的音乐唤起了观众对影片的情感回应；片名《海上雄风》也很恰如其分；影片准确地表现了美国及其盟国无私地为自由而战的行为和勇敢无畏的精神，当然还有最终的胜利。不论是东德还是美国的制作人，都力求诚实地讲述有意义的、情感丰富的故事。他们的作品也很恰当地完成了政府和时代所赋予的意识形态任务。后来随着时间流

逝，那个时代的意识形态设定渐渐淡化，从前的一些社会思潮又浮现于人们的视野，这些纪录片就显得宣传性太强了。

肯·伯恩斯的《南北战争》（1990）也是一部精雕细琢的叙事片，而并不仅仅是对历史事实的叙述。该片是在美国公共电视上播出的最受欢迎的剧集之一。它告诉观众，南北战争有史以来第一次创造了一个统一的美国民族身份。为了证实这一论点，影片采用思考的、移动的镜头来展现静止的图片资料，并让
93 专家发表他们的看法。利用图片的好处有很多，其中之一就是可以让观众感觉他们只是在观看事实的陈述。

一些南方人可能会认为《南北战争》的中心主题不合理，但正如加里·埃杰顿在《肯·伯恩斯影片中的美国》一书中所提到的，当时“统一史学”[①]的核心——“自由的多元论观点”强调对于联邦的维护。伯恩斯遭受了不少批评，有的历史学家认为对这段历史应有不同解释，有的历史学家认为该剧集的真正罪过在于它隐瞒了一个事实，即它是在阐释历史而不是在真实地记录历史。伯恩斯没有去正面回应这些批评，他声称自己不是一个历史学家而只是一个“情绪丰富的人类学家”。他说他从历史记录里寻找“一种情感和共鸣，这样的情感和共鸣能够提醒我们很多事情，比如为何我们能排除各种不利因素达成共识，成为一个统一的民族”。换句话说，他有选择性地讲述关于过去的故事，并在此基础上选择人物和事件来帮他完成故事的讲述。

商业方面的考量也会对纪录片人如何决定影片的题材和情节有所影响。电视纪录片以娱乐为目的，常常展现生活中较为

---

① 美国史学的一个分支，也被译作“‘利益一致’史学”，强调美国价值观根本上的统一性，认为历史冲突只是表层而简单的现象。

轻松的一面，包括娱乐业本身。戴维·沃尔珀的《好莱坞：黄金时代》（1961）和法国系列剧《疯狂的20年代》这两部通俗作品是电视剧时代纪录片的典型代表。在多频道电视的时代，历史纪录片成本低，播放时间长，不需要提供深度或平衡的观点，也不需要展现某个历史时期最重要的方面。这些纪录片将不受版权保护的政府资料和低成本的档案资料拼凑成画面（常常结合煞有介事的解说），以至于形容这一行有了一个专门的词：“剪报工作”。

资料的难以获取也会限制历史纪录片制作人的选择。由于许多资料的版权年限被延长至未来很多年，大量运用受版权保护 94
影像资料的纪录片成本变得越来越高昂。经过权威研究的历史纪录片本来就一直是纪录片中较为昂贵的。20世纪末，档案库纷纷合并，大的传媒公司在数字化生产的威胁下，对自己的资源控制得越来越紧，在这种情形下版权结算费用更是一路飙升。在《未讲述的故事》一书中，彼得·贾西向笔者指出，一些纪录片人甚至连开展大项目都不愿意。针对这一问题，美国的纪录片人推出了《纪录片制作人合理运用资源最佳方案的宣言》，这份指导意见极大地提升了纪录片制作人的制作能力，使他们可以运用自己的权利免费引用有限数量的版权材料，扩大纪录片制作的范围。

人物传记片

人物传记片——一种特殊的历史纪录片——醒目地展现了一种方法选择，证明了所有的历史作品都是一种阐释。人物传记片是一种极受欢迎的纪录片形式；它将镜头近距离对准某一个特定的人物，向观众许诺，他们将会了解到一个被公认为重要的人物（政治家、名人、艺术家、体育冠军等）、一个他们从前不知道的重要人物（如不知名的发明家、默默无闻的社会工作者、自学成才的艺术家），或是历史事件的一个见证人（如大屠杀的幸存者、希特勒的秘书）。从人物传记片的定义来看，这一类的影片是以人物为中心的，但纪录片制作人必须担负起为观众阐释这一人物的任务。

电视上曾经播出过一些系列传记电视剧。美国公共电视网的《美国大师》系列和A&E电视台[①]的传记频道就是其中两例。它们的风格特征鲜明，而且彼此区别很大。《美国大师》描述了某一个特定的社会时刻美国的生活；个人的故事被放在一个社会环境中，片中注重表现这个社会环境中的事件和潮流，它们影

95 响着个人的行动和抉择，同时又是个人行动和抉择的结果。影片不仅仅描述个人生活中的事件，更强调这些事件在更大范围内的意义。比如，迪亚娜·冯·弗斯滕伯格和丹尼尔·沃尔夫的《安迪·沃霍尔》是关于美国艺术家安迪·沃霍尔的纪录片，沃霍尔以放诞轻浮的艺术噱头和派对而闻名，影片将其作为一位对美国文化怀有高度热情的严肃艺术家而加以肯定。影片用不卑不亢的语调向观众宣布：看了这部电影之后，现在他们可以理解安迪·沃霍尔的重要性和留下的财富了。

A&E电视台的人物传记片则完全不同，是严格以人物个性为线索的纪录片，人物类型有两种：好人（常是娱乐名人）和坏人（常是罪犯）。学者米基塔·布罗特曼指出，这些传记故事常常经过删节，

① 美国有线和卫星电视频道，总部在纽约，原来的名字是艺术和娱乐电视台（Arts & Entertainment Network），于1984年2月1日创立，1995年正式更名为A&E电视台。

以将名人再现为讨人喜欢而正直的公民，而与之矛盾的证据则被有意淡化。比如，在以弗兰克·辛纳特拉为中心的“鼠党”名人系列纪录片中，有一部关于迪安·马丁的人物传记片，该片将马丁再现为一个忠于家庭的人，虽然大量证据表明他风流成性、生活放荡。

虽然这些纪录片有很大不同，但是它们都运用了一些电影技巧，目的是为了让观众对人物形成某种理解。影片会引用权威人士的话来渲染故事情节，也会有选择地采用历史影像来强调某个观点，影片的结尾会总结性地表现主题，让观众理解这个名人生活的意义、重要性以及对自己的启示。与此相反，另外一些人物传记片则用一些电影技巧让观众注意到传记片的建构性，挑战观众的一些想当然的观点。比如柯比·迪克和艾米·齐林·科夫曼的《德里达》（2002）就是一次对传记纪录片固定形式的挑战；影片很聪明地表现了真实生活和纪录片拍摄之间的区别，展示了故事讲述者制造事实的能力——手段之一是向观众展示编故事的难度。影片主人公雅克·德里达一生的工作就是“解构”我们关于知识的假设，他不断地拒绝与影片制作者合作，要向观众揭露出他们的存在。这些揭露的行动本身 96
也展示了这位哲学家的性格与观点。这部影片激发观众思考德里达提出的现实与表现的问题。埃罗尔·莫里斯的作品则运用了另外一种方法，指出人物的生平事实和纪录片之间的关系不那么简单。比如在《战争迷雾》（2003）中，莫里斯任由肯尼迪和约翰逊任总统期间的国防部长罗伯特·麦克纳马拉对着镜头长篇大论地讲述自己的人生，以及颇有争议的政治和个人决策而没有给予评论。麦克纳马拉人生中的复杂与矛盾被展现在观众眼前，观众必须自己仔细斟酌，从而对麦克纳马拉形成评判。

修正主义

要想知道纪录片故事讲述的力量，最有意思的方式之一是观看修正主义的历史电影。这些电影挑战了占主导地位的历史记录版本。一些纪录片对于已经形成共识的第二次世界大战历史提出了疑问，从而大大地影响了公众对于这段历史的认知，而且在影响公众认知的过程中，也为历史学家们提供了新的一手资料。有时候，它们就是独一无二的、由当事人亲口讲述的历史。

英国系列纪录片《第二次世界大战全史》（1973）由杰里米·艾萨克斯为商业电视台泰晤士电视台制作（当时英国商业电视台被要求承担大量的公益宣传），该片标志着对第二次世界大战阐释的历史性转折。该片共有26个小时，结合了历史影像与对亲历者的采访，在英国至今仍很受欢迎，也在世界各地播放，包括美国的历史频道。在很多方面，《第二次世界大战全史》都是修正主义的。它并未采取某一个民族或地域的立场，而是采取了全球的立场来看待战争，而且极其重视亲历者的经历。一批执着的历史研究者——其中一些人是研究历史的学者——找到了极有说服力的采访对象，他们都符合艾萨克斯的标准，即能够表现战争怎样“确确实实地对普通人的生活产生了影响”。
97 影片的核心信息是战争就是地狱，而不是我们取得了胜利。片中令人震惊的残酷暴行与死亡的图片更强化了这一信息。该片在当时引起了强烈反响，这与当时的时代特点有关：超级大国不仅引起了核战争恐慌，还触发了代理人战争[①]。

① 指大国之间为维护自身利益、避免直接冲突，通过第三国代理人而进行的战争。

差不多同时，法国纪录片人马赛尔·欧菲斯也改写了世界对于法国第二次世界大战经历的看法。欧菲斯采取的方法是调查报告，如在纪录片《悲哀和怜悯》（1969）中他就用这一方法展示了法国对纳粹统治的合作。他将法国与法西斯无条件的合作发掘出了新的深度。这部四个半小时的影片颇受争议；影片中大部分的内容都是在小镇克莱蒙费朗对各种当事人的采访，采访揭示出一个问题：法国英勇抵抗的形象只是中产阶层中流传的神话，真正领导抵抗的是穷苦的劳工阶级。（评论界后来批评制作人选择了一个共产党员人数极少的地方拍摄，而共产党一直是抵抗的主要组织者。）该片由法国国家电视台和西德以及瑞士政府电视台联合制作，也在德国和瑞士播放，但法国总理下令禁止其在法国电视台播放。直到该片在美国巡回展映大获成功后，才在法国的影院和英国广播公司的频道中播出。

法国犹太人克洛德·兰兹曼制作了一部近十个小时的系列纪录片《浩劫》（1985），该片也体现了这样一种坚决要求重新审视第二次世界大战历史的风格。整部片子都以采访的形式拍摄，包括对犹太人大屠杀中的幸存者和执行人员（通常都是技术人员和公职人员）的采访。兰兹曼用这样的方法，不是为了探寻大屠杀发生的原因，而是为了追踪大屠杀的确切情形（或者至少是人们记忆中的情形）。《浩劫》所展现的大屠杀整个执行机制的具体程度是公开录像中前所未有的。影片用逐步深入的展现方式，让很多观众震惊而动容，并引起了关于采访中伦理道德的
讨论：对于不愿合作的采访对象来说，用隐蔽摄像机是否合理？ 98
将采访过程重演是否合适？应当告诉观众多少背景信息？

对于第二次世界大战的修正主义表现不仅仅为战争故事提

供了不同的视角和信息，也为这些故事引入了新的元素。在日本，原一男的《前进，神军！》（1988）以真实电影的风格，用镜头追踪了一位偏执到发狂的老兵，他试图揭露新几内亚战役[①]过后，被弃于孤岛的日军部队中吃人的行为，潜台词是天皇应当对日本当局简单否认的战争罪行负责。这位老兵的故事既恐怖又独特，也代表了对战争罪行的普遍否认。在美国，女权主义纪录片制作人康妮·菲尔德的《后勤女工》（1980）讲述了一段不为人知的历史，即妇女在战争期间的工作改变了她们的生活；该片还记录了战后政府各部门联合起来，想让这些妇女放弃工作回归家庭的过程。菲尔德将女性和工人带回了曾经只有男性军人和政客的历史中。

在将新元素带入历史的纪录片当中，最令人瞩目的例子之一是亨利·汉普顿的《民权之路》（1987，1990）系列。这部突破性的系列纪录片在美国公共电视频道上播放，追踪了美国民权运动，基本观点是它保护了美国文化中最宝贵的价值，时常挑战当时的种族主义情形，其本身也不乏深刻的内在矛盾。制作团队中的每个小组由一位非裔美国人和一位白人制作人搭档构成，他们请来历史学家当顾问，从大大小小的影像档案库、私人收藏的录像、地方电视台的节目库中找到罕见的资料，创作他们的故事。有些画面和事件，可能过去只在某一个地方电视台播出过，并且只播出过一次，而这一系列的纪录片让全国的观众看到了这些画面和事件。它让全国的公众都意识到民权运动在美国历史上的深刻影响。该系列片成为美国学校的重要教材，也

① 太平洋战争期间，美澳盟军于1943年6月至1944年7月在新几内亚及其附近岛屿对日军实施的进攻战役。

成为后来历史修正主义系列片的模板，如时长四个小时的系列 99
片《墨裔美国人！》（1996）和《平等的问题》（1996），后者是关于男女同性恋维权运动的历史纪录片。

当然，无论是否出于有意，修正主义的纪录片自身可能会略去一些关键信息。比如，20世纪七八十年代的美国独立纪录片中，有回顾20世纪30年代的政治运动的，比如工会组织（《青年女子联盟》，1976）、罢工（《婴儿和旗帜》，1978）、西班牙内战（《正义之战》，1984）。这些婴儿潮世代的纪录片制作人一般不会展示共产党在这些事件中的全部角色，或者会接受共产党人的自述。这些纪录片制作人通过口述历史来挽救被封存的过去，将自己看成他们所景仰的政治激进人士的代言人，他们是很容易因为将口述历史作为唯一的信息来源而受到局限的。

记忆与历史

随着家庭电影和录像资料库的发展，以及更加简易的摄像设备的产生，回忆录电影或个人电影对历史纪录片作出了重大贡献。在这样的作品中，私密的、个人的叙述有时会和官方的、公开的记载形成对比。个人记忆常常和公开历史并列在一起，对公开历史形成挑战。新的故事不断产生，个人经历也丰富了公众对于过去的理解。

电影制作人用许多不同的技巧来再现记忆。其中一个常用的手法，用纪录片制作人戴维·麦克杜格尔的话说，是将“空缺的符号”的画面——损失的东西、遗弃的物品或一张有待解释的照片——置于影片的中心，并用记忆去解决这一中心问题。比如《战地余生》（2004）记录了一项将犹太儿童转移出纳粹德国

的拯救行动，制作人找到了当时的犹太儿童真正随身携带的物
品，并将它们作为象征，而不是仅仅用类似的物品来代替。很多
100 时候，个人电影制作者也会用一些讽刺性的或反思性的方式展示熟悉的物体或形象，促使人们对其进行重新思考：不同元素的拼贴、空白画面、让人震惊或提出问题的文字，或者重复——这些手段都迫使观众反思或重新理解某个声音或形象的意义。

有些时候，纪录片制作人还会利用此前先锋派和实验派电影制作的手法。这一点在美国先锋派纪录片制作人伊冯娜·雷纳的作品中就有不少好的例子。非裔男同性恋电影制作人马龙·里格斯的《饶舌》（1989），采用了视觉诗歌的结构，其叙事轨迹就像寻找自我身份的一次旅行。罗斯·麦克尔威的作品——《谢尔曼远征》（1986）、《六点整新闻》（1996）、《闪亮的烟叶》（2003）——都记录了他（或者说，他的人格化身）对自我的感受不断变化的过程，这得益于他在实验派电影人那里学到的经验：用身体和自己的生活作为电影主题。

个人电影对于20世纪八九十年代全球文化身份运动的发展起到了推动作用。政治变革和经济全球化，制造了南亚人、东南亚人和非洲人离散运动的新高潮。具有自我意识的离散族裔文化开始逐步显现，并在各种机构的支持下，在电影中寻找表达。英国的社会环境也发生着变化：独立制作人发起抗议，各种骚乱过后少数族裔开始觉醒，新的私有（但是会有政府税收出资）电视台——英国第四台成立，在这些因素的综合作用下，诞生了专门支持少数族裔电影制作的工作室。

这些工作室中有一些成功的例子，如所谓的黑人电影工作室，包括著名的电影制作人艾萨克·朱利恩效力的“穿越时间”

工作室和“黑色听觉集团”工作室。这些工作室的作品让人们对各个少数族裔的自我再现问题以及女性的角色问题展开了广泛而卓有成效的讨论。约翰·阿科姆弗拉的《汉兹沃思的歌》 101
（1986）是其中著名的作品之一。该片是一次完美的实验，用诗意的方式将骚乱、贫民窟、新闻片和殖民时代的历史影像等画面重新整合成一部关于历史和身份的个人散文电影。另外一部备受赞誉的影片是恩戈齐·翁伍拉的《健美选拔赛》（1990）。翁伍拉的父亲是尼日利亚人，母亲是英国人。该片将虚构元素与纪录片元素结合起来，让一位女演员来饰演翁伍拉，翁伍拉的母亲则由其本人出演。影片将母女二人的身体形象和个人经历进行对比，而这种对比又是由于英国社会日常生活中无处不在的种族、性别和年龄歧视造成的。

后殖民时代和后冷战时代的环境也催生了许多作品，这类作品将自传的热情与对历史的审视结合起来。制作人用个人散文电影的方式，来质疑非洲政府对于历史的遗忘。纪录片制作人戴维·阿奇卡尔的父亲曾是一名地位显赫的几内亚官员，后来失势，死于狱中。阿奇卡尔的《上帝的意志》（1991）将搬演、家信、家庭电影和新闻片图像等元素综合在一起，驳斥了官方对于他父亲消失方式的解释。该片既是一部回忆录，也是一部沉思录，对围绕革命领袖塞古·杜尔的谎言给予了回击，在几内亚和全世界范围内都引起了争议。海地制作人拉乌尔·佩克的家人曾在帕特里斯·卢蒙巴的刚果政府工作，佩克出品了纪录片《卢蒙巴：先知之死》（1992），后来又将其改编为同名电影。佩克在该纪录片中拼贴了多种视频来源：佩克的家庭电影、他自己的视频日记（记录了他寻找卢蒙巴的档案影像却徒劳无功的

图10和图11　上图：帕特里西奥·古斯曼的叙事电影《智利之战》(1976)表现了阿连德政府的失败，该片在智利被封杀，直到他30年后回到智利才得以公映。下图：纪录片《智利，执着的记忆》(1997)记录了古斯曼回到智利的情形。帕特里西奥·古斯曼导演

经历，因为这些影像都被杀害卢蒙巴并取而代之的蒙博托封禁了）、各种采访，还有新闻画面。喀麦隆制作人让-马里·特诺则制作了一系列犀利的个人电影，将殖民的历史与现实中的暴行联系起来，《非洲，我将榨干你》（1992）就是其中一部。

拉丁美洲独裁时代的结束，也推动了以记忆与历史为主
题的纪录片的发展。巴西制作人爱德华多·科蒂尼奥拍摄了 102
《二十年后》（又名《死亡名簿上的人》，1984）。片中科蒂尼奥回到20年前他和他的团队曾匆匆埋藏一些影片胶卷的地方；这些胶卷由一个巴西“新电影革命”项目所拍摄，记录了一位农民土地改革领袖被杀害的故事。电影项目由于一场军事政变而突然停拍。科蒂尼奥后来一直追踪这位农民领袖的遗孀和八个孩子。结果，影片通过展示这个破碎家庭的故事，讲述了迷失的一代人的故事。1997年，智利导演帕特里西奥·古斯曼制作了《智利，执着的记忆》，该片记录了他回到智利，第一次向他的祖国人民播放《智利之战》的经历。此前该片在智利一直被禁。

个人电影也一直被作为一种工具，将难以想象或无法承受的公众记忆重新展示在人们面前。20世纪90年代涌现出大批的大屠杀回忆录和回忆电影：米拉·宾福德的《雪中的钻石》（1994）、伊兰·齐夫的《奴隶的探戈》（1994）、阿米尔·巴-列夫的《斗士》（2001）、奥伦·鲁达夫斯基和梅纳赫姆·多姆的《躲藏与寻找》（2004）等。大屠杀幸存者的后代，或者有时是大屠杀幸存者本人通过回到大屠杀地点、和其他幸存者相聚，甚至与故人冲突对抗，来寻求一个答案、一个结束、一个解决。匈牙利制作人彼得·福尔加奇的纪录片，也寻求以个人记忆的力量，让公众了解过去。他对业余作品和家庭电影进行加工，展现了对

遭到遗忘和压抑的20世纪30年代东欧历史的思考。

最后，个人声音和家庭电影也被用于表达人们对流行文化的再思考。斯泰西·佩拉尔塔的《狗镇与滑板队男孩》（2001）是一部关于滑板历史的迷人而生动的纪录片。片子追踪了滑板文化演进的过程——从海滩城市圣塔莫妮卡的街巷中起步，发展为几十亿美元的大生意，这一行业的一些名人（包括佩拉尔塔自己）就成长于这些街巷。影片将家庭电影和人物回忆交织在一起，并将两者和有关竞技滑板的真实电影资料进行对比——这些真实电影诞生于快节奏和商业化的环境中。丹麦制作人安
104 诺斯·霍格斯伯罗·厄斯特高的《丁丁和我》以敏锐的方式记录了比利时作家和艺术家赫格的心灵史，将对赫格20世纪70年代私下的音频采访配上当代视频影像的动画，将他的动漫书插图也制成了动画。经历了冷战岁月的赫格，从一个天主教极端保守主义者，到后来几乎成为一个新纪元运动[1]的拥护者，对他这一历程的理解也促使人们再次分析其热门动漫书籍。

个人纪录片的发展，激发学者们探索记忆与历史的关系。琳达·威廉斯认为这类电影会让观众认识到真相依据周围的环境而存在，是相对于谎言而存在，是从一堆真相中选择出来的。这样的纪录片超越了自反性（即提醒观众这是一部电影）而提出：一些重要的真相必须要被揭露出来，观众的偏见不应影响到真相的揭露，甚至让观众注意到自己的偏见会有利于真相的揭露。因此，这样的纪录片提供了另外一种方式，来解释纪录片如何能做

① 亦称新时代运动，起源于西方20世纪六七十年代的社会与宗教运动，涉及层面极广，涵盖灵性、神秘学、替代疗法、宗教、环境保护主义等元素。之所以被称为“新时代运动”，是因为它相信在下一世纪到来的时候，人类意识将会发生一场转变。

到忠于现实。比尔·尼科尔斯说过，个人纪录片常常“表演”纪录片制作人的思维和联想，记录的是一种个人眼中的真实。迈克尔·雷诺也曾在文章中提到，个人纪录片常常采取一种自白的语调，这将观众积极地带入了影片的意义建构，强化了共鸣感。

对谁有用？在什么地方有用？

要制作一部历史纪录片，就得成为历史学家——纪录片人有时会为此感到恼火。但制作人对于纪录片使用者有着重大的责任。每一部纪录片都被观众和后来的纪录片制作人当作对历史的准确再现，不仅如此，纪录片中的历史知识也影响着使用者对自己当前角色的认识。乔恩·艾尔斯的《卡迪拉克沙漠》(1997)是关于美国水问题政治的纪录片；艾尔斯曾说过，虽然许多大坝看起来都大同小异，但他还是力求影片细节绝对准确，因为他知道以后的纪录片制作人不会像他一样找原始资料，只会引用他影片中的内容。每一部历史纪录片都诞生于一个特定的意识形态 105
框架中，最起码在给观众看之前，制作人应当了解这一意识形态。

如果所有的历史都是可利用的历史，那么一个特定的历史故事什么地方有用？对谁有用？为什么有用？这些对于制作人和观众来说，都是值得思考的问题。

民族志纪录片

民族志纪录片这个词有很多含义。各类电影节，比如纽约的美国自然历史博物馆每年举行的高水准的玛格丽特·米德电影节的策划者们，通常将民族志纪录片定义为展现其他文化、异域民族和异域风情的影片。电视节目策划人也将他们投资制作的一些片子叫做民族志纪录片，这类影片以娱乐为目的，用异域的文化元素让观众感到着迷或震惊。莱斯·布兰克等独立纪录片制作人，带着同理心和尊重的态度，拍摄世界范围内的音乐和食物亚文化，他们也很乐意把自己的纪录片称为民族志纪录片。人类学家们则希望以更科学的方法来运用这一名词。人类学家杰伊·鲁比提出，一部影片只有由专业的民族志学者拍摄、运用了民族志实地调查方法、其目的也是为了制作给同行评议的纪录片，才能被叫做民族志纪录片。

但这几种不同阐释都有一个共同点，即“他者”的概念——民族志纪录片是站在某一文化的外部，对其内部略窥一斑。这样的说法又将纪录片原来就有的伦理道德风险升级了。纪录片制作人和影片表现对象之间的关系，在民族志影片中显得尤其突出，因为影片表现对象和制作人比起来，常常在社会权力上处于弱势地位，拥有较少的媒体表达手段。人类学家和电影人索尔·沃思讲过的萨姆·亚其的故事，令人类学家们津津乐道。
106 20世纪70年代，沃思和约翰·阿代尔一起完成了“纳瓦霍人[①]电影项目”。这一项目试图教会纳瓦霍印第安人一些电影制作技巧，而并不将任何审美或者意识形态的标准强加于他们。当制作人向老萨姆·亚其描述这一项目时，他问道：“拍电影对羊有坏处吗？”纪录片制作人向他保证对羊不会有任何坏处。亚其又问：“那拍电影对羊有好处吗？”“啊，没有。”制作人回答道。“那为什么要拍电影？”沃思后来在文章中写道，“萨姆·亚其的问题一直在我们脑海中挥之不去。”

① 美国最大的印第安人部落。

赚钱

对于“为什么要拍电影”这一问题的早期答案非常直接：为了赚钱。异域探险影片就是在这个时期成为一种固定的影片类型的，这类影片带有人类学研究的元素（记录“原始”文化、和拍摄对象共同生活、告诉拍摄对象电影的故事结构）。弗莱厄蒂的《北方的纳努克》启发了后来的人类学纪录片制作人。梅里安·C.库珀曾担任联合制片人，推出过旅行纪录片《草》（1925），影片讲述了一个游牧部落的故事，很精彩，票房却很惨淡；后来他制作了相当卖座的影片《变迁》（1927），又出品了十分成功的《金刚》（1933）。《变迁》记录了制作人与暹罗北部的老挝人共同生活18个月的经历，以日常生活作为切入点，叙事风格易于被观众接受。村民们在与豹和虎的斗争中生活。在经历了一次野象踩踏过后（踩踏场景是通过演出复现的），村民们不仅驯服了野象，还利用它们重建平静的丛林生活。

异域探险纪录片又催生了充满奇幻色彩的丛林纪录片和“震惊纪录片”，如1962年的《世界残酷奇谭》及其续集。在《世界残酷奇谭》中，各种不同的仪式画面拼接在一起，比如新几内亚的部落人用棍棒打死一头猪的震惊画面后面紧接着一些老年游客笨手笨脚地学习夏威夷呼啦舞的滑稽场面，影片运用了解说和背景音乐以减轻画面之间的不协调感。

更高端一些的纪录片则向观众展示其他文化的日常生活，
这些影片并不声称自己对民族志研究有益，却往往因为和民族 107
志有关而获益。《死鸟》（1963）展现了发生在新几内亚西伊里安查亚省的生死故事。片中，艺术家罗伯特·加德纳用了从弗莱厄蒂那里学来的技法，利用“真实的事件”编造“真实的故事”。

许多评论家赞扬他的诗意情感，以及他表现普世主题的能力，称他的作品有民族志的特征（加德纳本人从未称自己的作品为民族志纪录片）。《极乐森林》（1985）记录了印度贝拿勒斯的死亡仪式和日常生活，加德纳在片中表达了对死亡和生命意义的思考，古怪却震人心魄，有些地方令人毛骨悚然。该片向北半球的观众播放，这些观众基本上对影片中的行为一无所知；南亚人、印度教徒和人类学家则因片中缺乏充分的文化背景而干着急。

与习惯手法斗争

随着20世纪六七十年代电视市场的蓬勃发展，异域文化纪录片系列也迎来了春天，比如英国格拉纳达电视台的《消失的世界》（1970—1993）和日本电视台的《我们的奇妙世界》（20世纪60年代中期至1982年）。这些纪录片常常诱使观众觉得他们在观看未受污染的文化仪式，这些仪式一旦接触了现代世界就会被彻底摧毁，虽然人类学家和纪录片所拍摄的文化群体都会对此表示反对。

如今，绝大多数跨文化题材的纪录片都不会清楚地声明自己的拍摄目的。此类纪录片常常向北半球的观众展示其他地区的人。其中有些片子会以长相出众的人物、生动多彩的仪式，以及充满危机、暴力和灾难的情节来吸引观众。它们常常声称要给文明世界里的观众最后一个机会，看一眼正在消失的异域文化，《哭泣的骆驼》便是如此。国家地理频道的《禁忌异域》（2003年开播），这一周向观众展示世界各地古怪的身体装饰行为，下一周又向观众展示奇异的饮食文化。其他一些作品试图以朴实的方式带领观众领略他人的生活方式，如荷兰导演伦纳

德·勒泰尔·黑尔姆里希的《月亮的形状》(2004)以真实电影 108
的风格，记录了雅加达一位妇女的经历，这位寡居的妇女信奉基督教，而她的儿子皈依了伊斯兰教，影片让西方观众窥视到了他们可能想都想不到的文化冲突。

大多数跨文化题材纪录片的制片人发现，大众传媒的习惯手法会使影片的自反性、实验性和开放性阐释受到局限。澳大利亚制作人罗宾·安德森和鲍勃·康奈利的作品，以一种健康的方式试图突破商业媒体的限制，妙趣横生。他们的首部作品《第一次接触》(1983)很多人都看过。影片中，制作人为巴布亚新几内亚的村民带来了他们第一次和白人——男性勘探者——接触的录像。勘探者当初对于自己探险历程的记录，又被从村民们的视角重新解读。该片也表现了这种日益扩大的接触带来的后果——怀孕、疾病、机械和旅游经济，都是巴布亚人意想不到的。

《第一次接触》以巧妙的方式将自反性和现实主义传统拼接在一起，后来还出了两部续集。该片既让观众以批判的眼光重新审视勘探者拍摄的影片脚本，又通过安德森和康奈利自己的影片画面向观众传达了一种确定的意义；传达这种意义的手段是缜密的编辑、紧凑的叙事，以及对观众眼前的景象进行的时而直接时而含蓄的解释。

是否科学?

社会科学家最初将民族志纪录片想象为一种科学工具。早期的人类学家，如弗朗茨·博厄斯(他是这一领域的开创者)、玛格丽特·米德和格雷戈里·贝特森都曾经为一些仪式和行为拍摄过篇幅很短的、纯记录性质的影片。德国的哥廷根科学电影研究所曾经几十年如一日地出品五分钟系列片，专门记录特定的仪式和生产手段，并且配有文字稿。直到今天，各个国家还有大量这样的档案纪录片。但是，这些档案的制作者在拍摄这些画面的时候，可能并不总会明确地想到这样的问题：这些行为对于行为
109 的主体来说意味着什么？这些信息能够说明什么问题？镜头中的人是在进行真实行为时被抓拍到，还是在“搬演”某个生活片段？

人类学家和拥有人类学知识的制作人很快就开始探究这些问题。美国富家少年约翰·马歇尔和他父亲一起在南非游猎时，第一次熟识了卡拉哈里游猎部落。几年后，他利用为桑族人（当时南非的白人将他们叫做“丛林人”）拍摄的无声脚本，制作了影片《狩猎者》（1957）。他公开表示希望自己成为卡拉哈里人的弗莱厄蒂，赞美游猎部落成功对抗自然的故事。该片上映后票房取得了佳绩，也常常成为课堂上的教学材料，但它同样因为罗曼蒂克的倾向而饱受诟病。影片受到的争议让马歇尔重新审视自己的作品，他将影片脚本重新剪成一系列的教育片。和他一起从事这项工作的人当中有年轻的摄影师蒂莫西·阿施，阿施后来攻读了人类学学位。此类重点突出、篇幅短小并配有讨论材料的纪录片，后来被广泛用于课堂教学。

马歇尔之后继续与真实电影运动的先锋人物合作，其中有弗雷德·怀斯曼（为其拍摄了《提提卡蠢事》）、D. A. 佩内贝克和弗莱厄蒂的弟子理查德·利科克。1980年，马歇尔和阿德里安娜·林登一起，为一个南非女人制作了一部传记纪录片，影片脚本的拍摄时间横跨三十多年，而这三十多年正是桑族人的权利遭到严重损害的时期。这部为美国公共电视频道制作的纪录片名为《一个布须曼女人的故事》（1980），该片和他第一部纪录

片中孤芳自赏的浪漫风格形成鲜明对比，标志着马歇尔进一步认识到制作人与拍摄对象之间的权力关系。

蒂莫西·阿施在与马歇尔合作之后，又与在巴西低地研究亚诺玛米部落的人类学家拿破仑·沙尼翁展开了合作。在那里，阿施和沙尼翁制作了大量纪录片，并且在此过程中探索如何再现他们自己对于亚诺玛米文化的理解与体验。《斧战》（1975）
代表了两人合作的成就，也是对在此之前的民族志纪录片的批 110
评。影片中，阿施和沙尼翁见证并拍摄了村子里一场斧战三分之二的过程。阿施在影片中展示了几种不同的版本：第一种直接展现了他所有的拍摄脚本；第二种以慢动作的形式，配以指示箭头，更清晰地展现了人物和事件；第三种分析了亲属关系；最后一种是经过精妙剪辑的故事版，让人联想起学生习惯于看到的民族志纪录片。因此，《斧战》迫使观众问自己一个问题，即他们对自己看到的一切会作何种解读。虽然这一影片的做法未被很多人效仿（也许是因为这一模式在商业上不可行），它却引发了一场人类学的论争，即怎样才能最好地使用素材脚本。

让·鲁什

从20世纪60年代开始，科学客观性神话的打破在人类学领域内掀起了轩然大波。同一时期，带有民族志倾向的纪录片制作人又被真实电影这一体裁所吸引。让·鲁什就是在这两股潮流影响下进行创作的人类学家兼纪录片制作人。他既是最有创意的民族志纪录片制作人之一，又是给这类影片带来最大冲击的人物之一。

鲁什原来在西非当过工程师，这一职业经历促使他回到法国之后开始学习人类学。最终，他制作了一百多部影片，很多都是与他的拍摄对象合作完成的。他从弗莱厄蒂和韦尔托夫那里都获取了灵感。鲁什非常尊崇弗莱厄蒂和拍摄对象的亲密关系以及他亲身体验拍摄对象生活的方法。同时他也欣赏韦尔托夫的做法：热切地捕捉生活的本来面貌，然后紧紧抓住编辑这一现实的权利，迫使观众意识到制作人的存在。

鲁什的第一部重要作品《通灵仙师》（1955）让他对自己之前的方法产生了反思。该片向观众展示了一场周末的降灵会：参加降灵会的、在加纳务工的西非移民被殖民地官员的灵魂附
111 体，扮演起后者的角色来。鲁什在片尾的解说中表明，这场仪式既是对他们的殖民生存状态的表达，又是从这一状态中的暂时解脱。该纪录片让欧洲观众大为震惊，也引起了非洲观众的恐慌，因为他们担心欧洲人会认为自己不开化。殖民时代结束后，左翼评论家曾猛烈抨击该片的结尾，认为其带有自觉高人一等的色彩。

虽然鲁什本人从未对该片表示否定，但他此后却开始更加注重与拍摄对象之间的合作。同时，他也不断地开展实验，试图展现拍摄对象的主体性，常常借助于虚构、幻想和角色扮演等手段。比如，在《我是一个黑人》（1957）这部影片中，年轻的桑海人[①]当起了演员，扮演以自己的生活为蓝本塑造的角色。这部由制作人和拍摄对象合作完成的纪录片，反映了一个移民务工人员一周的生活。鲁什在这部影片中开始明确地展现他的方法：用镜头作为刺激源或催化剂，展现社会冲突；这一方法在鲁什记录自己的“部落”——巴黎人的影片《夏日纪事》中有进一步的展现。

---

① 西非的一个民族。

鲁什的目标是向电影中缺乏反思性的方法宣战，无论这些方法是与科学还是与艺术有关。针对人类学这一学科，鲁什说他想要对其进行改造：“过去的人类学是殖民主义的大女儿，是掌握着权力的群体拷问没有权力的群体的手段。我想要以一种共享的人类学来取而代之……即一种不同文化群体之间的人类学对话。对我来说，这一领域是未来的人类科学。”而对于纪录片，他则认为对他来说：

> 纪录片和故事片之间几乎不存在界线。电影这一具有双重特点的艺术，已经是真实世界和想象世界的桥梁。而民族志这一针对他者的思维系统的科学，更是从一个思维宇宙到另一个思维宇宙之间的永恒交点。这就像杂技体操，很容易一不小心失去平衡，而这只是最小的风险而已。

鲁什拍摄针对其他文化群体的纪录片，有三个原因。首先，这些影片当然是为了他自己而拍摄；其次，他是为了呈现给一般的观众；第三，他制作这些影片是因为“电影是唯一的方式，可以让别人知道我怎样看待它”，以及它是否具有参与性。纪录片 112
成了改变人类学关系的一种方式。“正是由于得到了反馈，人类学家才不再像昆虫学家那样观察自己的研究对象（对其俯视），而是认为其促进了相互理解（从而获得尊严）。”直到今天，关心民族志影片中权力与意义话题的人，还会回头研究让·鲁什。

和谁一起制作

在缩小拍摄者和被拍摄者之间的权力鸿沟方面，鲁什作出了大胆的创新。其他民族志纪录片制作人一边利用这些创新，一边也进行自己的拍摄实验。戴维·麦克杜格尔和朱迪思·麦克杜格尔夫妇曾在人类学专业学习，并以电影的形式呈交毕业作品。他们制作了一些特色鲜明、富有思想性的纪录片，体现并主张“参与影片”的理念——他们更喜欢用这个词，而不是“真实电影”，虽然他们的作品都是经典的观察式的。麦克杜格尔夫妇的电影都有一个特点，即公开对电影中拍摄对象的文化习性和文化选择表示尊敬，而且并不要求观众喜欢或是同情这些拍摄对象。在纪录片《婚礼骆驼：一桩图尔卡纳婚姻》（1976）中，麦克杜格尔夫妇追踪拍摄了他们熟悉的肯尼亚部落内一桩婚礼的商谈过程。影片展示了一种与当代西方截然不同的婚姻观。同时，麦克杜格尔夫妇的选择也展示了他们自己的信念：关于图尔卡纳的影片暗示他们支持游牧民族有权按照自己的方式去生活。戴维·麦克杜格尔声称他想要“使纪录片成为与现实世界互动的领地，让纪录片积极地直面现实，并在此过程中靠自身力量成为一种探索方式”。

拍摄对象的参与也是一种积极的、反殖民的斗争行动。比如，《拍电影》（1996）生动记录了澳大利亚和新西兰整整一代民族志纪录片制作人的故事。20世纪六七十年代，澳大利亚人开
113 始重新思考自己与原住民的关系；1975年，新几内亚取得了独立，人类学家和纪录片制作人开始将自己视作进步人士，为帮助原住民重拾尊严和自我形象而工作，有时原住民也参与这样的工作。这些影片展现了很多制作人和人类学家制作影片时遇到的问题。

澳大利亚人类学家杰里·利奇、电影制作人加里·基尔迪和特罗布里恩群岛（属巴布亚新几内亚）的一个政治组织一起

联合制作了影片《特罗布里恩的板球》(1979)。该片聚焦于岛上居民的板球运动;岛民对前殖民者带来的这项运动进行了改造,使其以优雅的方式展现他们自己的文化。他们利用这项运动完成了一项转变:从致命的战争到游戏的、象征性的战争。他们和鲁什的拍摄对象一样,远远不是民族志需要抢救的受害者,而是富有创意的文化创新者。该片采取白人的视角对白人说话,也对特罗布里恩群岛的居民讲述关于他们自己的故事。纪录片制作人也可以逆转镜头。澳大利亚人丹尼斯·奥罗克和巴布亚人一起制作了尖锐讽刺的纪录片《食人之旅》(1987),影片中那些被视作奇异生物的,正是来巴布亚旅行的游客,他们常常因为奇怪的举止而让当地人感到困惑不解。

由谁制作

人们越来越关注民族志纪录片中拍摄对象的参与和分享,加上原住民和新生国家的需求不断增长,原住民制作的纪录片数量开始上升。这也改变了影视人类学这一领域。费伊·金斯伯格和其他一些人开始提出,这一领域应当和媒体人类学相结合。这一课题内部的一个大问题是民族志作品的传统拍摄对象制作自己的媒体作品的能力。金斯伯格、埃里克·迈克尔斯、乔治·斯托尼和洛娜·罗思等人在捍卫原住民文化的自我表达时,和他们分析原住民文化时一样出色。

20世纪70年代,在"第四世界"[①]、"第一民族"[②]或原住民激
进运动的影响下,产生了帮助原住民制作人的运动,拍摄影片的 114

① 指十分落后的发展中国家。

② 加拿大的种族名称,与印第安人(Indian)同义。

成本也随之降低了。在加拿大，为了增进不同社会群体之间的融合，增强加拿大低存在感群体再现自己形象的能力，加拿大国家电影局开展了“为改变而挑战”项目，并与原住民激进运动人士合作。项目中诞生的一些纪录片，成为原住民收回土地和土地使用权宣传活动的一部分，如《你在印第安人的土地上》（1969）记录了莫霍克印第安人因为白人违反条约而进行的一项抗议。再比如《米斯塔西尼的克里族猎人》（1974）赞扬了北部克里族的狩猎采集文化，同时指出这一文化正受到一个水电站项目的威胁。加拿大原住民在为自己的地区和政府进行沟通方案谈判时，从这些合作项目中学到了东西，最终在1999年获得区域自治[1]。

115 在拉丁美洲，巴西印第安人通过“摄像机进村”项目学会了使用影像记录传统文化。他们用影像再现传统习俗，记录他们与白人之间的谈判，最终将他们自己生活中的神话和故事讲述给其他人。一些作品是针对外来者制作的，这些作品故意采用天真的视角。比如《伊邦小孩的影像信》（2004）就采取了影像书信的方式。另外，印第安人还通过纪录片重述神话、记录仪式，以保存知识或提升对民族文化财富的认识。不仅如此，印第安人（这次是基库洛族人）还用纪录片将过去的神话传说与现在的仪式及日常生活联系起来，比如《佩基果的气味》（2006）就是如此。

澳大利亚的原住民部落也制作影片来记录自己的斗争，如《两种法律》（1981）提出了认可原住民法律和风俗的迫切性，影片在一个部落的协助下拍摄完成。特蕾西·莫法特等原住民艺术家拍摄的作品，不仅仅记录了真实的生活，还运用了实验和虚

[1] 1999年4月，加拿大政府与因纽特人合作完成谈判与筹备，建立努纳武特领地，成立具有原住民自治性质的独立行政区。

图12 通过“摄像机进村”项目，亚马逊地区的印第安人制作了《佩基果的气味》等电影，将民族志纪录片制作的视角变成了原住民的视角。塔库玛·基库洛和玛丽萨·基库洛导演，文森特·卡雷利协助完成，2006年

构的方法。通过“乌合之众”项目，原住民中的青少年不仅仅完成了一项持续的录影，还建立了在线网站和社区。芬兰萨米人导演保罗-安德斯·西马则在《苔原的遗产》（1995）中，向外界展示了遭遇生态危机的驯鹿文化。

属于主流文化的人常常担心媒体制作给原住民文化带来的影响。原住民纪录片制作人和激进主义者常常觉得这种担忧不可理喻，或者简直带有侮辱意味。主流文化的这种担忧之所以产生，经常是由于它将传统文化看作静止不变的事物，而没有认识到其作为灵活的上层建筑，会随着新信息的到来拥有新的形式，正如《特罗布里恩的板球》中所展现的那样。而且，原住民激进主义者辩称，他们也会不可避免地遭到现代传媒方式的轰炸，因此应当给他们途径来表达和消费这些传媒方式。如果与此同时原住民缺乏讲述和传播自己故事的能力（因为对于扑面
116 而来的大众传媒，他们几乎没有任何控制力），大众传媒会变成费伊·金斯伯格说的“浮士德契约”：原住民出卖自己的文化灵魂，换得对媒体的使用权。和其他的社会不平等一样，这样的不平衡很难通过技术来解决。

为谁制作？为什么而制作？

民族志纪录片是为谁而制作的？科学家、拍摄对象还是电视观众？能否兼而有之，或者有一个共同的目标？这些仍然是人们热议的话题。到目前为止，人类学家还没有找到可以形成一种科学拍摄方法的资金和知识框架。教师们通常都会运用商业或者准商业电视市场上的作品。原住民对自己的作品常常有着明确而实际的目标：记录自己的文化、向当局提出警告、和其他文化群体交流文化信息，或是成为白人的教材。不过，他们很少能被大众媒体和北半球的广大观众注意到。

关注文化事件与文化行为的纪录片，面临着跨越文化界限的挑战，在主题和观众方面都是如此。让·鲁什用其始终如一的乐观精神去应对这些挑战，而这一点一直是人类学纪录片的关键。

自然纪录片

动物是纪录片制作人最早的拍摄对象之一——可爱的宠物、死亡的猎物、奇异的生物。随着纪录片商业价值的增加，动物的商业价值也增加了，因为它们比演员便宜。自然纪录片也

叫环境纪录片、环保主义者纪录片或野生动物纪录片，目前是纪录片的一个重要分支、一个稳定的电视节目类型，也是一个充满活力的纪录片种类。虽然初看之下自然纪录片表达方式直接，意识形态中立，但实际上它暴露了我们对于自己和环境的关系的种种主观臆断。 117

教育式娱乐

促使早期的自然纪录片诞生的是两种看似完全相反的目的：科学和娱乐。随着时间的推移，这两种驱动力渐渐融为一体，成为一种模棱两可的功能：娱乐式的教育。

19世纪末，有关摄影技术的实验——如一位法国生理学家发明了记录鸟类飞行的方法——推动了电影的诞生。科学家将影片作为客观记录观察结果的手段，但他们不可避免地对自己的影片进行了编辑和包装（而其他科学家并不一定都能识破），从而减弱了其纯粹观察的特征；不仅如此，他们还将科学观察的视觉效果放在首要位置。更多大众化的纪录片则普及了科学知识，如《自然的秘密》是一部早期的英国系列纪录短片，在1922到1933年间播出，是后来自然纪录片的先驱之作。

同时，之前用幻灯片形式展示旅行风光或游猎探险的娱乐投资商，也将电影作为他们下一步的目标。《猎捕白熊》（1903）就是最早的此类纪录片之一，催生了此后一系列的追逐片。一些游猎者带上自己的私人摄影师随行，就是为了记录战利品。英国摄影师谢里·基尔顿拍摄了西奥多·罗斯福的非洲游猎之行，取名《罗斯福在非洲》（1910），这部纪录片也主要展示了战利品，但观众更喜欢的却是动作片。可想而知，纪录片制作人会开始假造或搬演某些场景，或者宰杀动物，来制作电影脚本。（如果想了解对早期旅行纪录片的批评，可以参看1986年的汇编纪录片《从极点到赤道》，这部电影将游猎纪录片和其他侵略扩张题材的影片联系起来。）

在《北方的纳努克》和《变迁》取得佳绩之后，马丁·约翰逊和奥萨·约翰逊夫妇开创了一种成功的自然纪录片商业生产模式，比如在冒险服饰上加入商业广告的元素。财大气粗的赞助商为约翰逊夫妇为期四年的非洲之行出资，成就了他们的影
118 片《辛巴》（1928）。影片中，约翰逊夫妇向观众展示了他们在“湖畔天堂”过着简单质朴的、前工业时代的生活。他们给影片中出现的动物都起了名字，比如那头高贵的狮子“辛巴”——镜头中的非洲人也成了带有喜剧色彩的野生动物。《辛巴》的票房相当可观，其成功也启发了后来者制作了更多成本更为低廉的纪录片。

观看危险动物所带来的刺激一直延续着。史蒂夫·欧文的《鳄鱼猎手》电视纪录片系列引起了全球轰动，其影响一直持续到他2006年去世。片子的成功很大程度上源自他的冒险。

与充满暴力的丛林游猎类纪录片相反的，是表现自然的优美与平衡的纪录片。在这类纪录片当中，人类是危险的入侵者。瑞典制作人阿尔内·苏克斯多夫的抒情风格自然纪录片在全球热映，是此类纪录片的代表与精华。他最著名的长纪录片《伟大的历险》（1953）以一个小男孩的视角抒情地看待自然。苏克斯多夫的作品也催生了不少田园诗纪录片，其中最著名的也许是乔治·鲁基耶的《法尔比克》（1946），该片记录了一个法国农场

里的一年四季。

迪士尼自然纪录片

沃尔特·迪士尼工作室综合了危险、高贵的野蛮人和尊严等元素，制作了具有开创性的“真实世界历险”系列纪录片，1948年的奥斯卡获奖短片《海豹岛》是其中的第一部。这些影片最初找不到放映商，迪士尼公司不得不开设了自己的“博伟影视工作室”，最后它们却上了电视。这一系列影片很快在全世界热映，并获得巨大的经济收益。事实上，迪士尼工作室的高价动画片在影院以惨淡票房收场之后，很可能就是这一系列片将迪士尼工作室从失败的命运中解救了出来。

这些影片中都运用了戏剧性的叙事方式，背后的观点是弱肉强食的达尔文主义。不过，死亡的景象却经过小心的处理以照顾一般观众的感受，而死亡往往也是有某种意义的。《海豹岛》中没有提及海牛常常会不小心踩踏小牛的事实。“真实世界历险” 119
中的剧情片——其中第一部是《沙漠奇观》（1953）——采用了故事片的技法。广阔的、激动人心的宽银幕全景让人心生敬畏，精妙的节奏给观众以悬念，而配乐则时而庄严，时而诙谐。

这些影片中没有人类，但动物们却以一种古怪的方式扮演起了人类，就像一个战后郊区的美国小家庭——爱护孩子的母亲、忧心忡忡的父亲、喧闹的孩子们。

“真实世界历险”系列片中的时空和观众所处的时空很巧妙地没有交集，所有人类的痕迹都被细心地抹去。摄影师遵照要求，将拍摄地点选在几乎没有人类文明痕迹的地方。《原野奇观》（1954）用旁白告诉观众，片子要带他们去一个地方，那里“历史从未有人记录或见证，只有自然主宰着草原王国”。

蓝筹和巨幕电影

受“真实世界历险记”系列的影响，人们开始制作长期全球播放的纪录片系列，如英国的《自然》（1982）。所谓的“蓝筹”纪录片[①]成为全球电视纪录片生产的主要模式。这类纪录片的特点是主要拍摄大型动物，影片中没有人类或人类影响的痕迹，采取侧重繁殖与捕猎（即性和暴力）的戏剧性叙事。英国广播公司和探索频道于2001年推出的《蓝色星球》系列，就是很好的蓝筹纪录片。这一激动人心的系列片中到处都是技术的奇迹与自然的奇观，它带人们探索了全球的海洋世界，同时又不让观众察觉到人类的行为会改变片中拍摄的奇妙动物的生存环境。

大画幅的巨幕影片要依靠蓝筹的投入，来把观众从博物馆和各种比赛赛场拉到影院，观看大银幕上制造的奇观。昆虫（3D影片《热带雨林里的昆虫》，2003）、大型动物（《海豚》，
120 2000）和大量的鲨鱼纪录片都让观众沉浸在几乎没有人类干扰痕迹的自然奇观中。21世纪初，院线纪录片越来越流行，也是由于蓝筹自然情节剧纪录片的推动。在法国导演雅克·佩兰执导的《迁徙的鸟》（2001）中，观众看到了鸟类在季节迁徙中起飞、飞行、降落的令人惊叹的特写镜头。但制作团队根本没有去拍摄大自然中的鸟类，实际上，他们自己养大了这些鸟，这样它们面对笨重的拍摄机器时才不会害怕。另一部法国片，吕克·雅凯的《帝企鹅日记》（2005）在全球热映，记录了企鹅一年四季在

① 区别于较低成本、依靠片库的自然纪录片。它依靠大投资和大制作，很容易被重新配音、剪辑及出口。

南极的严酷环境下为了繁育后代而进行的斗争。影片运用了爱情故事主题，策略性地回避了关于企鹅的一些基本事实，比如它们的交配只持续一季，影片同样没有涉及全球变暖会威胁企鹅生存的问题。

环境纪录片

真实世界历险纪录片推出的同时，致力于生态保护的环境运动也开始开展。20世纪50年代的电视纪录片系列《地球的生命》，在英国“环境保护组织”的支持下，深入到中小学教育市场。这些纪录片强调人类行为对于自然平衡的影响。随着人们环境意识的增强，此类主题变得越来越普遍。尽管如此，即使是环保主义的节目制作也经过了非常多的加工。此类节目大都采取现实主义的视角来描述它们所要呈现的关系，采用策略性的搬演、省略剪辑和剧本来讲述故事：单个动物的画面有可能是由几个动物的镜头拼凑起来的；动物的某些动作是被人类激怒出来的，激怒动物的目的在于获得刺激的镜头；大部分拍摄鲨鱼的纪录片都需要戏弄鲨鱼，以获得动作镜头。许多自然纪录片都将制作人的痕迹减到最小或者完全抹去；另一些纪录片则是将制作人展现为英勇的新游猎领袖，英国广播公司的《狮虎豹》系列便是如此。

但是，一些独立的纪录片制作人却激发观众思考自己与动 121
物和自然环境的关系。旅居海外的澳大利亚人马克·刘易斯制作了不少关于人与动物的纪录片，这些片子都让人惊奇，而且非常有趣，他由此扬名。《甘蔗蟾蜍》（1988）以残酷的黑色幽默审视了将甘蔗蟾蜍引入澳大利亚的后果：当初进口这种毒蟾蜍是为了消灭一种甲虫，但它不但对这种甲虫毫无效果，还成了一种肆虐的害虫。刘易斯的《老鼠》(1998)和《鸡的自然史》(2000)这两部片子记录了人们与其过于亲密的驯养动物之间古怪的、令人作呕的、不正常的关系。维尔纳·赫尔佐克的《灰熊人》(2005)则展示了蒂莫西·特雷德韦尔的悲惨结局:他是一个精神不正常的纪录片人,生活在熊的国度,误将熊当作自己的朋友,最后被一只熊吃掉。片中赫尔佐克突出了他本人的虚无主义以及自然在本质上是残酷的观点,这和特雷德韦尔弄巧成拙的多愁善感形成了鲜明对比;赫尔佐克表现了特雷德韦尔身上的自恋情结,这和他本人颇为类似;他还努力使镜头中的熊比片中的任何人看起来都更高尚。

有史以来最成功的院线纪录片中,有一部可以被认为是自然纪录片:戴维斯·古根海姆的《难以忽视的真相》(2006)。镜头中美国前副总统阿尔·戈尔利用生动的图片给观众讲解了全球变暖的问题,让观众感受了一个关于自然灾害的故事。戈尔在讲座中运用了冰块融化的生动图像、水位上升淹没曼哈顿的情景模拟、一头正在淹死的北极熊的动画,以及让人震惊的图表,向人们说明解决这一问题已迫在眉睫。片中也插入了戈尔个人的记忆——父亲的农场、家乡的河流、一场几乎夺去他儿子性命的事故、他姐姐的死亡。他坦言自己无法说服政客们对全球变暖采取行动,声称他们需要听取选民的意见。科学的数据、美好的自然风光、触目惊心的灾难画面和个人的转变,都是为了为最后的好消息作铺垫:**人类行动能够拯救我们的地球**。

这一类影片和游猎纪录片及迪士尼传统的自然纪录片截然不同,因为它们主动表现人类的行动和人类与自然的互动——不仅有与动物的互动,也有与我们赖以生存的生态系统的互动。

图13 纪录片《难以忽视的真相》中，戈尔让全球变暖成为公众关注的话题，也让环境纪录片有了新的高度。戴维斯·古根海姆导演，2006年

这些纪录片让我们看到了在很多自然节目和电影当中看不到的 122
东西，也为我们以新的方法展现关于环境的故事提供了模型。

意义与伦理

很多外界批评都将焦点对准了拍摄大型动物的热映电影和电视纪录片（如英国广播公司的《狮虎豹》和探索频道的《鲨鱼》）。它们针对对待动物的方式、展现的准确程度和叙事的把握等问题提出了疑问。德里克·鲍谢认为，野生动物纪录片加工的成分太多，简直成了故事片。格雷格·米特曼则认为自然纪录片在再现现实方面的挑战，并不比其他形式的纪录片遇到的挑战更复杂。

大部分热映的自然纪录片是否有正面的教育价值？对此

评论家们也提出了质疑。毫无疑问，观众很容易注意不到影片
123 中的环保主义信息。史蒂夫·欧文是一位一直大声疾呼环保的人士，但他后来被一条黄貂鱼刺死之后，他的支持者们却在澳大利亚海岸沿线捕杀、肢解黄貂鱼。比尔·麦吉本批评道：当纪录片放出濒危动物的特写镜头时，它们实际上传达了相反的信息——还有这么多的猎豹，快看！这些纪录片还让人觉得，动物在自然栖居环境下永远都是活蹦乱跳的。资深的蓝筹纪录片制作人戴维·阿滕伯勒曾说过：“如果电视节目中的丛林太平无事，你才不会打开电视去看它。”这些节目只真正关心地球动物生活中的一小部分——往往是大型哺乳动物。麦吉本认为：“现在电视上的自然教育纪录片让人们过于偏爱某些物种，而对生态系统或者毁灭这些生态系统的政策极度缺乏了解。”

全球变暖危机或许会激发自然纪录片的一个新趋势，即不再仅仅聚焦于动物，而是也将目光对准维系生命的生态系统以及人类对这一系统的破坏。这一领域已经有了很大的进展。毫无疑问，早期自然纪录片漫不经心的冷酷和虚假，放在现在会很让人厌恶。

随着电视的疆域不断拓展，自然纪录片也不断走入全新的频道，发展出新的种类。不管是否有意为之，它们将继续记录我们与环境的关系。这一纪录片类型的健康发展，现在已经与全
124 球生态系统的健康休戚相关。

第三章

结论

纪录片这一电影形式，随着技术的革新不断发展。声音、彩色图像和16毫米设备的引入，都大大改变了纪录片制作人捕捉现实、讲述故事的方式。视频时代的到来，戏剧性地改变了可以捕捉现实的人群，也让更多的人可以讲述故事。巨幕电影和高清技术让我们的银幕出现了新的奇观。数字化和互联网也给纪录片带来了更多不同的可能性和机遇，让电邮租赁视频、数字录像机、宽带电视和手机电影成为可能。

但这些变化都没有让长篇纪录片过时。相反，它们在长篇纪录片这一形式上开发出更多的价值。一些纪录片，如杰汉·努杰姆的《控制室》（关于伊拉克战争初期在半岛电视台新闻频道的三个月见闻）和摩根·斯珀洛克的《超码的我》（关于肥胖和快餐）在2004年的电影节和票房上都成绩斐然，日益赢得认可。高端影片的市场价值与日俱增，巨幕纪录片的生产就表明了这一点。

但是，这些变化也让我们可以从更广阔、更连续的角度来审

视纪录片。比如有关人权的视频短片和迷你纪录片可以用来激
125 发网络观众投身这一事业，“见证人”人权组织和“同一世界电视”网站就是这样做的。全世界的非政府组织都可以自行制作或与发行公司联合制作影片，给它们的成员、捐助者和支持者观看。年轻人可以自己拍摄，或与专业人士合作拍摄影片，影片的长度和目的均不受限制。

长篇纪录片、业余纪录片和互联网视频纪录片可以被联合运用于同一事业。2004年，荷兰制作人埃里克·范登布鲁克和卡塔琳娜·雷伊格在巴尔干半岛地区开展了“录像信”项目，帮助由于战争失去联系的人们交换录像信。制作人将人们之间的交流记录下来，制成半小时一集的电视剧系列，并开着装有互联网设备的车穿行于巴尔干半岛地区，让人们可以与失去联系的亲友联络。

很多的政治运动与政治组织都用纪录片来推进自己的事业。参与萨帕塔民族解放运动的墨西哥印第安人1993年通过互联网向全世界宣布自己为萨帕塔解放军——他们与国际上的激进人士合作，制作了纪录片，记录下他们的生活与斗争。许多社区、宗教组织和网站都播放了这些影片。支持反全球化运动的年轻人也制作纪录片，记录下他们的示威活动，表达他们的革命意愿，“大嘴巴媒体”出品的《第四次世界大战》（2004）就是这样的影片。

当然，新的技术并不能解决真实性这一老问题。饱受诟病的纪录片《脆弱的变化》，不过是照搬了早已被证伪的2011年“9·11”恐怖袭击阴谋论[1]，但仍有很多人在网上观看。一个网

① 阴谋论者认为该袭击是布什政府自导自演的，目的是维护美国的国际地位，以便控制世界。

名为“孤独女孩15岁”的用户发布的YouTube视频日记，记录了一个青少年大胆迈出反抗家庭神秘教派的第一步的故事，吸引了数量众多的粉丝，直到后来一群艺术家承认这一切全部是虚 126
构的。

新技术大大增加了纪录片这类影片的数量。这一现象可能会促使新的纪录片类型诞生，或者最终迫使人们作出重新思考。如果政治行动人士、四年级小学生和产品经销商都能制作可下载的纪录片，我们是否会对“纪录片”的参数作出重新界定？

我们已经看到，纪录片这一影片类型宣扬真实性，同时又需要对它所想要分享的现实作出甄选和再现，正是这样的一种冲突关系定义了纪录片。纪录片是一系列的选择——关于主题、表现形式、视角、故事情节和目标观众的选择。

虽然上述这些定义表面看来很清晰，但一直以来关于纪录片的太多争论却将其变得晦涩难解。纪录片的奠基人弗莱厄蒂、格里尔森和韦尔托夫没有说明这种驱动纪录片发展的冲突，而他们的作品却展现了这一点。他们都向观众承诺，自己的影片以艺术的方式呈现真实，并不会对观众解释什么时候艺术会违反制作人与观众之间的默认契约。人们常常鼓吹16毫米胶片之类的新技术是解决这一难题的手段，但事实上它们只是为探索这一难题制造了更多的手段。以更高的新闻标准来要求纪录片，有利于加强其准确性，但这样的标准仍然不能解决这一问题：纪录片永远是对现实的再现而不是直接表现。

纪录片人将继续与这些问题作积极斗争：纪录片制作人如何负责任地再现现实？要讲述什么样的真相？为什么这些真相很重要？对哪些人重要？制作人对影片拍摄对象的责任和与他

们的关系是什么？谁应当有机会拍摄纪录片？纪录片应当怎样
127 向观众播放？应当采取什么样的限制？

制作人会运用自己手中的工具继续工作。这些工具包括一些形式上的习惯手法，这些手法让观众相信影片的诚意、准确性和独特性；这样的手法不胜枚举，比如声音洪亮的旁白或者摇晃的镜头。还要考虑观众在观看已有的纪录片类型后形成的期待、权威机构和名人的参与，还有来自观众信任的机构的认同。

了解过去的纪录片人如何为了推出更有诚意的作品而努力，也会让制作人从中获益：无论是约里斯·伊文思或芭芭拉·克普尔的政治热情、让·鲁什对于跨文化题材的探寻、艾伦·金的同理心，还是亨利·汉普顿的历史使命感，都值得研究。

如何再现现实的问题，值得人们继续努力探索，因为纪录片宣称："这一切真的发生过。它很重要，因此我们呈现给你。你一定要看。"纪录片也许会对公共事务和关注名人的娱乐业很重要；也许会对一个14岁的滑板少年或者一栋楼里的居民有着不一般的意义；其意义也许不仅仅持续一段时间、一个学期，而是会贯穿整个人类历史。纪录片将各种事物联系起来，它扎根于现实生活，而这样的现实生活是你无法拒斥的，因为你随时都在用眼睛和耳朵感受着它。

关于历史和学术资料

本书撰写的过程中参考了大量的学术资料，虽然数量繁多，但并不都来自学术研究。这里将简要说明纪录片学术研究发展的历史，希望那些对纪录片的难题感兴趣的人，也能为对纪录片的理解作出贡献。

大多数的纪录片制作人忙于制作，没有时间描述自己的作品，更不会去将其编目归档或描述其背后的大环境。新闻人也 128
很少拥有这一领域历史研究和比较知识方面的资源（J.赫贝曼、鲁比·里奇、乔纳森·罗森鲍姆和斯图尔特·克拉万斯是很特殊的例外），因此学术著作是研究纪录片的关键资料。学术资料点明了纪录片的重要创新者和重要发展趋势，记录了纪录片的历史，也明确提出了人们心目中纪录片的主要议题和问题。关于纪录片的学术研究一直在不断发展和变化中。

但是，纪录片历史的最初撰写人，就是纪录片制作人，而且不出意料地，他们都带有门派之见。几十年来，数量最多、传播最为广泛的纪录片历史撰写人都是格里尔森派的制作人。纪录片领域重要的作家、教师和制作人保罗·罗萨认为纪录片是“唤醒大众公民意识的指导材料”，而罗萨的文章就是他唤醒公民意识的使命的一部分。他的《纪录片：用电影这一媒体来创造性阐释社会视角下人们真实的生活》一书被译为数种语言，并被作为教材广泛使用。他详细叙述了纪录片的历史——其范围仅限于欧洲，用来作为他的影片制作课程的背景资料。他建议，想制作有社会影响力的作品，既要学习浪漫主义的弗莱厄蒂的仔细观察；也要学习欧洲大陆的制作人如卡瓦尔坎蒂、鲁特曼和伊文思等人的美学实验；还要学习韦尔托夫新闻报道式的热情，以及爱森斯坦和格里尔森的宣传技巧。

纪录片史资料

1971年，埃里克·巴尔诺奠定了纪录片历史的权威书写方式。这位出生于荷兰的美国学者、电影制作人和图书馆馆长[①]承担起了一项任务：编写一部真正的国际纪录片历史，并将其简洁地命名为《纪录片》。他在哥伦比亚大学任教期间开始这项工
129 作，走访了全世界范围内十几个国家，包括日本、印度、埃及、苏联，以及东欧和西欧出产纪录片的国家。他带着广阔的人文主义视野和健康的好奇心，对自己提出了这样的问题：什么样的社会条件会为某一类型的作品（如宣传片、先锋艺术片）创造可能性？他也集中研究了有地位、有影响的纪录片人。

巴尔诺的纪录片社会史是简明而权威的。他笔下的弗莱厄蒂、格里尔森和韦尔托夫已经不再是水火不容、有待批判的不同派别，而是以不同的方式推进历史的创新者。他将具有传奇色彩的创新者作为历史的引领者，他们代表了不同的时代和方法。该书最开始部分介绍了电影诞生之初就有的早期纪录片实验。在巴尔诺看来，纪录片的奠基人（主要是男性，虽然女性也在纪录片的生产、制作和推广方面提供了非常重要的支持）中，弗莱厄蒂是探索者，济加·韦尔托夫是报道者，年轻的约里斯·伊文思是绘画者，而格里尔森则是鼓吹者。

这本书还回顾了纪录片中强大的宣传倾向的发展历程，包括德国法西斯纪录片人莱尼·里芬施塔尔的早期纪录片、美国人佩尔·洛伦茨的新经济政策纪录片、日本20世纪30年代的左翼纪录片，以及在第二次世界大战宣传中达到高潮的英国纪录片运动中的作品。该书将战后时代的纪录片根据用途划分为诗歌纪录片、历史纪录片、民族志纪录片和倡导纪录片进行描

① 巴尔诺曾任美国国会图书馆某分馆馆长。

述。书中还勾勒了赞助纪录片和电视纪录片的发展史。这本书亦提到全球范围内的不同政见运动也催生了新的表现技巧。书中将两种纪录片的制作方法进行比较：理查德·利科克、阿尔伯特·梅索斯和戴维·梅索斯兄弟、弗雷德·怀斯曼、艾伦·金等艺术家采用的观察型纪录片方法和全世界范围内艺术家采用的更为激进的真实电影方法。该书在结束部分描述了各种不同政见纪录片运动：苏联集团的地下电影、美国的反越战抗议电影、日本的反工业发展电影等。 130

巴尔诺客观地用大量细节，将纪录片制作人从总体上描绘为传达自由、信心和关心世界的声音。他笔下的制作人运用纪录片这一形式讲述故事，而他曾在此前一部三卷本的电视史图书中提出，这些故事正是为越来越强大的主流媒体所遗忘的。《纪录片》一书立即被用于电影研究类的课程，并且很快越来越普及。同一时期的其他学者也出版了一些热门的书籍，这些书籍产生于课堂教学和拍摄指导的过程中。比如，刘易斯·雅各布斯编纂过一本极具价值的纪录片研究文献选集，书中的文章大体按时间顺序编排，并结合了创新（奠基阶段）、保守主义（战后时期）、积极参与（真实电影）等主题。理查德·巴萨姆的著作《纪录片：一部批评史》的理论框架则是将纪录片看作一种艺术形式，它隶属于现实主义这一历史更为悠久的审美传统，同时又吸收了极为丰富的表现方法。曾与格里尔森合作的杰克·埃利斯出版了《纪录片的概念》一书，主要研究英语国家的社会纪录片，并毫不掩饰地表达了他对格里尔森的喜爱；后来他又和贝齐·麦克莱恩一起修订了此书。不过，巴尔诺的书涵盖不同地域与审美模式之广，论述之清晰，仍然是其他写作纪录片综合历史的学者们所无法企及的。

分析型学术资料

关于纪录片的学术研究在电影研究领域起步，在文学系科中得以发展壮大，一些昔日研究此方向的学生已经成了该领域的教授。该领域从开始就将学术研究的重心引向了文学研究者最常见的领域：文本——只不过这里的文本是纪录片。随着文化研究学术领域的发展——该领域研究文化的形成特别注重影响文化生产和接受的条件，纪录片研究领域也更注重电影运动
131 的产生原因和影片被接受及使用的方式。

纪录片宣称自己忠实地表现真实世界，而学者们则广泛研究了这一看似简单的宣言背后的种种复杂玄机。他们通过对电影文本的细读，精确剖析了制作人如何让观众相信他们表现的真相没有经过修饰。他们也常常将丰富的人物生平和历史背景信息用于他们对电影文本的细读。不仅如此，他们还对一些奠基人物，尤其是格里尔森和弗莱厄蒂的声誉和角色提出质疑，并加以重新考察。

学者们还为纪录片这一影片类型创造了子类目，以便理解和批评不同纪录片人的作品。这样的分类为他们阐释和分析作品奠定了基础；这样的分类之所以有价值，是因为它们可以解释纪录片起作用的方式，而且新的分类还在源源不断地被创造出来。学术界对纪录片的分类和商业市场使用的依据主题的纪录片分类（如历史纪录片、野生动物纪录片、科学纪录片、儿童纪录片）截然不同。学者们分类的依据是制作人用来再现现实的**技巧**，这样的技巧让观众相信眼前看到的根本不是对现实的再现

而是现实本身。比如，比尔·尼科尔斯描述了纪录片让观众接受信息的四种方式，每一种都以不同的方式暗示着自己的真实性：说明式（也就是像上帝之声的旁白）、观察式（比如梅索斯兄弟的作品）、互动式（口述历史、采访及类似形式）、反思式（对自己的纪录片形式进行评论的影片，如韦尔托夫的作品或影片《斧战》）。尼科尔斯和其他学者在评判上述分类的同时，也增加了新的分类；基思·贝亚蒂耶增加了重构片（纪实片）与观察和娱乐片（真人秀节目）两个类别。迈克尔·雷诺则是概括了纪录片的四种功能模式：记录式、说服式、分析式和表达式。

许多研究者和学者都致力于记录和分析倡导纪录片和激进派纪录片。这部分体现了纪录片人传达不同政见和批评声音的历史性角色，巴尔诺曾很好地论证了这一点。这也反映了20世 132
纪七八十年代早期弥漫于学术界和纪录片制作中心的自由化倾向，第一批纪录片研究者正是在这一时期完成了他们最初的作品。对于激进运动的关注，在“清晰证据”丛书中体现得尤为明显。比如，有关于20世纪80代起美国艾滋病激进运动的纪录片作品，还有关于女权主义、男女同性恋、非裔美国人、“游击队”或其他非主流和表达反对声音的纪录片作品。

我们可以以很多种方式发问：纪录片和故事片到底为什么不同？又在哪些方面不同？两者共用的技法太多了。威廉·吉内运用有关故事片的理论提出，纪录片不能像故事片那样令观众满意，因为它不能用整合一致的幻想世界来悄悄补偿观众平时遭到的压抑。后现代的分析人士则质疑纪录片运用心理现实主义（和故事片中的如出一辙）来再现现实的方法。他们的分析认为，现实主义的作用只是淡化了资产阶级文化的意识形态。

尼科尔斯认为，针对观众对透明和真相的期待进行技巧实验的纪录片，更加创造性地反映了对于后现代生活的多种视角。同时，布赖恩·温斯顿指出，当今时代面临着无止境的数字化操纵和观众的强势介入，这种情形下纪录片人既无法声称自己是准确的和科学的，也不再掌握给观众上课的大权，而是必须承认他们只是众多讲述者中的一员。诺埃尔·卡罗尔等认知理论学家则回应称：人类能够相当准确地阐释自己从周围的世界获取的信息，包括他们在屏幕上看到的一切。因此他们认为，纪录片制造关于现实的幻象，未必会带来什么害处。

新兴领域

纪录片学术研究仍然在发展，而且有很多颇有发展潜力的领域。比如，以英语为母语的学者常常很少利用世界其他地区
133 的纪录片学术资料，虽然其他地区的学者未必不利用英语资料。日本的山形国际电影节利用其网络刊物《纪录片盒子》，积极促进关于纪录片的国际学术交流。英语国家的学术界也有一些打破狭小视野的例外作品，令人印象深刻，如朱莉安娜·比尔东和迈克尔·沙南关于拉丁美洲纪录片的著作，以及马库斯·诺恩斯关于日本纪录片的著作。

大多数从事电影研究的学者，对纪录片的发行情况知之甚少，对最为流行的纪录片种类也不感兴趣。他们主要关注的是独立制作的纪录片、针对大众的纪录片、不同政见纪录片和艺术影院纪录片。公式化的、背后有赞助的纪录片，其作者身份更难以确定，电影研究学者会将这类纪录片的问题留给社会学家和其他专攻媒体效用的社会科学研究者，后者往往对纪录片的形

式和传统没有太多专门的了解。

但是，为客户制作的电视纪录片（“赞助纪录片”）和公式化的电视纪录片，是纪录片生产的重要领域，而且正在发展壮大，而它们常常是观众最初接触的纪录片。电视赞助纪录片和公式化纪录片也常常投资支持独立制作人的作品，因为此类作品为纪录片人提供了稳定的工作。在一些发展中国家，赞助纪录片让整个纪录片领域得以在规模电影项目的夹缝中求得生存。研究赞助纪录片和独立作品的交叉领域，可以更好地理解纪录片的发展历程。

由于对赞助纪录片的研究太少，我们对这一领域知道得很少，而这是纪录片出产的主要阵地。如今，各种组织将纪录片用于大会、董事会、报告、推广和其他的策略宣传，针对学龄儿童、艾滋病病人、学习避免性骚扰的员工等各种人群。无论是政府 134
还是企业赞助的纪录片，都为制作人提供了丰富的影像资源库。

作为低端娱乐片制作的公式化纪录片没有引起太多研究者的注意，但随着它的日益流行，也许会吸引学者的目光。电影研究学者也终于开始研究“黑色电影”等类型的纪录片，以及电影工坊这一托马斯·沙茨所说的“天才系统”[①]。“探索通信公司”这样的纪录片工厂出产的作品，也是标准的公式化纪录片。

随着娱乐纪录片的重要性日益上升，我们可以期待学者们会研究这些纪录片的子类别、结构、再现现实的策略和吸引观众的魅力：音乐和喜剧类的演出纪录片，“幕后探访”类纪录片，极限运动类纪录片，动手类、美容类和烹饪类等的电视纪录片，以及纪实性肥皂剧。它们不仅仅发展了前人作品的创意，而且也

① 托马斯·沙茨在《天才系统》一书中描述了好莱坞艺术与商业结合的传统。

改写了市场和观众的期待。早期的此类作品多为摇滚纪录片，如D. A.佩内贝克真实电影风格的经典纪录片《别回头》(1967)记录了鲍勃·迪伦的一次巡演；马丁·斯科塞斯的《最后的华尔兹》(1978)的主角是“伟大乐队”；乔纳森·德姆1984年的纪录片《别假正经》则将镜头对准“脸部特写”乐队，本书最后的扩展阅读部分里也提到一些此类的纪录片。关注更加流行的纪录片，也会让学者们更加注意到这一和商业大众传媒密切相关的艺术形式赖以生存的经济环境；我们也会通过这些纪录片更深刻地了解经济形势对于影片表达方式的影响。

纪录片表达方式的其他一些变化，也能很好地激发学术界的活跃气氛。迅速发展的倡导纪录片产业和日益流行的时事纪录片，会催生探讨这些领域标准与伦理的学术著作。共享媒体
135 的发展也会激发更多的跨学科研究，因为社会学家、人类学家、传播学学者、政治科学家、信息科学家和电影学者都在寻求理解这一现象。学术研究会继续改变我们对纪录片的理解，也会继续反映学术界的兴趣和纪录片人的实践之间的创造性互动
136 关系。

一百部知名纪录片

以下这些纪录片观众数量众多，也引起了很多讨论，且很多情形下都是争议的焦点。有时候它们又成为宝贵的教学资源。它们都可以租来看或买来成为你的个人藏品。你可以参照本书的索引和参考书目中提到的其他图书、imdb网站、你当地的图书馆、netflix网站、谷歌和美国国会图书馆，来获取更多的知识，理解为什么这些纪录片会赢得广泛的注意和认可。观看这些电影，会很好地为你建立起纪录片的背景知识，让你更好地欣赏你最近喜爱的片子；你也可以对这个列表提出异议，列出自己最喜欢的一百部作品。

《北方的纳努克》（1922）

《草》（1925）

《柏林：城市交响曲》（1927）

《罗曼诺夫王朝的覆灭》（1927）

《持摄像机的人》（1929）

《雨》（1929）

《无粮的土地》（1932）

《亚兰岛人》（1934）

《锡兰之歌》（1934）

《意志的胜利》（1935）

《夜邮》（1936）

《开垦平原的犁》（1936）

《西班牙土地》（1937）

137 《权力与土地》（1939—1940）

《倾听不列颠》（1942）

《我们为何而战》（1942）

《圣彼得罗战役》（1945）

《法尔比克》（1946）

《通灵仙师》（1955）

《夜与雾》（1955）

《给我一个铜板》（1960）

《初选》（1960）

《夏日纪事》（1961）

《飞蛾之光》（1963）

《卡洛登战役》（1964）

《东京奥运会》（1965）

《别回头》（1967）

《提提卡蠢事》（1967）

《华伦岱尔少年感化院》（1967）

《燃火的时刻》（1968）

《推销员》（1968）

《高中》（1969）

《悲哀和怜悯》（1969）

《五角大楼的推销术》（1971）

《第二次世界大战全史》（1973）

《心灵与智慧》（1974）

《斧战》（1975）

《智利之战》（1975—1979）

《婚礼骆驼：一桩图尔卡纳婚姻》（1976）

《美国哈兰县》（1976）

《神话是如何创造的》（1978）

《最后的华尔兹》（1978）

《婴儿和旗帜》（1978）

《特罗布里恩的板球》（1979）

《后勤女工》（1980）

《一个布须曼女人的故事》（1980）

《人间乐园》（1981）

《原子咖啡厅》（1982）

《幻想曲》/《电影梦》（1982）

《日月无光》（1982）

《第一次接触》（1983）

《当山川颤抖时》（1983）

《二十年后》（1984）

《浩劫》（1985）

《从极点到赤道》（1986）

《汉兹沃思的歌》（1986）

《谢尔曼远征》（1986）

《民权之路》（1987—1990）

《甘蔗蟾蜍》（1988）

《前进，神军！》（1988）

《细细的蓝线》（1988）

《罗杰和我》（1989）

《饶舌》（1989）

《健美选拔赛》（1990）

《南北战争》（1990）

《巴黎在燃烧》（1990）

《上帝的意志》（1991）

《非洲，我将榨干你》（1992）

《卢蒙巴：先知之死》（1992）

《战略室》（1993）

《莱尼·里芬施塔尔传》（1993）

《篮球梦》（1994）

《电影中的同志》（1995）

《拍电影》（1996）

《四个小女孩》（1997）

《智利，执着的记忆》（1997）

《人生七年（6）》（1998）

《法罗基教给我们什么》（1998）

《真实电影》（1999）

《我与拾穗者》（2000）

《持摄像机的陌生人》（2000）

《狗镇与滑板队男孩》（2001）

《斗士》（2001）

《迁徙的鸟》（2001）

《阿曼德拉！》（2002）

《巴士174事件》（2002）

《残酷的割礼》（2002）

《河流与潮汐》（2002）

《一步一关卡》（2003）

《战争迷雾》（2003） 138

《控制室》（2004）

《华氏9·11》（2004）

《伊邦小孩的影像信》（2004）

《新美国人》（2004）

《超码的我》（2004）

《丁丁和我》（2004）

《录像信》（2004）

《体面工厂》（2005）

《三个忧郁的房间》（2005）

《难以忽视的真相》（2006） 139

索 引

（条目后的数字为原书页码，见本书边码）

A

B

C

D

E

F

G

H

I

J

K

L

M

纪录片

N

O

P

Q

R

纪录片

S

T

U

V

索引

W

Y

Z

Patricia Aufderheide

DOCUMENTARY FILM

A Very Short Introduction

Contents

List of Illustrations

Introduction

This introduction to documentary film is directed to people who like watching documentaries and want to know more about the form; to people who hope to make documentaries and want to know the field and its expectations; and to students and teachers who hope to learn more and tell others what they have learned.

Documentary Film is organized to present an overview of central issues and then to discuss different subgenres. I particularly wanted to use categories that could address concerns about objectivity, advocacy, and bias that have always swirled around documentary but with renewed vigor since the breakthrough popularity of *Fahrenheit 9/11*. One could easily select or add other categories, such as music, sports, labor, diary, and food; I selected the ones used in this book because they are common categories in the documentary marketplace, and because they raise important issues about truth and representing reality.

This thematic organization allows you to enter the subject matter easily through the kind of film that first attracted you to it, and it allows me to make connections between historical eras and to demonstrate the ongoing nature of core controversies in documentary. Those who prefer a more straightforward chronology may note that each of the subgenre chapters is organized chronologically (with the exception of the propaganda chapter, which focuses largely on World War II). So after reading the first four chapters, which establish the core issues and early documentary history, one can read the first sections of the various subgenre chapters and then return to the next section of each of the chapters.

Since the material is drawn not only from scholarship but from my four-decade experience as a film critic, it reflects my interests and limitations. Most of the scholarship I refer to is written in English, and I have a bias toward long-form documentary and the work of independent filmmakers.

I was originally attracted to documentary by the promise that has drawn so many makers to the form—one that the noted editor and critic Dai Vaughan, in an essay concerned with the threat to documentary by digital manipulation, described as the "gut feeling that if people were allowed to see freely they would see truly, perceiving their world as open to scrutiny and evaluation, as being malleable in the way film is malleable." I have found the work of filmmakers such as Les Blank, Henry Hampton, Pirjo Honkasalo, Barbara Kopple, Kim Longinotto, Marcel Ophuls, Gordon Quinn, and Agnès Varda to be inspiring.

I am grateful to Elda Rotor of the Oxford University Press for approaching me with the idea of writing this book, and to Cybele Tom for shouldering the editing upon her departure, and to my copy editor, Mary Sutherland. Many colleagues in communication, literature, film, and film studies programs generously provided insights that I attempt to share here. I greatly appreciate the support of American University's library staff, especially Chris Lewis. I am indebted to Ron Sutton, my mentor at American University; to Dean Larry Kirkman at the American University School of Communication, who also did me the inestimable honor of introducing me to Erik Barnouw; and to New York University's Barbara Abrash, who opened many doors to insight and opportunity. Projects with the Council on Foundations (especially with Evelyn Gibson) and the Ford Foundation (especially with Orlando Bagwell) deepened my knowledge of the field. I am grateful as well to Gordon Quinn, Nina Seavey, Stephan Schwartzman, George Stoney, and anonymous reviewers for comments in production.

Chapter 1
Defining the Documentary

Naming

Documentary film begins in the last years of the nineteenth century with the first films ever projected, and it has many faces. It can be a trip to exotic lands and lifestyles, as was *Nanook of the North* (1922). It can be a visual poem, such as Joris Ivens's *Rain* (1929)—a story about a rainy day, set to a piece of classical music, in which the storm echoes the structure of the music. It can be an artful piece of propaganda. Soviet filmmaker Dziga Vertov, who ardently proclaimed that fiction cinema was poisonous and dying and that documentary was the future, made *Man with a Movie Camera* (1929) as propaganda both for a political regime and for a film style.

What is a documentary? One easy and traditional answer is: not a movie. Or at least not a movie like *Star Wars* is a movie. Except when it *is* a theatrical movie, like *Fahrenheit 9/11* (2004), which broke all box-office records for a documentary. Another easy and common answer could be: a movie that isn't fun, a serious movie, something that tries to teach you something—except when it's something like Stacy Peralta's *Riding Giants* (2004), which gives you a thrill ride on the history of surfing. Many documentaries are cannily designed with the express goal of entertainment. Indeed, most documentary filmmakers consider themselves storytellers, not journalists.

A simple answer might be: a movie about real life. And that is precisely the problem; documentaries are *about* real life; they are not real life. They are not even windows onto real life. They are portraits of real life, using real life as their raw material, constructed by artists and technicians who make myriad decisions about what story to tell to whom, and for what purpose.

You might then say: a movie that does its best to represent real life and that doesn't manipulate it. And yet, there is no way to make a film without manipulating the information. Selection of topic, editing, mixing sound are all manipulations. Broadcast journalist Edward R. Murrow once said, "Anyone who believes that every individual film must represent a 'balanced' picture knows nothing about either balance or pictures."

The problem of deciding how much to manipulate is as old as the form. *Nanook of the North* is considered one of the first great documentaries, but its subjects, the Inuit, assumed roles at filmmaker Robert Flaherty's direction, much like actors in a fiction film. Flaherty asked them to do things they no longer did, such as hunt for walrus with a spear, and he showed them as ignorant about things they understood. In the film, "Nanook"—not his real name—bites a gramophone record in cheerful puzzlement, but in fact the man was quite savvy about modern equipment and even helped Flaherty disassemble and reassemble his camera equipment regularly. At the same time, Flaherty built his story from his own experience of years living with the Inuit, who happily participated in his project and gave him plenty of ideas for the plot.

A documentary film tells a story about real life, with claims to truthfulness. How to do that honestly, in good faith, is a never-ending discussion, with many answers. Documentary is defined and redefined over the course of time, both by makers and by viewers. Viewers certainly shape the meaning of any documentary, by combining our own knowledge of and interest in the world with how the filmmaker shows it to us. Audience expectations are also built on prior experience; viewers expect not to be tricked and lied to. We expect to be told things about the real world, things that are true.

We do not demand that these things be portrayed objectively, and they do not have to be the complete truth. The filmmaker may employ poetic license from time to time and refer to reality symbolically (an image of the Colosseum representing, say, a European vacation). But we do expect that a documentary will be a fair and honest representation of somebody's experience of reality. This is the contract with the viewer that teacher Michael Rabiger meant in his classic text: "There are no rules in this young art form, only decisions about where to draw the line and how to remain consistent to the contract you will set up with your audience."

Terms

The term "documentary" emerged awkwardly out of early practice. When entrepreneurs in the late nineteenth century first began to record moving pictures of real-life events, some called what they were making "documentaries." The term did not stabilize for decades, however. Other people called their films "educationals," "actualities," "interest films," or perhaps referred to their subject matter—"travel films," for example. John Grierson, a Scot, decided to use this new form in the service of the British government and coined the term "documentary" by applying it to the work of the great American filmmaker Robert Flaherty's *Moana* (1926), which chronicled daily life on a South Seas island. He defined documentary as the "artistic representation of actuality"—a definition that has proven durable probably because it is so very flexible.

Marketing pressures affect what is defined as a documentary. When the philosopher-filmmaker Errol Morris's *The Thin Blue Line* (1988) was released in theaters, public relations professionals downplayed the term "documentary" in the interest of ticket sales. The film is a sophisticated detective story—did Randall Adams commit the crime for which he is sentenced to die in Texas? The film shows the dubious quality of key witnesses' testimony. When the case was reopened and the film entered as evidence, the film's status suddenly became important, and Morris now had to assert that it was, indeed, a documentary.

Conversely, Michael Moore's first feature, *Roger and Me* (1989), a savage indictment of General Motors for precipitating the decline of the steel town of Flint, Michigan, and a masterpiece of black humor, was originally called a documentary. But when journalist Harlan Jacobson showed that Moore had misrepresented the sequence of events, Moore distanced himself from the word "documentary." He argued that this was not a documentary but a movie, an entertainment whose deviations from strict sequencing were incidental to the theme.

In the 1990s, documentaries began to be big business worldwide, and by 2004 the worldwide business in television documentary alone added up to $4.5 billion revenues annually. Reality TV and "docusoaps"—real-life miniseries set in potentially high-drama situations such as driving schools, restaurants, hospitals, and airports—also burgeoned. Theatrical revenues multiplied at the beginning of the twenty-first century. DVD sales, video-on-demand, and rentals of documentaries became big business. Soon documentaries were being made for cell phones, and collaborative documentaries were being produced online. Marketers who had discreetly hidden the fact that their films were documentaries were now proudly calling such works "docs."

Why it matters

Naming matters. Names come with expectations; if that were not true, then marketers would not use them as marketing tools. The truthfulness, accuracy, and trustworthiness of documentaries are important to us all because we value them precisely and uniquely for these qualities. When documentarians deceive us, they are not just deceiving viewers but members of the public who might act upon knowledge gleaned from the film. Documentaries are part of the media that help us understand not only our world but our role in it, that shape us as public actors.

The importance of documentaries is thus linked to a notion of the public as a social phenomenon. The philosopher John Dewey argued persuasively that the public—the body so crucial to the health of a democratic society—is not just individuals added up. A public is a group of people who can act together for the public good and so can hold to account the entrenched power of business and government. It is an informal body that can come together in crisis if need be. There are as many publics as there are occasions and issues to call them forth. We can all be members of any particular public, if we have a way to communicate with each other about the shared problems we face. Communication, therefore, is the soul of the public.

As communications scholar James Carey noted, "Reality is a scarce resource." Reality is not *what* is out there but what we *know, understand,* and *share* with each other of what is out there. Media affect the most expensive real estate of all, that which is inside your head. Documentary is an important reality-shaping communication, because of its claims to truth. Documentaries are always grounded in real life, and make a claim to tell us something worth knowing about it.

True, consumer entertainment is an important aspect of the business of filmmaking, even in documentary. Most documentary filmmakers sell their work, either to viewers or to intermediaries such as broadcasters and distributors. They are constrained by their business models. Even though documentary costs much less than fiction film to make, it is still much more expensive to produce than, say, a brochure or a pamphlet. Television and theatrical documentaries usually require investors or institutions such as broadcasters to back them. And as documentaries become ever more popular, more of them are being produced to delight audiences without challenging assumptions. They attract and distract with the best-working tools, including sensationalism, sex, and violence. Theatrical wildlife films such as *March of the Penguins* (2005) are classic examples of consumer entertainment that use all of these techniques to charm and alarm viewers, even though the sensationalism, sex, and violence occur among animals.

Paid persuaders also exploit the reality claims of the genre, often as operatives of government and business. This may produce devastating social results, as did Nazi propaganda such as the viciously anti-Semitic *The Eternal Jew* (1937). Such work may also provoke important positive change. When the Roosevelt administration wanted to sell Americans on expensive new government programs, it commissioned some of the most remarkable visual poems made in the era, those by Pare Lorentz and a talented team. Works such as *The Plow that Broke the Plains* (1936) and *The River* (1938) helped to invest taxpayers in programs that promoted economic stability and growth.

In its short history, however, documentary has often been made by individuals on the edges of mainstream media, working with a public service media organization such as public broadcasting, with commercial broadcasters eager for awards, with nonprofit entities, or with private foundation or public education funds. On the margins of mainstream media, slightly off-kilter from status-quo understandings of reality, many documentarians have struggled to speak truthfully about—and to—power. They have often seen themselves as public actors, speaking not only to audiences but to other members of a public that needs to know in order to act.

Some recent examples demonstrate the range of such activity. Brave New Films's *Wal-Mart: The High Cost of Low Price* (2005) is an impassioned, didactic argument indicting the large retail superstore for such practices as inadequate medical plans for employees and the willful destruction of small businesses. It does not strive for balance in representing Wal-Mart's point of view; it does strive for accuracy in representing the problem. The film was made for action; it was used to organize legislative pushback and social resistance to the company's most exploitative practices. Wal-Mart aggressively countered the film with attack ads, and the filmmakers countercharged Wal-Mart with inaccuracy. Bloggers and even mainstream media picked up the discussion. Brave New Films positioned itself as a voice of the public, filling a perceived gap in the coverage that mainstream media provided on the problem. Viewers of the film, most of whom saw it through DVD-by-mail purchases and as a result of an e-mail campaign, viewed it not as entertainment but as an entertainingly-produced argument about an important public issue.

Michael Moore's *Fahrenheit 9/11*, a sardonic, anti-Iraq war film, addressed the American public directly, as people whose government was acting in the public's name. Right-wing commentators in commercial media attempted to discredit the film by charging that it was indeed propaganda. But Moore is not a minion of the powerful as propagandists are. He was putting forward, as he had every right to, his own view about a shared reality, frankly acknowledging his perspective. Further, he was encouraging viewers to look critically at their government's words and actions. (Potentially weakening this encouragement, however, was his calculated performance of working-class rage, which can lead viewers to see themselves not as social actors but merely as disempowered victims of the powerful.)

Other recent documentaries for public knowledge and action use techniques designed to attract interest across lines of belief. Eugene Jarecki's *Why We Fight* (2005) showcases an argument about the collusion between politicians, big business, and the military to spend the public's money and lives for wars that do not need to be fought. Jarecki deliberately chose Republican subjects, who could transcend partisan politics and speak to the public interest. In Davis Guggenheim's *An Inconvenient Truth* (2006), Al Gore and Davis

Guggenheim, in an easy-to-understand presentation, let scientific data speak to the urgency of the issue. The director of the NASA Goddard Institute for Space Studies, Jim Hansen, noted the public value of the work: "Al Gore may have done for global warming what *Silent Spring* did for pesticides. He will be attacked, but the public will have the information needed to distinguish our long-term well-being from short-term special interests."

Styles can be dramatically different, in order to accomplish the end of public engagement. Judith Helfand and Dan Gold's *Blue Vinyl* (2002) employs the personal diary format to personalize a problem. The film follows Helfand as she takes a piece of her parents' home's vinyl siding and discovers the cancer-causing toxicity of vinyl at the beginning and end of its life cycle (it creates dioxin). Helfand becomes a representative of the public—people who need inexpensive siding and also suffer the health consequences of using it. Brazilian José Padilha's *Bus 174* (2002),

1. *Blue Vinyl* used personal essay to explore social issues; Judith Helfand—a piece of her suburban home's vinyl siding in hand—explores toxic effects of vinyl production. Directed by Dan Gold and Judith Helfand, 2002.

in retelling a sensational news event in Rio de Janeiro—the hijacking of a bus, a several-hour standoff, and ultimate death of both hijacker and a bus rider, telecast live—brings viewers both into the life of the hijacker and the challenges of the police. By contrasting television footage that had glued viewers to their sets for an entire day along with investigations into the stories leading up to the event, the film reframes the "news" as an example of how endemic and terrible social problems are turned into spectacle. *Three Rooms of Melancholia* (2005), an epic meditation by Finnish filmmaker Pirjo Honkasalo, draws viewers into the Russian war against Chechnya by creating an emotional triptych. In "Longing," her camera caresses the earnest faces of twelve-year-old cadets in St. Petersburg, training to fight Chechens; in the second part, "Breathing," a local social worker visits the sad apartments of Grozny under siege, where daily-life problems become insuperable; the third, "Remembering," takes place in an orphanage just over the border, where Chechnyan young people learn bitterness. Little is said; in contemplative close-up, the faces of puzzlement, pain, and endurance speak volumes. The viewer has become complicit with the camera in knowing.

Whether a filmmaker intends to address the public or not, documentaries may be used in unexpected ways. One of the most infamous propaganda films of all time, *Triumph of the Will* (1935), has had a long life in other, anti-Nazi propaganda and in historical films. Israeli Yo'av Shamir's *Checkpoint* (2003), a scrupulously observed, non-narrated record of the behavior of Israeli troops at Palestinian checkpoints, was intended and was used as a provocation to public discussion of human rights violations. The Israeli Army embraced it as a training film.

Our shared understanding of what a documentary is—built up from our own viewing experience—shifts over time, with business and marketing pressures, technological and formal innovations, and with vigorous debate. The genre of documentary always has two crucial elements that are in tension: representation, and reality. Their makers manipulate and distort reality like all filmmakers, but they still make a claim for making a truthful representation of reality. Throughout the history of documentary film, makers, critics, and viewers have argued about what constitutes trustworthy storytelling about reality. This book introduces you to those arguments over time and in some of its popular subgenres.

Form

What does a documentary look like? Most people carry inside their heads a rough notion of what a documentary is. For many of them, it is not a pretty picture. "A "regular documentary" often means a film that features sonorous, "voice-of-God" narration, an analytical argument rather than a story with characters, head shots of experts leavened with a few people-on-the-street interviews, stock images that illustrate the narrator's point (often called " b-roll" in broadcasting), perhaps a little educational animation, and dignified music. This combination of formal elements is not usually remembered fondly. "It was really interesting, not like a regular documentary," is a common response to a pleasant theatrical experience.

In fact, documentarians have a large range of formal choices in registering for viewers the veracity and importance of what they show them. The formal elements many associate with "regular documentary" are part of a package of choices that became standard practice in the later twentieth century on broadcast television, but there are quite a few more to be had. This chapter provides you with several ways to consider the documentary as a set of decisions about how to represent reality with the tools available to the filmmaker. These tools include *sound* (ambient sound, soundtrack music, special sound effects, dialogue, narration); *images* (material shot on location, historical images captured in photographs, video, or objects); *special effects* in audio and video, including animation; and *pacing* (length of scenes, number of cuts, script or storytelling structure). Filmmakers choose the way they want to structure a story—which characters to develop for viewers, whose stories to focus on, how to resolve the storytelling.

Filmmakers have many choices to make about each of the elements. For instance, a single shot may be framed differently and carry a different meaning depending on the frame: a close-up of a father grieving may say something quite different from a wide shot of the same scene showing the entire room; a decision to let the ambient sound of the funeral dominate the soundtrack will mean something different than a swelling soundtrack.

Since there is nothing natural about the representation of reality in documentary, documentary filmmakers are acutely aware that all their choices shape the meaning they choose. All documentary conventions—that is, habits or clichés in the formal choices of expression—arise from the need to convince viewers of the authenticity of what they are being told. For instance, experts vouch for the truthfulness of analysis; dignified male narrators signify authority for many viewers; classical music connotes seriousness.

Challenges to conventions stake an alternative claim to authenticity. At a time when ambient sound could be collected only with difficulty, conventions of 35mm sound production included authoritatively delivered narration. They also included lighting and even staging, appropriate to the heavy, difficult-to-move equipment. Some documentaries used careful editing between the crafted compositions of each scene, to create the illusion of reality before the viewer's eyes. When filmmakers began experimenting with lighter 16mm equipment after World War II, the conventions that arose differently persuaded viewers of the documentary's truthfulness. Using very long "takes" or scenes made viewers feel that they were watching unvarnished reality; the jerkiness of handheld cameras was testimony to the you-are-there immediacy, and it implied urgency; "ambush" interviews, catching subjects on the fly or by surprise, led viewers to believe that the subject must be hiding something. The choice against narration, which became fashionable in the later 1960s, allowed viewers to believe that they were being allowed to decide for themselves the meaning of what they saw (even though editing choices actually controlled what they saw).

Documentarians employ the same techniques as do fiction filmmakers. Cinematographers, sound technicians, digital designers, musicians, and editors may work in both modes. Documentary work may require lights, and directors may ask their subjects for retakes; documentaries usually require sophisticated editing; documentarians add sound effects and sound tracks.

A shared convention of most documentaries is the narrative structure. They are stories, they have beginnings, middles, and ends; they invest viewers in their characters, they take viewers on emotional journeys. They often refer to classic story structure. When Jon Else made a documentary about J. Robert Oppenheimer, the creator of the first atomic bomb—a scientist who anguished over his responsibilities—Else had his staff read *Hamlet*.

Conventions work well to command attention, facilitate storytelling, and share a maker's perspective with audiences. They become the aesthetic norm—off-the-shelf choices for documentarians, shortcuts to register truthfulness. Conventions also, however, disguise the assumptions that makers bring to the project, and make the presentation of the particular facts and scenes seem both inevitable and complete.

Showcasing convention

How, then, to see formal choices as choices, to see conventions as conventions? You may turn to films whose makers put formal choice front and center as subject matter, and contrast their choices with more routine work.

One of the easiest ways to see conventions is through satire and parody. For example, the great Spanish surrealist artist Luis Buñuel's *Land without Bread (Las Hurdes: Tierra sin Pan,* 1932) begins as a seemingly tedious, pompous excursion into an impoverished corner of Spain. Soon, however, it becomes clear that Buñuel, aided by the commentary written by the surrealist artist Pierre Unik, is using dry, pseudo-scientific conventions to incite bewilderment and outrage, both at the narrator and then at the horrific social conditions of the countryside. The British Broadcasting Company (BBC)'s 1957 *The Spaghetti Story*, a segment in its *Panorama* series, takes viewers to Switzerland to discuss the latest spaghetti harvest (growing on trees) as a joke that also functions as a media literacy lesson. The wry *In Search of the Edge* (1990), purportedly about why the earth is flat, employs a wide range of educational-documentary devices that people associate with "regular documentary"—all with deliberate clumsiness—to demonstrate false logic in scientific arguments and manipulation in filmmaking. Here, experts are given such titles as "university professor" and are shown in front of bookcases signifying scholarship, although they speak nonsense; flashy graphics demonstrate physical impossibilities; the narrator's tone is contemptuous of the notion that the earth is round; a family photo is shown in gradual close-up, Ken Burns–style, only to show the mentioned character with her head turned. The Australian film *Babakiueria* (1988), made by an aboriginal group, satirizes ethnographic film conventions, including the ascribing of mysterious or magical properties to exotic others in narration, the expert witness, the pretentious narrator, and the portrayal of scientific investigation as heroic exploration. In the film, aboriginal scientists investigate what they believe to be a white Australian cultural ritual site, which actually is a barbecue area.

Mockumentaries, or tongue-in-cheek fake documentaries, also offer the chance to see conventions at an angle. Rob Reiner's *This Is Spinal Tap!* (1984), about an imaginary heavy metal band, famously parodied rockumentaries—performance films of rock bands—with their contrast of high-energy stage performance with goofy backstage antics and their populist success narratives. Like later mockumentaries such as *Best in Show* (2000) and *A Mighty Wind* (2003), the humor depended on the audience being able to identify the conventions.

Artistic experiment

Another way to see conventions is to analyze films by makers who see themselves primarily as artists—makers manipulating form rather than storytellers using the film medium—as they invent, reinvent, and challenge. Where the market pressures of attracting audiences have led many filmmakers to employ familiar conventions, artists working outside the film and video marketplaces have sought to go beyond them. They are frontline innovators and experimenters.

One highly celebrated example of such artistic countercurrents is the city symphony film. In the 1920s and 1930s, when theaters were showing nature adventures, war newsreels, and exotica, artists producing for galleries in interwar Europe imagined cinema (then a silent medium) as, among other things, a visual poem, one that could unite the experience of different senses. It was a time of exuberant experimentation and international communication. City symphonies participated in the modernist love of the urban, of machinery, and of progress. They absorbed elements from artistic movements such as surrealism and futurism, and they let people see what they usually could not or would not. Among the machines artists loved was the camera itself, which represented a superior "mechanical eye," as Russian documentarian and theorist Dziga Vertov called it. An early example of the city symphony was Paul Strand and Charles Sheeler's *Manhatta* (1921), and the form proliferated on the European continent in the later 1920s.

The city symphony was given its name by the German filmmaker Walther Ruttmann's *Berlin: Symphony of a Great City* (1927). Ruttmann also commissioned a score for the film. The very term "city symphony" unites the brash industrial enterprise of the modern city with the classical musical form that demonstrates the capacity to organize and coordinate many individual expressions into a whole. The film takes the viewer into Berlin on a train and then on a day-long tour of the many urban patterns emerging from the interaction of people and machines, culminating with fireworks. In the film, Ruttmann experimented with Vertov's ideas about the power of documentary to be an "eye" on society in a way that transcended the power of human observation.

Many artists seized upon the city symphony notion as a way of experimenting with the medium. The Brazilian artist Alberto Cavalcanti was inspired by the project Ruttmann was developing and made *Rien que les Heures* (1926), a film about Paris, even before Ruttmann completed his. It features clever special effects in a whirlwind tour of Paris that includes both the highest and lowest classes of society. In the south of France, Vertov's exiled younger brother, Boris Kaufman, and the French artist Jean Vigo, produced a slyly satirical little film, *À Propos de Nice* (1930), showing the beach town as a self-indulgent culture of gambling and sun- and self-worshiping. (Vertov wrote filmmaking instructions to his brother.) In Belgium, Henri Storck made a closely observed film about his own beach town, in *Images d'Ostende* (1930), and the Dutch filmmaker Joris Ivens, who went on to work with Storck, made what became a classic of these films, *Rain*. Vertov, in touch with these developments, created his masterpiece, *Man with a Movie Camera*.

The city symphony form remains an unusual, poetic choice, an exception to the rule of documentary conventions. Godfrey Reggio's 1982 *Koyaanisqatsi* uses lightshow-like techniques along with time-lapse photography (one of the techniques pioneered by city symphony films) to make a histrionic commentary on mankind's devastating effect on the earth. The title refers to a Hopi word meaning "life out of balance." American film scholar Thom Andersen used nearly a century of cinema to look at how Los

Angeles has been represented in the movies in *Los Angeles Plays Itself* (2003). It sometimes wryly, sometimes bleakly shows the city in the commercial and public imagination.

Other self-described artists have searched for ways to use documentary film as a road to purity of vision and a celebration of the ecstasy of sensation itself. Because their films deliberately eschew conventions such as story line, narrator, and sometimes even discernable objects in the world, they provide another way of understanding what we have come to expect. Kenneth Anger, Jonas Mekas, Carolee Schneeman, Jordan Belson, and Michael Snow all made films that creatively interpreted real life, although they identified themselves as avant-garde artists and not documentarians. One of the best known American avant-garde artists who did think of himself as a documentarian—and a scientist—was Stan Brakhage.

Brakhage wanted viewers to return to an "innocent eye," a purity of experience of vision. He wanted to help people *see*, not only what the eye takes in from the outside but also what the eye creates as a result of memory or bodily energy from the inside. "I really think my films are documentaries. All of them," he said. "They are my attempts to get as accurate a representation of seeing as I possibly can." Most of Brakhage's work was silent and executed in the passionate belief that seeing was a full-body action. Surprisingly, his artistic intuitions and perceptions of how the eye works are supported by scientific research on optics.

Brakhage made hundreds of films; two of the most seen are *Mothlight* (1963) and *The Garden of Earthly Delights* (1981). In both short films, Brakhage encased found natural objects, put them between two pieces of celluloid and then printed the images created. *Mothlight* contained moth wings; *Garden* contained twigs, flowers, seeds, and weeds. The images produced then created an experience for viewers, which referred to the original but was entirely different.

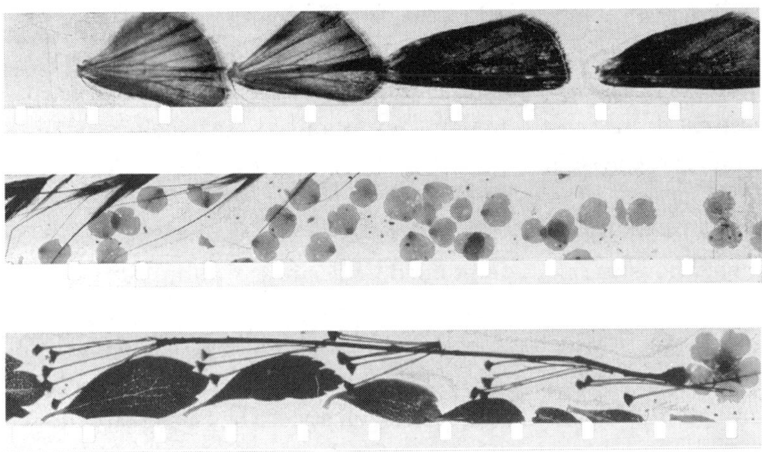

2. In *Mothlight*, experimental documentarian Stan Brakhage pressed moth wings and scraps of twigs and flowers between celluloid strips. Directed by Stan Brakhage, 1963.

Art films have also experimented with sound. The German experimental filmmaker Hans Richter translated sound rhythms into visual experience in the 1920s and 1930s. The Indian filmmaker Mani Kaul, who grew up artistically in India's subsidized "parallel cinema" (i.e., parallel to commercial cinema) in the 1970s, has worked repeatedly with Indian song traditions, including *Dhrupad* (1982), which mesmerizes with the sound and image of one classical music performance style designed to facilitate spiritual meditation. Such work highlights the way in which we often take sound for granted as a convenient emotional conductor.

In all these works, the conventions of "regular documentary" are largely absent. No narrator tells us what is going on; no experts provide authority; ordinary reality is deliberately distorted so that we will see it differently; soundtracks are used for other purposes than cueing story-linked emotions. Patterns of light and dark, the hypnotic sound of repetitive music, the sight of objects from the natural world projected at many times their size, and other devices shock us out of our visual habits. These experiments have greatly expanded the repertoire of formal approaches for documentary filmmakers. At the same time, these experiments provide a sharp contrast to the most common conventions, those usually used in broadcast television.

Economic context

Conventions are also conditioned by business realities. On television, where viewers make a decision within one or two seconds about whether to watch, producers now strive to make every moment compelling and to signal brand identity not only through identifying logos but through style. They also search for ways to streamline production and reduce costs through style and form. A History Channel executive in the later 1990s memorably explained that channel's then-formula—clips either of stock footage or of small staged scenes or objects interpolated with talking heads and stitched together with narration—to a group of striving producers: "We do it because it's cheap and it works."

Filmmakers have looked to three kinds of funders to pay for their documentaries: *patrons* or *sponsors*, both corporate and governmental; *advertisers*, typically on television and usually at one remove; and *users* or *audiences*. Each source of funding has powerfully affected the choices of filmmakers.

Government sponsors have been critically important to documentary filmmaking. In the British Commonwealth, institutions that promote the making and distribution of documentary film include the BBC, the Australian Broadcasting Corporation, and the Canadian National Film Board. Throughout continental Europe, governments provide subsidies to artists who work on documentaries. German, French, and Dutch documentary work has flourished with this kind of investment. In the developing world, ex-colonial powers sometimes provide stipends for cultural production; national governments may offer resources and often control access to screens. Cultural nationalism is a powerful motive for national governments to provide these subsidies. Programming themes and styles often reflect a concern to express national identity, especially against the unceasing international flow of U.S. popular media.

By contrast, U.S. taxpayer support for documentary has historically been anemic, in a nation where cultural policy has always strongly supported commercial media. U.S. public broadcasting was given a rebirth in the liberal heyday of Lyndon Johnson's Great Society, with committed public funds for the noncommercial, nongovernmental entity to help build capacity of the then-feeble public broadcast stations in most major cities. During the 1970s and 1980s, other cultural organizations, especially the taxpayer-funded National Endowment for the Humanities and the National Endowment for the Arts, also contributed to American documentary. Unconventional styles, themes, and politically sensitive topics often raised conservative ire in Congress.

Another way in which governments have been important to documentary filmmaking is through regulation that encourages certain kinds of production over others. For example, when the British government authorized the existence of private commercial television channels, it also required hefty public interest responsibilities, which translated into ambitious documentary projects funded in hopes of prestige, recognition, and license renewal. British Channel 4 was launched with funds siphoned from advertising revenues of a commercial channel and was given a mandate to feature the work of independent producers, including many documentarians. Chad Raphael has argued that American broadcast network fear of government regulation (networks had been caught rigging quiz shows) led to a period of lavish funding for investigative public affairs documentaries. (Indeed, the decline of government regulation of television in the 1980s resulted in a decline in public affairs documentaries.)

Government regulators play a de facto role in standards-setting and enforcing of conventions. Broadcasters are usually under tight scrutiny by regulators who patrol use of airwaves, which the government typically leases to individual companies with conditions. In a documentary about drug smuggling, *The Connection,* Brian Winston recounted a scandal that erupted in Britain in 1998 over re-created or possibly even fictional footage. The British Independent Television Commission, a regulatory body, fined the television channel that aired the film and set in motion debates about government censorship.

The U.S. Federal Communications Commission (FCC) levied an indecency fine, widely criticized as arbitrary, on a public television station for airing a history program, *The Blues* (2003), because in it a jazz musician uttered a vulgar word. The judgment then made many broadcasters even more cautious in their programming.

The role of private-sector sponsors in the history of documentary has been large, and surely will continue to be. Key works of documentary founder Robert Flaherty were backed by corporate sponsors who hoped to associate their image with his romantic vision. Corporate underwriters and sponsors were also essential to early documentary on television. For instance, the American public affairs program featuring the great journalist Edward R. Murrow, *See It Now* (1951), was funded by Alcoa, which at the time was looking to burnish its reputation after an antitrust suit. Corporate underwriters have been crucial to public service television as well. Nonprofit organizations have also become significant clients for documentary film work on issues they consider important. Sponsors pay to have a film made because they want a particular story told or they want to improve their image. Either way, a filmmaker has limited autonomy but often it is enough to be able to do important work. Sometimes a filmmaker's priorities accord well with an organization's, as well. Advertisers are also sponsors, each of whom pays for a little time or space on a program that can attract viewers to their messages. Advertising favors lightweight, low-budget documentaries that do not challenge the status quo and sensationalist documentaries that can drive up ratings.

Direct sale is the fastest-growing model for documentary support. Theatrical audiences looking for novelty and awe find it in IMAX documentaries, whether on the miracle of flight or the astounding world of tropical insects. Subscribers to cable channels, such as HBO or Canada's Doc Channel, receive a flow of documentary programming the same way they subscribe to magazines. Video on demand also offers documentaries direct to viewers, as do rental services such as Netflix and Blockbuster. Home users are purchasing, often online, DVDs of documentaries that may never have seen the inside of a theater, and they are also downloading films to their video iPods and cell phones; this drives documentarians to identify a "personal audience," as producer Peter Broderick calls it, and to craft work around the interests of this niche or identify a constituency passionate about a particular cause or issue.

A breakthrough example of direct distribution was the Robert Greenwald–produced *Outfoxed* (2004), which lambastes Fox News for its right-wing bias. Launched during the 2004 election season in the United States, this film was offered to viewers via e-mails from the liberal website MoveOn.org. According to organizers, more than 100,000 viewers purchased the DVDs within the month, mostly for use in house parties where several viewers saw it at once. The film also received a limited, simultaneous theatrical run. The example was rapidly imitated and tweaked; soon conservatives were making their own incendiary films and circulating them to their constituencies.

Digital production in a download era bids fair to develop new market models. By 2006 video downloads occupied perhaps half the total traffic on the Internet. Within days, obscure homemade parodies have drawn worldwide audiences larger than many documentaries ever gained in a festival and theatrical run. At the same time, the business model that can support such work still remained to be seen.

Ethics and form

Ethical issues have been as critical as aesthetic ones in the formal choices of documentarians. American historical filmmaker Jon Else and theorist Bill Nichols among others have called for professional filmmakers themselves to articulate ethical standards.

One ongoing question is that of how much simulation of reality is acceptable. Outright fakery is easy to condemn, although it is common from the origins of film: Thomas Edison's studio produced war footage from the Philippines in New Jersey, and the supposed record of the sinking of the *Maine* in the Havana harbor was actually filmed in a New York bathtub.

Other practices are less ethically clear. Reenactment was a staple of 35mm documentary film production. Given the cumbersome machinery, without lighting and staging, most filmmaking of this kind would have been impossible. Cinema verité purists in the 1960s, using new lighter-weight and more-flexible equipment, scorned such techniques, denigrating them as artificial.

Reenactment burgeoned again, though, in the 1990s. Sometimes, it was because of the low budgets offered by cable programmers that filmmakers struggled to produce compelling storytelling for television audiences used to high production values. Thus, on the History Channel, for example, it became common for a few feet in sandals to represent the march of thousands of Roman warriors, or for a few coins and a vase to represent the wealth of kings in another era. Other times, filmmakers used reenactment to evoke an uncaptured moment. In the Holocaust-memoir film *Tak for Alt* (1999), scenes of a mother making challah and lighting candles were staged to represent the memories of the survivor's childhood. Such use is not confusing to viewers, since they usually can distinguish what is genuine experience from the symbolic representation of it.

Controversy has grown up around filmmaking in which the fake is interwoven with the real, without giving viewers the chance to distinguish. The civil rights history *Mighty Times: Volume 2: The Children's March* (2004), by Robert Hudson and Bobby Houston, intermixed reenactments and archival material, and also used archival material from one place and time to signify another. When it won an Academy Award, the film generated controversy for its intermixing. David McNab's *The Secret Plot to Kill Hitler* (2004) was part of a Discovery Channel experiment in "virtual history," in which actors reenact a moment in history, and the heads of historical figures are borrowed from archival footage. The film admitted this at the outset, but some believed the approach of mixing actors with archival images crossed an ethical line and could potentially confuse people.

Films that throughout use actors and scripts, with creative license, to retell true events are usually called docudramas. Films such as *Gandhi* (1982) or television series such as *Roots* (1977) are docudramas. They look and feel like fiction films, and it is generally understood that they can take some license with details in order to dramatically represent a reality. However, neither viewers nor journalists think falsifying reality is appropriate. A 2006 ABC network docudrama, *The Path to 9/11*, cast actors in roles of real Clinton administration officials, including that of the secretary of state, and had them say and do things that they clearly had not. These falsifications showed the Clinton administration neglecting a terrorist threat. The network deleted some errors at the last minute and then tried to absolve itself by noting that the film was only a docudrama, but outraged viewers and commentators were not mollified by the disclaimer.

Some documentaries mix in fictional elements while still laying claim to being documentaries. This style is growing with the popularity of documentary entertainment. For example, Danish filmmaker Jeppe Rønde's *The Swenkas* (2004) tells a fable about a father-and-son reunion, within documentation of real-life male fashion contests in South Africa. Although it was popular in film festivals in the global North, the film raises questions for its representation of a fictional plot as real life.

Some documentary filmmakers deliberately use fiction as a provocation. British left-wing filmmaker Peter Watkins has made many films using nonactors to reenact historical incidents that reveal structures of power and movements of resistance, from the Battle of Culloden to the Paris Commune. American radical filmmaker Emile de Antonio in his *In the King of Prussia* (1982) restaged a trial of anti-Vietnam War protesters, after reporters were banned from the courtroom. The film starred the actual defendants, including the priestly brothers Philip and Daniel Berrigan, with the Hollywood actor Martin Sheen as the judge. The reenactment not only retold the events but implicitly critiqued the banning of reporters during the trial. The French filmmaker Chris Marker, in his *Sans Soleil* (1982) mixed documentary images and sound with a fictional narration. The result was a provocative inquiry into the meaning of memory and a meditation on filmmaking. In *Perfumed Nightmare* (1977), Philippine filmmaker Kidlat Tahimik recycled documentary footage to tell a fictional story about a Third World innocent who traveled to the West—a tale that was also a critical documentary essay about the interpenetration of West and East. The recycling itself was a commentary on the Philippines' syncretic and eclectic culture.

German artist Harun Farocki has created many complex and self-reflexive film essays where documentary footage is used and wrenching questions of public importance addressed. His essay on the complicity of industrial workers in the Vietnam war, *Nicht löschbares Feuer* (*The Indistinguishable Fire*, 1969)—the fire referred to napalm—was scripted and staged in a style that attempted Brechtian alienation. American filmmaker Jill

Godmilow later remade the film shot-for-shot as *What Farocki Taught* (1998).

Are such hybrids still documentary? Like the mainstream of documentary, they claim to portray real life, telling the viewer something important about it. But to some, these experiments are outside the bounds of documentary, as are mockumentaries. Godmilow herself, within her film, asks the viewer what kind of movie *What Farocki Taught* is. She points out that almost all scenes were reenacted, such as most scenes in the film it mimics had been, and yet the film is an argument about real life. She suggests, partly tongue in cheek, that the viewer regard the film as "agit-prop," recalling the Soviet-era term for "agitation-propaganda" films to incite social change. Her own questioning points to the fuzzy lines around the border of the genre.

Filmmakers' formal choices all make persuasive claims to the viewer about the accuracy, good faith, and reasonableness of the filmmaker. The fact that filmmakers have a wide variety of choices in representing reality is a reminder that there is no transparent representation of reality. No one can solve these ethical dilemmas by eschewing choice in expression, and no formal choices are wrong in themselves. A good-faith relationship between maker and viewer is essential. Filmmakers can facilitate that by being clear to themselves why they are using the techniques that they do, and striving for formal choices that honor the reality they want to share.

Founders

Three figures who launched their careers in the 1920s have shaped expectation of audiences worldwide ever since: Robert Flaherty, John Grierson, and Dziga Vertov. Each one claimed simultaneously that they told the truth and that they were artists. These two assertions, as we have seen, create the most basic tension in documentary. When does artistry conflict with reality and when does it facilitate such representation? These filmmakers variously grappled with that question and set the stage for later arguments.

Grierson and Flaherty, with different aspirations, both anchored a tradition of *realism* in documentary. This expressive tradition creates the illusion of reality for the viewer. Thus, realism was not an attempt to authentically capture reality but an attempt to use art to mimic it so effectively that the viewer would be pulled in without thinking about it. Some of the techniques to create the illusion of reality include (1) elision editing (editing that goes unnoticed by the conscious mind, so that your eye is tricked into thinking it is merely moving with the action); (2) cinematography that creates the illusion that you are almost in the scene or "looking over the shoulder" of the action and gives you a psychological stake in the action; and (3) pacing that follows the viewer's expectations for events in the natural world. Because of its evocative power, realism has become the international language of commercial cinema, in both documentary and fiction.

In contrast to realism are approaches that call attention to the artist's and the technology's role in creating the film. Some of these approaches have been grouped under the term *formalism*, meaning the highlighting of formal elements in the film itself. Examples of such elements include sharp or recognizable edits, unnatural colors, distortions in the lens, special effects such as animation, and slowing down or speeding up sound and image. In the early days of film, many filmmakers experimented with these techniques, and they have typified a strong strand of expression in documentary outside commercial strictures ever since. (Advertisers have also found them helpful, for memorable, high-impact effects.) Proponents of formalism charged realists with illusionism, with tricking viewers into believing that they are watching something real; instead, these makers argued, let viewers notice and even celebrate the artist's role in creating the work.

Robert Flaherty

The American Robert Flaherty produced only a few films in a lifetime's work, but some have become touchstones of documentary. His first film, *Nanook of the North,* was a popular success and inspired filmmakers all over the world, from the Russian Sergei Eisenstein to the British John Grierson to the French Jean Rouch.

Flaherty grew up in and on the border of Canada, living partly in mining camps with his father, a mine owner. After an aborted film (the negative burned up) made as documentation of his travels, he returned for a year to the indigenous Arctic people who had treated him well, with funds from a French fur trading company. Although several distributors turned down the resulting film, the film made a great deal of money both for itself and for Flaherty. *Nanook* was promoted in theaters with gimmicks such as dogsleds and cardboard displays of igloos, and it was touted as "a story of life and love in the actual Arctic."

The film borrowed from popular screen entertainment of the time. It had "scenic" elements of the popular travelogue film, itself a legatee of travel slide shows. It told a dramatic story of survival against the elements, using a similar structure to that of the fiction feature by D. W. Griffith, *Birth of a Nation* (1915), which Flaherty had seen. It also had novelty: Flaherty introduced viewers to daily life in a culture that both he and his audiences thought of as primitive. The novelty of the film was that the "primitives" were not shown as freaks or exotic animals (as they had been only recently at the Chicago World Columbian Exhibition in 1893) but as people with families and communities. Urban audiences could look over the filmmaker's shoulder to see into another way of life—indeed, they believed, even into the past. Flaherty's representation of Inuit lifestyle was deliberately archaic.

Nanook's warm humanism was a far more commercially successful approach than that of another "salvage ethnographer," the photographer Edward S. Curtis, whom the Flahertys had visited before finishing *Nanook*. Curtis, already renowned for his photography of American Indians in archaic dress, had hoped to pay for years of living with Kwakiutl Indians with a film that would attract paying audiences. His *In the Land of the Headhunters* (1914)—later renamed, more accurately, *In the Land of the War Canoes*—combined footage of rites that he had asked the Kwakiutl to revive with a melodramatic plot that did not draw from Kwakiutl culture. It was a sad and clumsy box office and aesthetic failure, although of immense interest to later anthropologists for its re-created ritual scenes.

Flaherty clearly made some choices with the goal of engaging ticket-paying audiences. He renamed Allakariallak as Nanook and assembled for him a photogenic but fake nuclear family. He disguised the participation of various Inuit in the making of the film. He featured and even staged high-drama hunts rather than record the more-uneventful pace of daily life, particularly that of the women. Flaherty's camerawork—the product of meticulous visual care and many retakes—and the editor's clever pacing (slow enough to convince viewers they were watching real life, but dramatically shaped) produced high-quality entertainment from compelling raw material. The choice of a realist mode—creating, as it were, the illusion of seen and felt reality through editing, camera angle, and pacing—gave viewers a vivid impression of having virtually experienced something genuine.

Flaherty's archaism in the film was a moral choice. "What I want to show," he said, "is the former majesty and character of these people, while it is still possible—before the white man has destroyed not only their character, but the people as well." Flaherty had a powerful romantic belief in the purity of native cultures, and he believed that his own culture was spiritually impoverished by comparison. "Nanook's problem was how to live with nature,"

Flaherty's widow recalled him saying. "Our problem is how to live with our machines. Nanook found the solution of the problem in his own spirit, as the Polynesians did in theirs. But we have made for ourselves an environment that is difficult for the spirit to come to terms with."

This romantic conviction also meant that Flaherty believed Inuit culture was polluted by contact with the outside world; he did not believe that Inuit culture could survive the onslaught. For him, true native culture was pure, untouched by machine-made civilization, even though the very Inuit he depended on to fix his cameras were also selling to fur markets.

And that romanticism became a mark of Flaherty's work. He made, among others, *Moana* (1926) in Samoa, *Man of Aran* (1934) on the

3. Romantic realist Robert Flaherty asked Inuit to re-create traditional customs for *Nanook of the North*. Directed by Robert Flaherty, 1922.

desolate Aran Islands off Ireland, and *Louisiana Story* (1948), his last film, in the bayous of Louisiana. Each of these films erased the complexities of social relationships in favor of a narrative of man against nature. In the South Seas, Flaherty was flummoxed to discover that nature was forgiving to the islanders, so he created drama in the then-dying custom of painful tattooing. He ignored, among other things, the colonial presence in Samoa, the aggressive privatization of property that transformed Samoan communities, and the governmental insistence on Western legal marriage that contravened Samoans' own marital traditions. In *Man of Aran* (1934), Flaherty got Aran Islanders to revive the hunting of basking sharks (they had to be taught), and excluded from the story two elements that largely conditioned their lives: their fish trade with the mainland, and the fact that it was absentee landlords and not the harsh forces of nature that forced his subjects onto the poor land that they needed to enrich with seaweed.

One reason for *Nanook*'s appeal is Flaherty's celebration of the "noble savage," a popular notion with a long heritage in Western thought, going back to the early Enlightenment and expressed in Jean-Jacques Rousseau's writing. The noble savage notion expresses an optimism that natural man is inherently good. It had become particularly vivid in the European and Anglo-American imagination at the height of European colonialism in the Victorian era and with the American "manifest destiny" ideology. Even as rising powers asserted political domination over different cultures, their explorers pursued untouched exotic lands beyond their knowledge and celebrated the beauty of the simple life. As Leo Marx has noted, this romantic view of other cultures valued for their supposed simplicity and innocence only grew with rapid industrialization.

Another reason why people continue to love Flaherty's films is that Flaherty's immense affection for his subjects is palpable. Flaherty established a warm human bond with the people he lived and worked with for months at a time. Four decades after Flaherty made *Man of Aran*, filmmaker George Stoney—who had been inspired to take up filmmaking by watching Flaherty's films—returned to the island where his grandfather had been the first physician to interview people who had worked on the film. His *How the Myth Was Made* (1978) examines *Man of Aran* as a myth artfully crafted out of reality. Still, people there recalled Flaherty with great affection. Generations of Inuit have also watched *Nanook* with pleasure, regarding it as a gift allowing them to know their traditions.

Reviewers at the time raised questions about intention and ethics, particularly concerning *Man of Aran*. Grierson and Paul Rotha, another leader of what came to be called the British documentary, celebrated Flaherty as a great artist who elevated documentary to be beautiful art rather than a mere record. For these two filmmakers, Flaherty lacked the social conscience and commitment to adaptation to the industrial age that typified their movement. In the middle of the Great Depression, Flaherty's work irritated left-of-center critics. "Man's struggle with Nature is incomplete unless it embraces the struggle of man with man," leftist British critic Ivor Montagu wrote. "No less than Hollywood, Flaherty is busy turning reality into romance. The tragedy is that, being a poet with a poet's eye, his lie is the greater, for he can make the romance seem real."

After Flaherty's death, critical opinion developed into two camps, which anthropologist Jay Ruby has called "Flaherty the myth" and "Flaherty the romantic fraud." Flaherty's widow, Frances, an indispensable enabler of all his projects, became the guardian of the flame. She celebrated what she called "The Flaherty Way," which she described as a special ability to "surrender to the material," so that Flaherty could share with viewers his "innocent eye" on the subject matter. She coined the term "non-preconception" to describe his approach—which she typified as intuitive, mystical, unerring. Helen van Dongen, Flaherty's editor for his last two projects and the person who had carved stories out of footage, rejected the mystical claims of Frances Flaherty but celebrated him as a "visionary poet," a "genius," and an artist whose career was sadly crippled by the needs of commerce.

The growth of anticolonial consciousness, the rise of a nationalist cultural elite in the Cold War–era Third World, and the growth of self-reflexive anthropology all fueled the "Flaherty the romantic fraud" argument. Some argue that his man-versus-nature theme deepened unhelpful assumptions about indigenous peoples; indigenous people only seem to command our sentimental concern when we can keep them at a safe distance, where they provide a mental vacation for us. The man-versus-nature conflict further fostered an understanding of indigenous people as childlike or even petlike innocents, potential victims before civilization. It led people to look skeptically on political efforts of indigenous people to lay claim to the benefits of their existing relationship with larger economies. Jay Ruby has cautioned anthropologists, however, not to judge Flaherty too harshly before looking at their own practices.

The legacy of Robert Flaherty endures. *The Story of the Weeping Camel* (2003) features a family in the Gobi Desert that saves the life of a camel calf whose mother rejects it by staging a public ritual in which a musician sings to the camel. The story was scripted and invented by the filmmakers, one of whom was Mongolian. They represented life in the Gobi Desert as they imagine it might have been generations ago, with the help of cheerful nonactors in a constructed nuclear family. The film's co-director Luigi Faloni, when asked his inspiration, said confessionally, "Well, you'll laugh at me, but it was *Nanook of the North*."

John Grierson

The career of John Grierson created conflicts and contradictions in documentary practice at least as great as those of Flaherty. Born in Scotland the son of a conservative Calvinist teacher, Grierson took up filmmaking as a powerful tool to address the problem that occupied his life: how to manage social conflicts in a democratic industrial society. After serving in World War I, he saw brutal labor conflicts, taught in a slum school, preached about good works, and finally won a Rockefeller fellowship in the United States. There he was influenced by pundit Walter Lippman, who argued that our increasingly complex society required professionals who could translate issues for the masses, who otherwise would become overwhelmed by the level of expertise needed to address any particular issue. Grierson was also drawn to the budding business of public relations, which had been born with late nineteenth century labor strife. Finally, he saw in Flaherty's *Nanook* a compelling example of the power of film to bring audiences into another reality, and he was captivated by the ever-charming Flaherty himself. Writing about *Moana*, he celebrated its "documentary" quality, definitively naming the genre.

After he returned to Britain, he was able to persuade British officials of the power of documentary. It was a propitious time for such arguments. In 1927 John Reith, another Scot, became the head of the first public service broadcast in the world—the British Broadcasting Corporation, whose mission was educating and improving the public. The Great Depression exacerbated class tensions in Britain and made the alternative of socialism and even Communism seem plausible to many. In the same period, enormous movements of social reform also blossomed, such as those spurred by the New Deal in the United States. Artists of all kinds, especially those such as photographers and filmmakers whose subject matter was reality, saw art as inextricably intertwined with political and social reform.

Grierson was hired by the Empire Marketing Board to promote the very notion of empire. His superior unambiguously stated the point: "For the State, the function of official documentary is to win the consent of this new public for the existing order." After making the only film he would ever direct—*Drifters* (1928), a documentary on herring fishing cannily produced to respond to an official's interest in that business—he hired a group of young men and very few women, including his sister Ruby, to make films both for government and for large corporations. *Industrial Britain* (1932) was an attempt to wean Britons from their nostalgia for a simpler past. Grierson, however, made the mistake of hiring Flaherty to shoot the film. Before getting fired, Flaherty not only overran the budget but shot footage primarily of artisanship that would indeed evoke nostalgia. *Housing Problems* (1935), directed by Edgar Anstey and Ruby Grierson and paid for by a gas company and a housing agency, let slum dwellers explain the misery of their lot and lent support to the project of slum clearance. *Night Mail* (1936), by Basil Wright and Harry Watt with contributions from poet W. H. Auden and composer Benjamin Britten, followed a letter from mailbox to delivery, mostly on a mail train (the interior of the train was a set). It awed viewers with the intricate bureaucratic and industrial complexity of the government service,

4. John Grierson saw documentary as a tool to promote social cohesion and insight; *Night Mail* celebrated the union of man and machine in British postal delivery. Directed by Harry Watt and Basil Wright, 1936.

burnishing the reputation of the post office and underscoring the interlinked nature of modern society.

Grierson and his "boys" vigorously promoted the notion of documentary as a tool of education and social integration, in lectures and writings. In 1932 Grierson celebrated the power of documentary to observe "life itself," using real people who could help others interpret the world and real stories. This he contrasted to the "shim-sham mechanics" and "Woolworth intentions" of Hollywood-acted films. He heralded Flaherty's ability to let reality dictate the story, although he hoped, referring to Flaherty's romanticism, that "the neo-Rousseauianism implicit in Flaherty's work dies with his own exceptional self." The real challenge, he said, was to apply creativity to the "business of ordering most present chaos" and make a statement "which is honest and lucid and deeply felt and which fulfils the best ends of citizenship." To do this, it was important to get beyond a focus on individuals and move along to processes.

Grierson became more strident about the social function of documentary, even at the expense of the "beautiful." In 1942 he asserted, "The documentary idea was not basically a film idea at all" but "a new idea for public education." He saw the state as a fair and neutral body to manage social democracy; he believed that corporations could use public relations for public good, if they depended on the truth. The fact that he endorsed using some of the same techniques as Nazi propagandists did not bother him: "You can be 'totalitarian' for evil and you can also be 'totalitarian' for good." Grierson advocated the firm separation of documentary from entertainment cinema. Believing that Hollywood was unbeatable and unjoinable, he argued that documentary should strive for noncommercial circuits and wholly different expectations among viewers.

Grierson became a consultant both to corporations and to governments, all looking for the latest tools in public relations. His influence was wide. In Canada, where he spent the bulk of World War II, he launched the National Film Board (NFB), which continues today. He consulted with both the U.S. and the British government. His colleague helped establish the Australian National Film Board. He advised leaders of the South African government; unfortunately, as Keyan Tomaselli has documented, there he fell victim to a ploy by pro-apartheid Afrikaners and recommended their proposals in the name of national unity. Grierson's own role as a leader in documentary film, and indeed the British social documentary movement itself, collapsed after World War II. However, his vision of documentary as a social-education project profoundly influenced later makers.

Contemporary criticism of Grierson's work largely focused on questions of effectiveness. Were the films too radical? They featured working people, which was a shock to many in Britain's class-bound society. Were they going to be popular enough? Were they aesthetically daring enough? In response, Paul Rotha claimed in *Documentary Film* that the movement was "this country's most important contribution to the cinema as a whole," and that declaration became accepted wisdom internationally. Grierson became a revered, almost mythic figure of British and Canadian communications history, in part through the promotional efforts of the Griersonians themselves.

Later scholarship enthusiastically took on the challenge of demolishing the myth, as both Ian Aitken and Jack Ellis have well summarized. It also located Grierson in his time and place as an early champion of public relations. Some charged that Rotha's claim ignored competing film efforts of the time and was somewhat self-serving. Others faulted Grierson's work for naiveté about the implications of realism, and noted the male-oriented, middle-class culture celebrated in the films.

Although Grierson sometimes took the posture of and was accused of being a left-winger, later critics noted his conservatism and his desire to maintain the status quo. Joyce Nelson, looking closely at Grierson's performance in Canada, argued that Grierson downplayed Canadian nationalism in service to Commonwealth unity, and that he supported Hollywood's grip on Canadian screens with his separatist strategy for documentaries.

Perhaps Grierson's harshest critic has been British scholar and ex-broadcast journalist Brian Winston, who argued that Grierson's project poisoned the well for the form, which avoided responsibility for its role as truth teller by taking refuge in claims to art—that "creative treatment" of actuality. It did not engage with the challenges of art, however, dodging that responsibility by claiming that it was serving a higher social purpose. It avoided responsibility for that social purpose, its propaganda function, by claiming to be simply a truth teller. Finally, Grierson ignored evidence that his documentaries were not as widely seen as even minor products of commercial cinema, and that the nontheatrical circuit was driven by educational duty rather than appreciation of the documentary form. Griersonian documentaries were in bad faith, reinforcing the interests of those who funded them and stifling creativity. Filmmakers should be free, Winston argued, to tell the stories they think are important, without the pretentious claim of social service or mystical claims to a unique access to truth.

Elizabeth Sussex, who interviewed many of the proponents of Griersonian British documentary, has contended that Grierson's vision of a form that could make viewers aware of their social context was indeed kept alive and handed down to another generation to do differently. Remarkably for a man who had boasted of world-changing, Rotha later said, "I don't think the films themselves are the least bit important. What is important is the sort of spirit which lay behind them."

Later critiques have grown to such prominence because the movement Grierson set in motion and so vigorously promoted left such a large footprint on documentary filmmaking. The writings of this group became key texts for aspiring filmmakers. The institutions Grierson created or inspired, particularly the Canadian National Film Board, have been important to documentary filmmakers. The notion of documentary film as a project with a social purpose at the core, and of the documentarian as an apostle of social progress, has been extremely persuasive, for better or worse. The business model of government or corporate support with noncommercial, nontheatrical distribution became broadly accepted. Flaherty made the rendering of reality an aesthetic virtue, and Grierson made it a social mission.

Dziga Vertov

The third founding figure in documentary is the revolutionary Russian filmmaker Dziga Vertov (Denis Arkadievich Kaufman). Vertov was both a filmmaker and a polemicist on behalf of what in Russia were called "unplayed" (unstaged) films. He championed the unique truth value of "life caught unaware," the unrehearsed moment. He believed that documentary was the perfect medium for revolution, that not only should it flourish but that fiction film be extinguished as a denial of the capacities of the form. After the Russian revolution , he became a liability to the regime, and his work was ignored within the Soviet Union. For a decade after the Russian revolution, however, Vertov was a formative figure of cinema both in Russia and internationally. Although he became a "nonperson" in his home country's cinema history during the Soviet Union era, he remained an enduring inspiration to avant-garde artists and to documentarians everywhere.

Vertov headily mixed claims of art and science for documentary—the essence of the film medium for him. His dream was for film industries to emphasize "the 'unplayed' film over the play-film, to substitute the document for mise-en-scène, to break out of the proscenium of the theatre and to enter the arena of life itself." He saw the camera as "the mechanical I . . . the machine showing the world as it is, which only I am able to see." The camera was a cybernetic extension of the weak human capacity for sight; it could see panoramic vistas from great heights, peer into second-story windows, go great distances. He believed, with many others, that Marxism was a new science of society. For him, the magnificent science of the camera was to be merged with revolutionary Marxist analysis in the editing, to make a scientific tool of revolution, what he called a "Communist decoding" of the material. Thus, the power of machine was married to the power of ideology.

Film was the ideal medium for the new communist society being born in Russia, he believed, because it captured the truths of real life, it did not lie to or distract people, and because it exemplified the wondrous machine-driven modernism of which communism was the cutting edge. He disparaged what he called "art" film, meaning fiction entertainment. Vertov was also an avant-garde artist, and that is his lasting identification.

A Jew in an anti-Semitic country, the young Denis Kaufman gave himself the whimsical name Dziga Vertov ("spinning top") while still in college. As a medical student at one of the few places that accepted Jews in the Europe-oriented Petrograd (St. Petersburg), he imbibed the artistic culture of modernism. He encountered Futurism, an avant-garde movement that celebrated the new, the modern, and the machine. And he fell in love with the works of American poet Walt Whitman.

Revolution gave him the opportunity to work on "agit-trains," which sent revolutionary propaganda to fronts of conflict. He worked on newsreels and edited dozens of editions (ten to twenty minutes long) of *Kino-Pravda* (1925), or Cinema Truth. The name echoed that of the party newspaper *Pravda* and also made a claim for documentary's power. The newsreels whisked viewers to far-flung parts of the new Soviet Union, brought them news of political trials, showed them czarist tanks being redeployed to build public works, sports, accidents, and—a favorite—electrification. They celebrated the wonders of the urban, the modern, and the machine.

They were shown throughout the country in front of fiction features, as well as in clubs and screenings in workplaces and rural areas. Vertov saw amazement and awe in the faces of peasants who had never seen a film before.

As he worked on the newsreels, Vertov came to see more and more exciting possibilities in the medium; he became an evangelist for the unplayed or documentary film. He, his editor Elizaveta Svilova, who later became his wife, and his brother Mikhail Kaufman formed a "Council of Three." The Council of Three gathered around them a group of devotees, calling themselves *kinoks*, or cinema-eyes. They issued provocative polemics and pronouncements such as "WE: Variant of a Manifesto," which invited viewers away "from the sweet embraces of romance,/from the poison of the psychological novel,/from the clutches of the theatre of adultery,/with our backsides to music," into "the open, into four dimensions (three plus time)/in search of our own material, our own meter and rhythm."

Although Vertov dogmatically asserted the scientific wonder of the camera-eye and its capacity for truth-telling beyond human dimensions, like Grierson and Flaherty he also argued that the human storyteller was critical: "[I]t is not enough to show bits of truth on the screen, separate frames of truth. These frames must be thematically organized so that the whole is also a truth." Like Flaherty's "innocent eye" of the artist and Grierson's claim to "creative treatment of actuality," Vertov's claim to the editor's right to organize the chaos of real life into a communist truth was permission for the filmmaker to do exactly what he wanted. Each of them made radical claims for the truth-value of their work, all the while portraying the maker of this truthful rendering as an artist who needed the freedom to create.

Vertov wanted to tell a story about the beauty of communist society, and the importance and nobility of the struggle and sacrifice to build it. He was more radical than many others at the time, both in politics and art. Following Trotsky, he demanded a full nationalization and socialization of the economy. His first documentary *Cinema-Eye (Kino-Glaz,* 1924) announced itself to viewers as "The first exploration of/Life caught unawares/ The first non-artificial cinema object/without/scenario/without/ actors or studio." In an intensely edited and hard-to-follow whirligig of images, it decried the continuing evidence of capitalism and corruption in the economy. He made three more films in quick succession, each pushing forward experiments in editing that used juxtaposition to make connections with actuality film.

Vertov's work, so deliberately unconventional and challenging, intrigued and baffled critics, irritated friends, and incited fierce debate among filmmakers. He made many enemies, and he lost his Moscow job. His masterwork, *Man with a Movie Camera,* brought arguments to a head. With his wife and his cinematographer brother Michael, he created one of the most astonishing and provocative pieces of film art of all time. It was intended to be a sweeping panorama of a transformed nation, where unconsciously the daily lives of ordinary people had become part of a magnificent modernist poem. If Walt Whitman had heard America singing, Dziga Vertov heard the Soviet singing.

A city symphony, *Man with a Movie Camera* used a day-in-the-life format, bracketed by a theatrical conceit. The viewer entered with cinemagoers, and the film ended as they departed. In between, the pixieish cinematographer used the camera's magic to take the viewer into intimate settings (a baby being born, a couple getting divorced), across great landscapes, into workplaces and gymnasia. The cinematographer and the editor played visual jokes—special effects produced for the delight of display of the wonders of this new technology, which could reveal by representing.

In the end, the film commented as much on the power and pleasure of the filmmaker as it did on the extraordinary achievements of the new Russian society. It was the practice that went along with Vertov's fiercely argued theory for the transcendent power of documentary film, not only to record society but to see and imagine it differently than deemed possible by mere human beings. Its opening credits boasted its ambition: "This experimental work is directed towards the creation of a genuine, international purely cinematic language, entirely distinct from the language of the theatre and literature."

The work dazzled and delighted artists and critics worldwide, in part because its ambiguities so pleasurably piqued their curiosity and, of course, also reinforced the self-regard of artists. Russian audiences, who increasingly selected among entertaining comedies and dramas from regional film industries as well as international popular films, felt just the opposite; they complained they didn't know what it was about. The film ruined Vertov's already-imperiled future within an increasingly rigid Soviet Union, where both artistic and political experimentation were suppressed. After a formally exhilarating experiment in sound, *Enthusiasm* or *Symphony of the Don Basin* (1931), Vertov found it hard to get work in the government-controlled industry. His rigorous and relentless experimentalism had fallen out of favor, replaced by easy-to-digest platitudes. In his later years he was put to work editing tedious newsreels and documentaries in praise of Stalin.

While Vertov's work generated enormous energy among artistic and political circles in the Soviet Union, it was not widely seen there. *Kino-Glaz* (1924) was only shown once in public. *Forward, Soviet!* (1926) showed briefly in three theaters, without publicity. *One Sixth of the World* (1926) was not shown on first-run screens. *The Eleventh Year* (1928) played to thousands of Ukrainian viewers, and *Man with a Movie Camera* was shown nationally but not appreciated by general audiences. Film pioneer Sergei Eisenstein, who was an early admirer of Vertov, found himself increasingly exasperated by what he called Vertov's "unmotivated camera mischief." (Vertov vigorously

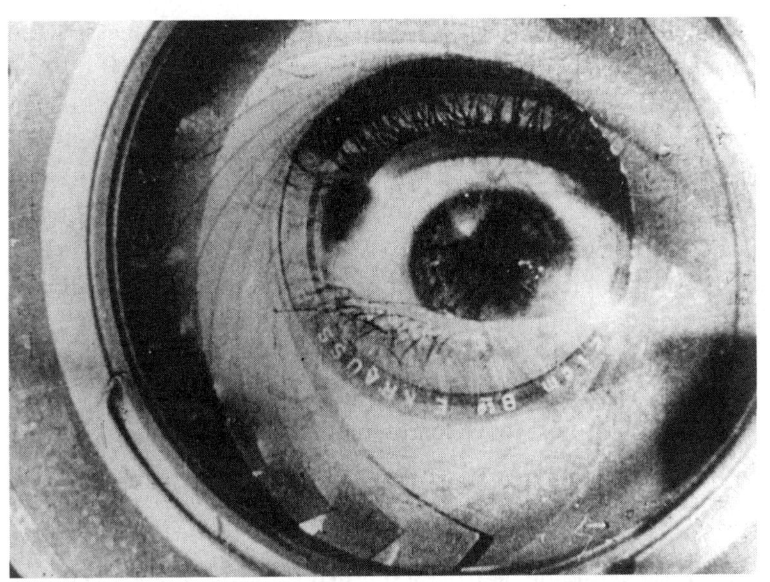

5. Russian revolutionary artist Dziga Vertov experimented with shocking formal techniques in *Man with a Movie Camera*. Directed by Dziga Vertov, 1929.

argued back that Eisenstein needed to respect the power of actuality instead of faking reality in storytelling.)

Vertov's reputation, smothered in the Soviet Union, was kept alive partly by the enthusiasm of Western artists. He was also an important figure to writers such as Herbert Marshall, who chronicled his career as one of several "crippled creative biographies" of the USSR. His reputation was also revived by scholars, crucially including film historian Jay Leyda, who witnessed the early years of Russian cinema, and film scholar Annette Michelson, who published and analyzed Vertov's work in English.

Vertov's challenges and his experiments have remained provocative for generations of avant-garde filmmakers: he imagined a film form that transcended the strictures of narrative and naturalist storytelling. The kind of realism that Robert Flaherty chose, implicitly or explicitly telling a struggle-to-survive story, was anathema to Vertov and to filmmakers who wanted to use art to shatter expectations of the status quo. His work and Eisenstein's were important to John Grierson, who was attracted to their claims that film could serve social change. Filmmakers in the 1960s who broke free of what had become staged conventions in documentary film adopted Vertov as a cultural hero. Martin Scorsese, having picked up *Man with a Movie Camera* at random in a video store, professed himself thrilled by the possibilities it opened up. Vertov's semicoherent, ambiguous but deliriously confident experiments continue to astonish spectators and inspire filmmakers.

These three founding figures established three disparate sets of expectations among both filmmakers and viewers for documentary: ennobling entertainment (Flaherty), socially useful storytelling (Grierson), and provocative experiment (Vertov). Their names became synonymous with these approaches, and these three devolved into iconic figures for later documentarians.

Cinema Verité

Practices set in motion by the legendary trio of documentary founders were profoundly shaken up in the 1960s revolution that was variously called cinema verité, observational cinema, and direct cinema. This style broke dramatically with then-standard documentary practices of advance planning, scripting, staging, lighting, reenactment, and interviewing. All these traditional approaches had accommodated the limitations of large, heavy 35mm equipment, and they were appropriate to audience expectations of the time. Cinema verité (to use a popular umbrella term) employed the far lighter 16mm technology made more popular and accessible after the military deployed it during the war. Cinema verité spoke in a fresh voice, often about different subjects.

Cinema verité filmmakers took lighter, 16mm equipment into places that had not been seen before—the interiors of ordinary people's homes, on the dance floor with teenagers, back rooms in political campaigns, backstage with celebrities, on line with strikers, inside mental hospitals—and filmed what they saw. They took huge quantities of filmed footage into editing rooms, and through editing they found a story to tell. They used the innovation of sync (for "synchronized") sound—for the first time they could record image and sound simultaneously in 16mm—to overhear ordinary conversation, and they mostly did away with narration.

Practitioners now span the field, including filmmakers whose work antedates the movement, such as legendary French filmmaker Agnès Varda (*The Gleaners and I [Les Glaneurs et la glaneuse]*, 2000), filmmakers whose work shapes current practice such as Britain's Kim Longinotto, and China's Wang Bing (*West of Tracks [Tie Xi Qu]*, 2003), and emerging filmmakers. One demonstration of how commonly this style is picked up by aspiring filmmakers is the Steps for the Future project (2002). This international co-production between South African national television (SABC) and several European public service televisions tackled the controversial topic of AIDS in southern Africa. Some thirty-eight films resulted, most from first-time filmmakers; most were made using cinema verité conventions.

Evolution

This revolution in style began at a time of rising distrust among consumers of top-down media authority, perhaps seasoned by the public's experience of World War II propaganda and certainly by the rise of advertising as an international language of persuasion and the power of mass media. That distrust of media was itself imbedded in a much wider trend of social movements for justice, equality, political openness, and inclusion. These movements touched every corner of the world and resulted in the end of colonialism, changes in governments, and civil rights victories for discriminated-against social groups ranging from low-status castes to women to disabled people.

The first inklings of this movement in fact had nothing to do with technology. Films that emerged from Britain's Free Cinema movement in the late 1950s are distinguished by flouting the sober Griersonian mandate to educate and inform in the service of civic unity. Free Cinema literally freed itself from precisely that mandate. Lindsay Anderson's *O Dreamland* (1953) and Karel Reisz and Tony Richardson's *Momma Don't Allow* (1956) took viewers on a vacation with working-class kids going to an amusement part and a jazz club. The films did not implicitly judge their characters or dictate to viewers what to conclude from what they saw, nor did they tell viewers that what they were seeing was important. The films were chances to peer into zestful moments of ordinary life and frank statements about the personal interests of the filmmaker. Other work took a strong rebellious moral stance, opposed to the status quo. For example, French filmmaker Georges Franju made *Blood of the Beasts* (*Le sang des bêtes*, 1949) and *Hôtel des Invalides* (1952), profiling a slaughterhouse and a veterans' home, respectively. *Blood of the Beasts* exposed the cruelty behind the routine provisioning of meat and drew implicit comparisons between the slaughter of animals and that of people; the second was openly antimilitary and anticlerical.

Filmmakers in Canada, the United States, and France quickly pushed technological innovation to promote a new way of doing documentary. Time-Life Broadcasting bankrolled experiments by Robert Drew, who worked with engineer D A Pennebaker, and filmmakers David and Albert Maysles and Richard Leacock. (Leacock had become hooked on documentary by working with Flaherty on *Louisiana Story*.) With the help of French documentarian and engineer Jean-Pierre Beauviola, these innovative filmmakers succeeded in developing a system that recorded simultaneous sound without requiring all the equipment to be linked together and to the subject.

In the United States, experiments bloomed, not always successfully. The Drew team followed an electoral battle between John Kennedy and Hubert Humphrey in *Primary* (1960). Baffled ABC programmers refused to air it, saying it looked like "rushes" (the unedited day's footage); today, the film looks carefully crafted, although it communicates a breathless immediacy, as Jeanne Hall has stated. The ABC television network continued to dabble in the form, although it freely recut the material to fit the network's purposes. For instance, when Richard Leacock produced *Happy Mother's Day* (1963), a film about the birth of quintuplets that revealed crass commercialism in the public celebration of the births, ABC recut the footage to turn it into a heartwarming story of a town uniting to help the family. (Leacock later released the original.)

Cinema verité (sometimes called direct cinema, observational cinema, or in Canada, candid eye, after a TV series) electrified filmmakers with its possibilities. David and Al Maysles produced a series of striking feature documentaries that were celebrated in the arts-repertory circuit that was then a vital artery of film culture. In *Salesman* (1968), the brothers followed a group of Bible salesmen, who were living the contradictions of the American dream, as they relentlessly hawked a sacred book. Film editor Charlotte Zwerin turned their footage into an American tragedy. It was a sad and evocative statement about the collapse of a dream, which was released at the height of social divisions in the country around the Vietnam war and cultural values. Although *Salesman* had sharp social overtones, most of the Maysles's work avoided political subjects.

At the Canadian NFB, cinema verité—which began as a slap in the face of social moralism—became a central style, ironically for a unit started by John Grierson. One of the pioneer films was a portrait of teen idol Paul Anka, *Lonely Boy* (1961), which kicked off an entire category of backstage celebrity films. The NFB's Challenge for Change program—launched in 1966 by Colin Low and John

6. ***Salesman*, a classic of cinema vérité filmmaking, turned the hawking of Bibles into a parable about the American dream. Directed by Albert Maysles and David Maysles, 1968.**

Kemeny to encourage new voices and issues to surface in Canadian documentary, partly by training amateurs to use the camera—adopted cinema verité as its natural language. Grierson, always eager to show his influence, immediately claimed that Challenge for Change was only following in his tradition of documenting social problems.

Filmmakers worldwide seized upon the fly-on-the-wall opportunities provided by this approach. For instance, Nagisa Oshima produced for Japanese TV *The Forgotten Imperial Army* (1963), about Korean veterans of the Japanese army caught between Korea and Japan and without veterans' services. The renowned filmmaker Kon Ichikawa produced *Tokyo Olympiad* (1965), an ironic bow to German Leni Riefenstahl's exquisitely executed work for the Nazi government. Ichikawa closely observed athletes and made them not into emblems of the nation as Riefenstahl had, but into individuals struggling for their personal best. In India, the "parallel cinema" produced verité-style documentaries including S. Sukhdev's *India 67* (1967).

Inside institutions

Fred Wiseman, a Boston-born lawyer-turned-filmmaker whose work was primarily done on public TV, produced work with a consistent, very different tone. His film career exposing the lived experience of institutions began with *Titicut Follies* (1967), which took viewers inside a Massachusetts mental hospital. A high school, hospital, boot camp, zoo, ballet company, court, housing project, and state legislature are among the many subjects of his films. They typically chronicle relationships that feature victims of impersonal, regimented social systems and the enforcers of those systems. The viewer never sees the filmmaker; there is no narration; the viewer simply enters the world of the institutionalized. And yet Wiseman, through sharply pointed editing and choices for subject matter, sits harshly in judgment on a system and society that treat human beings like problems to be managed. In *Titicut Follies*, it may have been this stern implicit indictment that led the Massachusetts state authorities to ban the film, even after it won awards; they argued that Wiseman had not gotten permission from enough people in the film to legally represent them on screen. The film may also have influenced the closing of the institution featured in the film. Wiseman's work has since been shown regularly on American public TV, where it has been an important demonstration of public TV's claim to innovation and significance.

To see how differently a participant-observation approach on institutions may be used, one might contrast *Titicut Follies*'s damning portrait with other films focusing on mental institutions. One of the best-known works of the Canadian documentarian Allan King, *Warrendale* (1967), let viewers spend time in a school for troubled young people. King's early hero had been Flaherty; King opposed the "propaganda" model of Grierson, which was so popular in Commonwealth countries. Grierson, he believed, had put the form into a "political straitjacket." *Warrendale*'s approach reflects his humanist outlook. Where Titicut is a place of horror, Warrendale—an experiment King admired—appears both prison and refuge, where suffering people undertake their own tentative recoveries with assistance. King portrayed Warrendale as an imperfect organism composed of flawed but mostly decent people.

Finally, one might look at *Thin* (2006), which shows an American clinic dealing with eating disorders. Directed by photographer Lauren Greenfield and produced by R. J. Cutler, a protégé of D A Pennebaker, the film takes viewers inside the clinic for a season, sharing with viewers the perspectives of both patients and staff. Rather than the judgment of Wiseman or the empathy of King, it brings voyeuristic fascination to its subject.

Provocation

Some filmmakers used the new techniques to provoke as well as to observe, as Erik Barnouw noted. In France, Jean Rouch, an anthropologist-filmmaker who wanted to let subjects tell their own stories, used new 16mm technology (in the process his team refined sync sound innovations) to probe the consciousness of postwar, postcolonial Paris. His group borrowed the term "cinema verité" from Dziga Vertov's *Kino-Pravda*, and they made *Chronicle of a Summer (Chronique d'un Été,* 1961).

The film records the interactions of a small group of young people, selected from co-director Edgar Morin's friends in a small, politically radical group. The friends conduct interviews with strangers on the street and film their own conversations. A Holocaust survivor's story shocks African students, who in turn expose the daily racism of the metropole toward the colonials; a neurotic Italian woman searches in vain for ordinary happiness. Within the film, characters comment on earlier parts of the film, and the filmmakers debate the different approaches.

The small experiment reverberated among activist-makers. The French radical director Chris Marker used its techniques to challenge the French with questions such as "Do you feel we live in a democracy?" in *The Lovely May* (1963); Jan Apta, a Czech filmmaker, conducted an on-camera survey of young people about their dreams and hopes in *Nejvetsi Prani* (*The Greatest Wish* [1964]); in *Opinião Publica* (*Public Opinion* [1967]), Brazilian filmmaker Arnaldo Jabor recorded the perspectives of lower-middle-class residents of Rio de Janeiro—a voice not heard before in Brazilian film and television.

Controversy

Cinema verité became a source of immense contention, partly because of the totalizing nature of its supporters' claims to truth. (Robert Drew blithely dismissed most previous documentaries with the simple word "fake.") In March 1963 at a film conference in Lyons, France, filmmakers debated the new approach. Enthusiasts decried the paternalistic and didactic model of Griersonian documentary, and celebrated the integrity and accuracy of cinema verité. Others resisted.

The Dutch activist filmmaker Joris Ivens resented the implicit claim in the term "cinema verité" that not only did it tell the truth but earlier forms of documentary did not. He followed that the claim skimmed over such important questions as "which truth and for whom? Seen by whom, and for whom?" The fantastic capacities of lightweight equipment also ran the risk, he said, "of skimming reality instead of penetrating it." And sometimes you needed to stop observing, he said, and "make militant films." The radical French director Jean-Luc Godard charged that cinema verité advocates had chosen to deny themselves the benefit of selection and reflection: "Deprived of consciousness, thus, Leacock's camera, despite its honesty, loses the two fundamental qualities of a camera: intelligence and sensibility."

Since then, debates have not stopped. Even the name for this approach has been contentious. Although Rouch had given cinema verité its name, he and other French filmmakers began calling their work "direct cinema." Meanwhile in the UK, where direct cinema had originated, cinema verité became a catchall term, as it did in the in the United States, for anything that involved no narration, a handheld camera, and the capture of action.

Some filmmakers reject the term, others the entire approach. "Cinema verité is the cinema of accountants," German filmmaker Werner Herzog told D A Pennebaker. Fred Wiseman called his films "reality fictions," arguing that he did not intend to represent reality objectively but to show *what* he saw and what he found interesting in that. Even this phrase was, he said, a "parody-pomposity term" invented to poke fun at the pretensions of cinema verité. The American documentarian Errol Morris inveighed against cinema verité, for claiming "that somehow if you juggle a camera around in your hands, sneak around in the corners of rooms and hide behind pillars, the Cartesian riddle will be solved as a result. That somehow epistemology will no longer play a role in what you do. That this is truth cinema, truth incarnate as revealed by a camera!" Lindsay Anderson, one of the pioneers of Free

Cinema, believed that direct cinema was "just an excuse for not being creative and being pretentiously journalistic."

Filmmakers who proudly call their work cinema verité still grapple with the question of what *kind* of truth cinema verité offers. Jean Rouch stated that the filmmaking process is "a sort of catalyst which allows us to reveal, with doubts, a fictional part of all of us, but which for me is the most real part of an individual." Canadian cinematographer and inventor Michel Brault neatly sidestepped the issue when he told critic Peter Wintonick, "You can't tell the truth—you can reveal." Canadian filmmaker Wolf Koenig (*Lonely Boy*) reverted to a familiar argument when he told Wintonick, "Every cut is a lie but you're telling a lie to tell the truth." These many twists of phrase recall the wry comment of theorist Noël Carroll: "Direct cinema opened a can of worms and then got eaten by them."

Critics have challenged the claim that filmmakers are showing unvarnished truth, even a subjective one. Jeanne Hall has shown how D A Pennebaker, in his pathbreaking verité portrait of Bob Dylan on tour, *Dont Look Back*, in fact carefully shaped the documentary to convey the filmmaker's own criticisms of the media. Thomas Benson and Carolyn Anderson charged that Fred Wiseman's films involve a contradiction, since he plays the role of author, and has created a work full of meaning but then withholds his meaning from the audience, thus demystifying institutions but mystifying his own role. A. William Bluem explored the possibility that the very spontaneity and emotionality of verité can obscure perception.

Others have pointed out that the approach can have effects opposite from the one that documentarians may hope for. Peter Davis's *Middletown* (1982), supposedly a summary of sociological research, ignored the research's conclusions in order to focus on crisis and peak moments in a season of the town's life. The cinema verité approach he chose, as Brian Winston mentioned, favored conflict in the day-to-day rather than the sociological insights of the report. After 1968, the French radical filmmaker and theorist Guy Hennebelle argued that some seemingly transparent practices—for instance, verité scenes of workers talking, which film activists believed might mobilize them for revolutionary action—could simply recapitulate the "false consciousness" of the workers themselves. "It is better to admit frankly the manipulation and make it agreeable to the eye and the ear by making use of the whole arsenal of the cinema," he declared.

The ethics of a verité filmmaker's relationship with the subject has often been raised. Filmmakers may inadvertently change the reality they film, and they may agonize over how much to intervene. The makers of Kartemquin Films's *Hoop Dreams* (1994), tracked two, poor, African American families over more than five years and sometimes contributed to family income; they believed modest contributions were part of a good-faith

7. Kartemquin Films used cinema verité to tell untold stories, including those of African American children (*Hoop Dreams*, 1994). Produced by Kartemquin Films.

relationship with the struggling families. The mother of the Loud family bemoaned that her family might never live down the publicity given to them in *An American Family* (1973), and indeed the Loud family continued to be targets of unwanted attention for decades. When the Maysles brothers filmed a concert of the Rolling Stones for the film that became *Gimme Shelter* (1970), the Hell's Angels were paid to keep order. But an altercation with a fan resulted in a death, which the film team captured on film, to some amount of criticism. Terry Zwigoff's *Crumb* (1995) exposed the private lives of the psychologically disturbed family of cartoonist R. Crumb for theatrical entertainment; Zwigoff had the consent of Crumb and his family, but some questioned the ability of the more disturbed family members to provide that consent.

Cinema verité is no longer revolutionary. It is the default language for music documentaries, and for all kinds of behind-the-scenes and the-making-of documentaries; it is part of the DNA of cop shows and docusoaps and part of the credibility apparatus of reality TV shows. It is built into expectations for grassroots video projects to expand expression, such as the BBC's *Video Diaries* project of the 1990s. The career of British filmmaker Nick Broomfield, whose sensationalist peerings into the lives of the famous and notorious are internationally successful, has depended on it. Cinema verité techniques are commonly used in political advertisements, to lend freshness and credibility. The approach has lost its novelty but not its ability to convince viewers that they are present, watching something unconstructed and uncontrovertibly real.

Chapter 2
Subgenres

We have established that documentary is a film genre in which a pledge is made to the viewer that what we will see and hear is about something real and true—and, frequently, important for us to understand. The filmmaker must, however, use a wide range of artifice in order to assert that claim, and many of them do their work in a commercial or semicommercial environment that constrains their choices. As documentary has evolved, so have standards, habits, conventions, and clichés around how filmmakers do their work.

We now turn to several subgenres to see how differently filmmakers have addressed the problems of representing reality within various subject areas.

Public Affairs

A good place to start looking at documentary's many subgenres is the public affairs documentary, which survives in the public television science series *Nova,* specials on such issues as poverty, government welfare programs, corporate corruption, and health care, and other public service programs. Such documentaries typically undertake an investigative or problem-oriented approach, feature sober exposition with narration and sometimes a host, make liberal use of background footage or b-roll, and focus on representative individuals as they exemplify or illustrate the problem. They promise an authoritative, often social-scientific view of an issue, speaking as professional journalists on behalf of a public affected by the problem.

This has been a socially influential and aesthetically durable form, which grew out of the early experiences of documentary makers and in the traditions of journalists. It is also the source of many viewers' expectations of objectivity and sobriety in documentary, and the reason why so many are surprised by the wide variety of work produced in the short history of documentary.

The broadcast TV public affairs documentary had its heyday from the mid-1950s to the mid-1980s, largely on commercial television. Major funders of public affairs documentaries were broadcasting companies, which produced these films in order to win prizes and prestige, to justify their use of airwaves they got licenses for from government, and as part of public service mandates explicitly imposed by regulators. As television became the primary vehicle by which people learned about the world beyond their own experience, the power of television broadcasters to affect public opinion—and therefore elite decision making—grew. And as it expanded, broadcast executives became ever-more implicated in elite politics.

Public affairs documentaries evolved as a more seasoned, thoughtful version of news—a kind of feature magazine to the news' headlines. For Fred Friendly, the legendary producer who worked with Edward R. Murrow and later became a leader of public television, the job was "interpretation, background and understanding at a time when comprehension is falling behind the onrush of events." The men and (much less frequently) women who produced these documentaries saw themselves as journalists, often investigative journalists. They believed in the role of journalism as a Fourth Estate: a watchdog on power. At the same time, cautious executive producers needed high ratings to survive and were acutely aware of close scrutiny by powerful politicians, who held the ability to revoke licenses and mandates.

History and culture

The advent of television in the 1950s dramatically changed the opportunities and challenges for documentarians. Early documentaries had been made by filmmakers; now people flooded into television from radio and print journalism. The BBC launched *Special Enquiry* (1952–57) and *Panorama*, which continues. Granada TV, a British commercial channel, launched *World in Action* (1963–98). In the United States, the three networks each had series: CBS's *See It Now* (1951–58), followed in 1959 by *CBS Reports*, and NBC's *White Paper*, followed later by ABC's *Close-Up!* (1960–63). The Australian Broadcasting Corporation launched *Chequerboard* (1970–72), and *Four Corners*, which is still running. Because they were produced in series through major news and information outlets, such public affairs documentaries implicitly asserted that the topics they covered were the most important topics of the day.

The public affairs documentary series has been threatened by nearly every business development in television. Growing audiences raised the ratings stakes, and competition from the advent of multichannel cable television, satellites, and the Internet made it ever-harder to justify high budgets. Deregulation and privatization vastly reduced public interest obligations. In the 1970s and 1980s, U.S. networks dropped series and turned to specials, sometimes outsourcing them to freelancers ranging from Hollywood-centric David Wolper to scruffy independent Jon Alpert.

The 1970s also saw the rise of newsmagazines, such as *60 Minutes* and *20/20*. These highly formatted shows further undercut television public affairs documentary, while drawing on their prestige. Producer Tom Spain, who started out working on

Twentieth Century under Richard Paley's CBS, believed that the "good days"—what others called the "golden age"—ended "when *60 Minutes* started to make money ... we thought of ourselves as, maybe, Mr. Paley's kennel full of well-bred dogs—he could show us off, have us do tricks, and be a kind of loss leader." By the 1990s, public affairs documentary on the "golden age" model was a rarity on commercial television everywhere. Public service television continued to produce high-end public affairs documentaries, but producers also began searching for ways to make significant work on much lower budgets and with different models. For instance, in the United States the public affairs series *Frontline*, always an innovator, continued to produce its prestigious programs and also experimented with low-budget programs, sometimes showcased on the World Wide Web, produced with the latest digital equipment.

Public TV

Public television in the United States was born, in part, out of the frustration of large foundation executives with the limits of public affairs documentary on commercial television. The Ford Foundation bankrolled an effort that found traction in the White House; by 1967 an entity had been created to channel federal funds (never to become more than a fifth of public television's funding, however) to hundreds of local stations throughout the country. The foundation funded controversial documentaries, including *Banks and the Poor* (1970), which criticized bank lending policies that excluded whole neighborhoods. One of the lenders criticized was a major donor to Richard Nixon's presidential campaign. Nixon waged war on public affairs on public television and was stopped only by impeachment.

The experience left station managers leery of all public affairs. Foundations funded documentarians who could negotiate the anxieties of the Public Broadcasting Service and its member stations. Expert journalists such as Bill Moyers, Roger Weisberg, Hedrick Smith, and Alvin Perlmutter executed heavily researched and highly professional works on large topics such as education, gentrification, and even death and dying. Investigative journalism on timely political topics was more controversial and even harder to fund.

As cheaper production fueled a dissident generation in the 1970s, independent producers organized to insist on space on public television. Series such as *Frontline*, which featured investigative journalism, and *P.O.V.*, which showcased work in a personal voice, resulted. In 1991, independent producers eventually succeeded in dedicating federal funds within public television for the Independent Television Service, which largely produces documentaries.

Influence and significance

Network public affairs documentaries often have attracted enormous attention. Intense controversy circulated around the several episodes of *See It Now* in which Edward R. Murrow challenged the antidemocratic intimidation of Communist witch hunts, and he finally took on Sen. Joseph McCarthy, one of the most publicity-hogging of the witch-hunters. (The 2005 feature film *Good Night, and Good Luck* draws on this history.) The 1968 *CBS Reports* program "Hunger in America" exposed the failures of the federal welfare system and generated so much public reaction that the Senate held a hearing and funds for the programs were increased. *The Defense of the United States* (1980), a terrifying CBS documentary on U.S. nuclear military policy, was widely seen in Europe and may have soured European governments on U.S. military plans. The work of British filmmaker Adrian Cowell for British commercial television on Brazilian rainforest devastation—the *Decade of Destruction* series (1980–90)—informed a successful campaign by nongovernmental organizations to reform World Bank environmental policies. The BBC documentary *The Power of Nightmares* (2004) by Adam Curtis, which argued that the rise of fundamentalists had been aided by neoconservative zealots in the United States, raised an international uproar.

At the same time, broadcasters have often avoided being on the bleeding edge of an issue. Ed Murrow waited a full two years, for example, before he took on McCarthy. The BBC hesitated to show *The Power of Nightmares* and initially aired it without publicity. Until the later 1960s, the U.S. networks studiously avoided the Vietnam War; they also avoided any recognition of documentaries done around the world, including in Cuba and Vietnam, on the subject. Several Canadian documentaries by internationally renowned broadcast journalists such as Michael Maclear and Beryl Fox were not shown in the United States, presumably because executives chose not to ruffle politicians' feathers or because they themselves participated in the same social circles and internalized the political elite's distaste for dissent.

CBS's *Morley Safer's Vietnam* (1967) finally broke the silence, with uncommented but damning footage showing a war far different from the one represented by the government, and this film seemed to open up possibility. CBS commissioned the British journalist Felix Greene to make a film about North Vietnam, but the network then apparently lost courage and canceled the contract. However, the new public broadcasting service picked up the show. Greene's *Inside North Vietnam* (1968) showed a determined, even happy people, whose nationalist ambitions reminded some reviewers of American colonists' aspirations. The film outraged some congressional representatives, one of whom threatened to cut funding for public television.

As antiwar protest and public opinion grew, U.S. networks gathered more courage. In 1971 CBS aired *The Selling of the Pentagon*, sometimes regarded as the apex of this kind of public affairs documentary. It revealed the extent of the U.S. military's public relations machinery and even criticized the network's own (occasional) complicity. The airing drew so much attention—including outrage from the administration and the Pentagon—that a second broadcast drew higher ratings than the first. The

Pentagon withdrew some of the public relations materials criticized in the reporting.

Independent filmmakers meanwhile made very different work, which was not broadcast. Their work often eschewed the soberly objective stance and claim to comprehensiveness of broadcast documentaries. Antiwar activists used Michael Rubbo's Canadian documentary *Sad Song of Yellow Skin* (1969), in which the small crew followed three U.S. journalists around Saigon, to mobilize support for their cause. Emile de Antonio created an analytic history of the Vietnam War as a continuation of imperialist policy in *In the Year of the Pig* (1968), which was shown in theaters. In 1974 Peter Davis, who had produced *The Selling of the Pentagon*, made *Hearts and Minds*, a pointed, heartbreaking document showing what Davis believed was the betrayal of fundamental U.S. beliefs and ideals in the Vietnam War. Where the CBS film had been a tough and damning piece of reporting, *Hearts and Minds* was an expression of grief and rage.

Conventions and criticisms

The differences in style and tone between *Selling* and *Hearts* speak to the conventions of public affairs documentaries. Network documentaries were highly crafted, institutional products. They were professionally produced, using lighting, editing, and scripting techniques drawn from Hollywood filmmaking. The personalities, and sometimes even the names, of the producers who were responsible for them were absorbed into the broadcast network's institutional identity, represented by the host.

The producers developed a range of conventions to communicate authority, accessibility, balance, accuracy, and significance. They usually used an interviewer/host who could register both authority and accessibility. Ed Murrow was a model, with his rolled-up sleeves, cigarette, and somber tones, surrounded by TV equipment and the aura that his radio reputation cast. His demeanor communicated knowledge without elitism. The programs used plenty of b-roll and symbolic material, and as the tempo of TV picked up they began to use interview footage as story elements, clipping out remarks and inserting them into the story line. Sound was king; both narration and soundtrack led the viewer through the analysis.

Thus, it was a shock to U.S. network executives when *Life* photographer Robert Drew and his team in 1959 proposed to ABC an entirely different way of making public affairs documentaries. Using more lightweight, mobile equipment, capturing events rather than interviews, they promised viewers a fly-on-the-wall individual experience rather than an institutional analysis. Programmers tried it, with grave doubts. Gradually, cinema verité influences appeared in network public affairs, without overthrowing the crafted-and-narrated approach. The BBC and Canadian Broadcasting Corporation also tried out observational public affairs documentaries, also without abandoning the analytically crafted model. New formats appeared. In 1964 the British commercial channel Granada TV daringly aired *Seven Up*, the beginning of a series in which children of different socioeconomic status in the same classroom were followed at seven-year intervals throughout their lives. The series contained elements both of observation and concern for grassroots experience of verité and the narration, interview, and problem-orientation of the established public affairs documentary.

Network public affairs documentaries in the pre-cable era were highly influential, but they also opened wounds. In rural Appalachia, which was the focus of several network documentaries on poverty and inequality, many resented becoming "poverty" poster children and believed their cultural values had been slighted. At the same time a regional arts center, Appalshop, had been started with federal funds from Lyndon Johnson's Great Society initiative. Documentaries exploring the hill culture of the region became its priority. *Stranger with a Camera* (2000), made by one of the Appalshop founders, Elizabeth Barret, reveals the long-term ethical reverberations for locals and mediamakers; the film highlights a 1967 incident when a cantankerous landowner, angry at media outsiders, shot a liberal Canadian photo-journalist associated with television public affairs.

The network television documentary has been examined more by journalists and journalism scholars than by cinema studies scholars. (This might be in part because the subgenre's corporate identity complicates the director-focused, auteurist approach of many film scholars.) The Australian independent broadcast journalist John Pilger argued passionately that the much-vaunted impartiality of traditional TV documentary "is the expression of a middle-class consensus politics" that privileges power. Instead, he proposed, journalists should vigorously be watchdogs on power and defenders of the public interest. The conventions of public affairs broadcast journalism have been analyzed by communications scholars. Thomas Rosteck has shown how *See It Now*'s McCarthy coverage was cannily constructed to prejudice the Senator while seeming to be balanced and objective. Richard Campbell analyzed the format of the newsmagazines that provided a shrunken version of public affairs documentaries' mission, noting that *60 Minutes* episodes are structured like detective stories. The newsmagazines thus cannot tackle issues that fall outside the detective story model and cannot be resolved by "finding the villain." Most social problems, from global warming to traffic jams, are in general not the fault of one bad guy.

The public affairs documentary has lost its most munificent patrons, the old-style commercial network and national broadcasters; both face brutal competition that lowers budgets. The role of the authoritative broadcast journalist is also coming into question. Still, the style of the crafted, narrated, hosted documentary, positing an important concern to be investigated and understood and featuring a well-known, trustworthy host, remains a sturdy model. It continues to be a default choice in broadcast journalism worldwide, and it is also often imitated in work produced by and for nonprofit organizations striving for legitimacy and authority on any specific topic.

Government Propaganda

At the other end of the spectrum from the claims of public affairs documentary, which rests for authority on its journalistic expertise, is government propaganda—an important source of funding and training for documentarians worldwide and sometimes a powerful influence on public opinion.

Propaganda documentaries are made to convince viewers of an organization's point of view or cause. These films peddle the convictions not of the filmmaker but of the organization, although some makers fully support the cause. Although such work might be generated by anyone, including advertisers and activists, the term "propaganda" is more often connoted with governments. Documentaries have been valuable to governments precisely because of their claims to truthfulness and fidelity to real life. The height of importance for propaganda documentary was in the period before, during, and immediately after World War II, when film was the dominant audio-visual medium.

Documentaries were used by governments to influence public opinion from the origins of film. As warfare moved to the model of "total war" in World War I, governments used media to motivate their own troops, mobilize their own civilians, and convince others of their might. The British documentary *The Battle of the Somme* (1916), which succeeded with British audiences in theaters largely because it showed actual battle footage, is a well-known example.

After World War I, governments worldwide saw documentary as a new and potent tool. The Nazi party in Germany, rising to power in 1933, consolidated control over production, distribution, and exhibition of all films. Its political legitimacy was directly fed by propaganda. In Japan, the government in 1939 passed a law requiring filmmakers to hew to the government line and required theaters to show documentaries in every film program. The following year, the government forced a merger of leading news film companies to foster conformity of message in order to promote uniformity of behavior. The nascent Soviet government nationalized all media, in service of state agendas. The 1920s saw tremendous artistic ferment, as Dziga Vertov's career showed, followed by collapse into grim Stalinist socialist realism.

Propaganda agencies were created in Britain and the United States, but they had to negotiate with commercial producers, distributors, and exhibitors to get messages to their own citizens, except for members of the armed forces. Britain created a Ministry of Information, which was riddled with contradictory policies from the start. The U.S. Office of War Information was never fully supported by President Roosevelt, and each wing of the armed forces controlled its own propaganda production. American propaganda production also ran into opposition from Hollywood, where studios checked every attempt to create government products that might infringe upon business.

In Britain, Grierson's teams created some of critics' most treasured and troubling documentaries. Basil Wright's *Song of Ceylon* (1934) is an excellent example. It not only romanticized precolonial life in one of Britain's key tea-producing areas but also celebrated the impressive industrial process by which tea arrived at Britons' kitchens. It thus glamorized tea drinking, as William Guynn has noted, making the act a participation in a nostalgic view of an exotic culture, while also celebrating the energy and power of Britain.

Roosevelt's New Deal ameliorated economic crisis with shocking new government investment—and intrusion—into the lives of citizens, a change that called for persuasion. Different agencies employed documentarians, often drawing from the pool of radicalized artists who had been producing activist documentaries. The biggest of these was the Resettlement Administration, where writer and analyst Pare Lorentz became the producer of several celebrated documentaries.

Lorentz strove to make works of art in the service of state objectives he profoundly believed in, as did Grierson in Britain and Vertov in the Soviet Union. His projects showed the influence of European and Soviet artists' debates. They used sound as an independent element, not merely for background; they created associations through visual and auditory poetry; they echoed the look of city symphonies. Each of the Lorentz films negotiated between the often-radical analyses of filmmakers and official directives. William Alexander stated that Lorentz softened social analysis, particularly finger-pointing at greedy capitalists.

The Plow that Broke the Plains (1936), charged with encouraging public support for relief programs of the Resettlement Administration (later the Farm Security Administration), was a rueful look backward at the process by which people's choices had destroyed the ecology of the central plains and resulted in mass migration. Hollywood businesses refused to share footage with Lorentz, and major distributors refused to carry the film in their theaters, but independent theaters turned it into a minor hit. *The River* (1937) poetically argued the need for government intervention in water management and conservation by looking at the destructive power of the Mississippi; Lorentz sometimes called it an "opera." Paramount distributed it and actually made money, but studios remained hostile to government filmmaking.

The films that Lorentz made or supervised became classics among film students for their bold artistic experiment. They retain fascination for historians because they capture a moment when governments worldwide were—for good or ill—suddenly taking on enormous social and physical engineering projects.

Different goals, different styles

A comparison of three government propaganda documentaries shows how propaganda differs according to the government mandate and the cultural context as well as the artist. Three filmmakers chose three different stylistic approaches to the challenge of shaping viewers' ideology with reality.

The German filmmaker Leni Riefenstahl's *Triumph of the Will* (1935) was an excellent exemplification of the goal of Nazi film propaganda: to conflate Hitler with the nation, and to represent the party and later the state as a totalized, unified, and irresistible force. Documentaries were only one of a wide range of symbolic tools to achieve that aim. That symbolic power, which Riefenstahl employed so well, was intended to impress supporters and intimidate others, including foreign enemies.

Made to document the 1934 rally of the Nazi party and funded by the German national studio UFA, *Triumph of the Will* is a spectacularly choreographed representation of an already spectacularly choreographed event. It visually deifies Hitler—the opening scene shows him arriving from the clouds. It represents the German people as a highly disciplined, worshipful mass, acting with one purpose: to serve Hitler as an equivalent of the nation. With its shots of euphoric faces idolizing Hitler, telescoped crowd scenes inspiring awe, swelling orgasmic music, and shots of individuals young and old all sharing the same actions and emotions, the film makes political union, as Frank Tomasulo noted, positively sexy. Although it chronicles a political rally, the film carefully steers clear of political debate. The film is about the emotional thrill of belonging, of being part of something grandly historic.

As World War II began, the British had an entirely different challenge from that of the Germans. The "People's War" would be won by a mobilized population, but the nation had almost lost the war in the first attack. Britons needed confidence in their own abilities to resist. British propaganda, after a rocky and preachy start and heavy censorship, developed a reputation for honesty and truth-telling—giving Britons the real facts, real battle scenes, real war news, and real people.

Grierson's teams made dozens of documentaries. Perhaps the film that best exemplifies the British propaganda approach of celebrating ordinary people's ability to maintain their culture under pressure is *Listen to Britain* (1942) by Humphrey Jennings. An upper-class artist, he created several well-known wartime documentaries, all of them marked by a fascination with small but telling detail. He worked in *Listen to Britain*, as he did in others, with the brilliant editor Stewart McAllister.

Listen to Britain is a visual poem, seen through glimpses of everyday moments in a Britain on constant guard for planes and bombs. The viewer seemingly overhears the continuing sounds of daily life—children dancing in a courtyard, a chorus of a traditional song by ambulance workers, an upper-class recital, an American GI teaching "Home on the Range" to his Allied colleagues—as the camera wanders through streets and peers into rooms. Briefcase-laden men pick their way through rubble-strewn, bombed streets on their way to work; women take on surveillance duties uncomplainingly.

Some have argued that Jennings cynically played upon the myth that a class-riven Britain happily united around the war challenge, and others have said rather that he subtly pointed up the realities of class tensions in his contrasting images. However you read the work, Jennings produced a highly popular, short film that evoked a shared understanding among Britons that they would uncomplainingly do what it took to win, without giving up who they were. His approach was appropriate to the kind of message he wanted to deliver. His disarming method was to appear not to be propagandizing at all.

The United States faced still different challenges. The federal government had no freestanding propaganda ministry or documentary production unit. The Americans entered the war belatedly, and many people in the United States resisted support for the Allies until the Japanese bombing of Pearl Harbor. Moreover, young men who were mobilized for the armed forces often came from farms or small towns and had shallow educations; they had no idea why they were supposed to risk their lives.

The hallmark work of U.S. war propaganda was the *Why We Fight* (1943) series, produced by noted Hollywood director (and Sicilian immigrant) Frank Capra for the Army's Information and Education division. It addressed both isolationists and the ignorant. Commissioned by the U.S. Army, the eight-part series was designed to explain to American troops why the country was involved in this war. Capra drew on the film work of the U.S. Signal Corps, and he freely used his Hollywood connections. The key to his project, though, was the work of other nations' propagandists—especially the work of Riefenstahl. He interwove images from Hollywood films (after overcoming studio resistance), animated maps from the Disney studios, U.S. Army footage, and enemy propaganda turned into a portrayal of danger. Riefenstahl's ability to overwhelm the German viewer was, reinvented through American eyes, a sound to alarm.

The *Why We Fight* series is a set of didactic, emotionally powerful arguments for U.S. involvement in the war. The style is jaunty, confident, even brash, drawing on the American popular culture of newspapers, radio, and film that was then the staple media diet of young Americans. Political arguments are simplified, sometimes into falsity. No mention of segregation, for instance, creeps into the rosy portrait of American democracy. Capra brought his trademark populist sentiment for "the American way of life" to the project. The contemporary political crisis was put in the context of American populist and democratic values meshed with the quality of small-town, neighborhood life. He had little control over the overt political messages, which were set by military officers.

These three filmmakers used radically different styles—dazzling spectacle, deliberate understatement, forthright direct address. Their work reflects distinct cultural contexts as well as political missions. The filmmakers shared, however, a core strategy: to link the present crisis to what viewers could see as their enduring values and cultural heritage.

Effectiveness

Are propaganda documentaries effective? Nicholas Reeves, drawing on rich literature on media effects, has concluded that these films, like the propaganda efforts of governments generally, succeeded where they were able to reinforce beliefs—propaganda films have never been very effective at changing public opinion. Claims for the power of any one piece of propaganda to poison or control the minds of viewers seem universally to be overstated. At the same time, each documentary forms part of a larger picture of persuasion and agenda-setting, creating expectations and gradually redrawing mental maps of what is normal.

Propaganda films also have lacked the appeal of commercial fiction films. During World War II, propaganda films were more often shown in nontheatrical screenings than in theaters. In Japan, where documentaries were mandated, wartime studies showed that the documentaries attracted relatively few women. In Germany *Triumph of the Will*, despite the Hitlerian state's unsubtle promotion of it to theater owners, often ran for only one week in theaters because of small audiences. The film did not seem to improve public opinion soured by bad economic news and alarm over Nazi anti-Semitic extremism. The achievement of *Triumph of the Will* may have been at a deeper level not reflected in polls; it associated the newcomer Nazis with deep cultural and historical traditions.

8. *Triumph of the Will* provided propaganda not only for the Nazis but also, when recut, for the Allies. Directed by Leni Riefenstahl, 1935.

In Britain, "people's war"–themed documentaries lasted longer in theaters than more timely and preachy propaganda. Humphrey Jennings's 1940 *London Can Take It* was the first box office success. It featured an American journalist's reporting, with the underlying motif that Germans cannot "kill the unconquerable spirit and courage of the people of London." *Listen to Britain* was another audience success, but it was an exception. Documentaries were also taken on the road, with 16mm projectors for organized screenings.

In the United States, Capra's series was shown to just about every soldier at home and abroad. Studies showed that the films affected soldiers' opinions both immediately after viewing and later. With their uncomplicated celebration of the Allies, the films were also popular with British and Russian governments, which ordered them shown in theaters. The series was less successful in U.S. theaters. Theater owners did not want to show the *Why We Fight* series, in part because of bad experiences with documentaries, and in part because the series reused much material—especially newsreels—that had already been shown in theaters.

Viewers do not surrender easily to propaganda they can identify. *Triumph of the Will* could be used by so many for counterpropaganda so effectively because its command over the viewer is imperial; it became a visual demonstration of the will to conquer and crush. One of the reasons *Listen to Britain* has remained so beloved is because it creates the impression among viewers that it is not attempting to control their minds but inviting them in to observe a reality.

Results of a propaganda film can be far different from expected, as the reuse of Riefenstahl's work has shown. The American Hollywood director John Huston made a wartime film for the American armed forces, *The Battle of San Pietro* (1945), to inform Americans of the need for the high-casualty fighting in Italy. Because it was so graphic, the government chose not to use his film during the war for fear of alarming the populace, although it reversed its decision after the war's end. The film, with its unique battle photography, has been used since by antiwar activists, among others, to demonstrate the high human cost of war.

The work of Akira Iwasaki, as recalled by Erik Barnouw, is an ironic tale of propaganda redeployed and suppressed. Having been forced to work as a filmmaker for the Japanese government during World War II, Iwasaki had the equipment and skills to record the aftermath of the bombing of Hiroshima and Nagasaki. The U.S. occupation government, however, soon confiscated and classified his work. When the work was declassified, Erik Barnouw produced a short, powerfully moving film, *Hiroshima-Nagasaki, August 1945*. When Iwasaki saw the film, he saw his own footage on the screen for the first time.

Ethics

If documentary pledges to show viewers a good-faith representation of reality, can an honest filmmaker produce propaganda and really call it a documentary? Many broadcast journalists would regard it as career-destroying to take a government contract. Independent filmmakers likewise prize their autonomy from government dictates and censorship. At the same time, many film production companies make their bread and butter producing training and promotional documentaries for governments, although this is generally regarded as unglamorous work.

Filmmakers in the World War II era often believed they had not only a right but an obligation to produce propaganda. John Grierson thought that intellectuals had an obligation to work for a strong and unified but still open society. As he explained at the time, “Simply put, *propaganda is education*. The ‘manipulation’ in our films combines aesthetics with ideas of democratic reform. We are medicine men hired to mastermind. We are giving every individual a living conception of the community which he has the privilege to serve.” Compromise was both a harsh reality and a privilege. “The first rule of filmmaking is don’t pistol-whip the hand that holds the wallet,” he once said about the absence of class conflicts in his government projects.

Frank Capra saw no contradiction in working for the U.S. Army, although he was often exasperated by the difficulties and frustrated by conflicting demands from military authorities. Capra proudly put his talents in the service of fighting fascism as did other leading Hollywood talents, some of whom had left-wing political beliefs and who saw fascism as the primary threat to a more socially just future. After the war, film producer and writer Stuart Schulberg produced a series of documentaries promoting the Marshall Plan for European consumption.

On the other hand and on the losing side, Leni Riefenstahl, who spent four years in a de-Nazification program after World War II, found that her association with Hitler tainted her for the rest of her life. She tried to argue that she was simply making art, not propaganda, but that she was forced to make propaganda. Until she died at the age of 101 in 2003, she insisted that she had never been a Nazi, that she had little option but to work for Hitler, and that she merely produced the most beautiful work she could under the circumstances.

Legacy

Propaganda, also known as disinformation, public diplomacy, and strategic communication, continues to be an important tool for governments. But stand-alone documentary is no longer an important part of public relations campaigns aimed at the general public. Government propaganda has been the object of attention by documentarians, though, as in the broadcast public affairs documentary *The Selling of the Pentagon*, Jayne Loader and Kevin and Pierce Rafferty's *The Atomic Café* (1982), which is a sardonic look at government propaganda about the nuclear age, and Robert Stone's *Radio Bikini* (1987) about the extraordinary U.S. government public relations campaign around the first H-bomb explosion.

Government propaganda organizations started in wartime have blossomed in peacetime. The National Film Board of Canada began as a wartime endeavor. Japanese government support for World War II propaganda films greatly expanded the capacity of the industry, and readied it for postwar, privately capitalized production.

One generation's propaganda is another's treasure trove. Deep archives of newsreels, documentary, training, and other actuality footage became a resource for later compilation films and TV series. For example, the American network TV series *Victory at Sea* (1952–53) drew heavily on navy filming. World War II–themed documentaries on cable channels have depended on public domain, government footage from World War II. Private businesses have flourished by cataloguing and indexing U.S. government materials. The Prelinger Archives also makes government films available in a free, downloadable digital form off the Internet.

Although documentary films are no longer primary vehicles for government propaganda, governments continue to invest in film and video for a very different purpose: surveillance. This ubiquitous practice can become fodder for documentarians as well. In Eastern Europe, after the fall of the Berlin wall in 1989, government archives became raw material for documentary films reexamining history. In the Polish filmmaker Piotr Morawski's *The Secret Tapes* (2002), secret police filmmakers recalled their jobs, voicing over footage from an accidentally abandoned carton of film. The film's sly humor comes from the filmmakers' evident nostalgia for their former jobs. Peruvian intelligence minister Vladimiro Montesinos's records of his illegal bribes were ultimately shown on television and resulted in Sonia Goldenberg's acidic documentary *Eye Spy* (2002).

Propaganda documentaries put a spotlight on the problems of representing reality built into the documentary genre. They use the same techniques as documentaries made for any other purpose. Like other documentaries, they are designed to show the viewer something the viewer can believe is true; the realities they show fit into an ideological context that gives the films meaning. They are not necessarily made in bad faith. Indeed, often the makers are patriots who see themselves contributing to the public good with their skills. They might even be truthful, or at least show a reality that the filmmaker believes to be true.

Propaganda documentaries differ from other documentaries in their backers, who are agents of the state—the social institution that sets and enforces the rules of society, ultimately through force. Those backers control the message. Those differences ramify the significance of propaganda documentaries, since the portrayal of reality is backed by such enormous power. These documentaries dramatically demonstrate that no documentary is a transparent window onto reality, and that all meaning-making is motivated. They also remind us of the importance of examining the conditions of production of any cultural expression.

Advocacy

Documentaries produced for political causes, by advocates and activists, raise similar issues as government propaganda documentaries, but they operate in a different context.

What distinguishes an advocacy film like one in the American Civil Liberties Union's Freedom Files or in the Sierra Club Chronicles (both at aclu.tv) from propaganda like Frank Capra's wartime work? Both of them are created by producers for organizations in order to promote the agenda of the organization. The big difference is in the nature of the sponsoring organizations. The state wields a unique power and authority over its citizens; its persuasion is often a tool in its repressive apparatus.

By contrast, in an open society civil society organizations' promotion of their own perspectives (with a few exceptions such as treason and obscenity) is regarded as contributing to a vital public sphere. The greater the activity of a wide range of civil society organizations in expressing their perspectives and appealing to a public to engage with them, the healthier a society is seen to be. American law in particular is anchored in the First Amendment, which endorses the idea that, as Supreme Court Justice Louis Brandeis put it, the remedy for bad speech is more speech.

What distinguishes an advocacy film like *Celsius 41.11*, produced by the American conservative advocacy group Citizens United, from a passionately argued independent film like *Fahrenheit 9/11*, to which it responds? The answer: Both its affiliation with an organization and its focus on supporting the organization's work with instrumental action by viewers. You may agree or disagree with Michael Moore, but he is one person, albeit a celebrity. Moore's arguments inspire conversation and may lead some viewers to express their disagreement with foreign policy (and others to rail at Michael Moore and liberals). They are direct interventions in public conversation. By contrast, advocacy films are tools of an organization's mobilization for action on specific issues or causes.

Advocates and activists have often chosen documentary because it is a relatively low-budget way to counter the status quo as expressed in mainstream media. They have grappled with questions of subject and form in their search for the most effective way to reach viewers. Advocacy films are usually highly focused and designed to motivate viewers to a particular action. Like government propaganda films, they may be made in good faith by people who profoundly agree with an organization's agenda. They, like propaganda films, deserve attention from anyone who wants to understand the techniques of persuasion—and nothing persuades like reality.

"Committed"

In the tumultuous 1930s, when the Great Depression thoroughly shook the faith of many in the future of capitalism, many left-wing political groups and many of the film clubs populated by fashionably left-wing young people saw documentary film as a tool to challenge the status quo. They wanted to make "committed" films—supportive of social and even revolutionary change.

In continental Europe, the UK, Japan, and the United States, enthusiastic young people debated the latest work of Vertov,

Eisenstein, Flaherty, and the Grierson teams in cinema clubs around the globe. Inspired by Vertov's Kino-Eye newsreel work, they made newsreels that countered the popular and often right-wing newsreels shown in theaters. In the United States, the Film and Photo League created a widely seen series of worker-oriented newsreels featuring strikes and demonstrations. These were simple records of events, photographed with a sympathetic eye for workers. Filmmakers showed the newsreels to each other, to recruits, and to political groups and rallies.

These political parties and cinema clubs were incubators for documentarians. The filmmakers who went to work for Pare Lorentz in the Roosevelt Administration began there, and so did Dutch activist filmmaker Joris Ivens. The stridency of the work is exemplified by a short film Ivens made with Belgian cinema club leader Henri Storck, *Borinage* (1933), portraying the miners as cruelly plunged into poverty as a result of a classic capitalist crisis of overproduction. "We wanted to shout our indignation by using the starkest images possible," said Storck later. The film, a didactic and angry indictment, used reenactment and condemnatory juxtaposition.

As the Great Depression deepened, in many countries the Communist Party (CP), affiliated with the Soviet Union, gained credibility. The CP had a powerful influence on progressive politics internationally, and on cultural work associated with it, including film. For instance, many of the Film and Photo League filmmakers were CP members, and the organization was informally part of the CP's "cultural front."

The connection with the Communist Party was crucial; it created community, it allowed people to pool resources, it provided audiences, and it shaped messages. The Spanish civil war provides one good example. The civil war broke out in 1936 when military officers including Francisco Franco revolted against the left-leaning Popular Front Republican government. Republicans resisted, with USSR-backed CP support. CP leaders suppressed other political factions, including anarchists. By 1939, Franco won with the help of the Nazis. Internationally, some saw the war as an anti-fascist struggle requiring international solidarity, while others, anti-CP, saw it as a national issue in which they should not meddle.

Internationally, filmmakers rallied to make films about the war, in order to raise awareness and funds for the anti-Franco forces. These films glossed over internal factionalism and encouraged international support for the Republicans, as suited the CP. One of the best known is *The Spanish Earth* (1937). The film was made by an international team—Ivens as director, Helen van Dongen as editor, with script and narration by Ernest Hemingway—for Hollywood backers. It demonstrates an artful approach to political truth telling and incidentally shows the growing aesthetic versatility of Ivens—who went on to become a leading activist filmmaker and mentor for many others, until his death in 1989.

In an approach that evokes the romantic realism of Robert Flaherty, the film brings viewers into the daily life of a village near Madrid. Filmed in the midst of the war, it documents the building of an irrigation canal crucial to crops that would feed embattled Madrid. The film's focus on the rhythms of daily life invites the viewer into the work and habits of the villagers. Now we see that the war is also part of the villagers' daily lives; we see them slinging guns, standing guard, surveying the wreckage after a bomb attack. The villagers' unstinting support for the anti-Franco cause is woven into the values and fabric of everyday life.

Ivens, with the help of Hemingway's spare narration, managed to sidestep messy political questions about factional conflict. The film communicated human warmth rather than delivering political information; Ivens used the techniques of realism to bring viewers' feelings to the fore. Although the film had only a modest theatrical run, it raised a substantial amount of money for the anti-Franco

Republicans in its screenings, both in theaters and in cinema clubs as well as in private showings.

The Spanish Earth also demonstrated one response to a debate common among activist filmmakers at the time: should one make "militant" films to mobilize one's own constituency to act, or should one be reaching out to convince broader audiences of a point of view? This second resort would require more artfulness, which *The Spanish Earth* successfully employed. The New York filmmakers who established the filmmaking group Nykino after a political and aesthetic split with the Film and Photo League also took up the second approach in making another famous advocacy film of the time, *Native Land* (1942). Using dramatic reenactments, the film drew upon a congressional investigation of civil liberties violations, and strove to inspire a greater demand for social justice and fair and equal treatment under the law. The film could not compete with Hollywood's production values, though, and by 1942 its message had been overtaken by wartime patriotism.

The advent of World War II put an end to many experiments in committed filmmaking. In Germany and Japan, governments ruthlessly suppressed cinema clubs. The combination of anti-communist witch-hunting and the self-discrediting of the Soviet Union after the 1956 revelations of the horrors of Stalinism and the Soviet invasion of Hungary distanced many intellectuals and artists from politics.

"Third cinema"

In the 1960s civil rights and human rights movements, struggles against colonialism, nuclear weapons, and the Cold War arms race all marked a time of political ferment. The technical breakthroughs that enabled cinema verité and the dawning of the video age with the introduction of portable video equipment in 1967 inspired many to again see documentary as a tool within political movements.

Seeing themselves as a cultural vanguard for change, activist filmmakers—often students or ex-students in a university community—formed collectives, or projects where work and benefits were shared equally. In the United States, newsreel collectives dedicated to raising awareness of social injustice among working people emerged in New York, San Francisco, and Chicago. In France, in the period that culminated in the 1968 general strike, Jean-Luc Godard and others formed the significantly named but short-lived Dziga Vertov group, which experimented with avant-garde film approaches. Chris Marker and others formed the more militant Iskra, named after Lenin's underground newspaper and focused more on working issues. In British collectives such as the London Film-Makers Co-op and the London Women's Film Co-op, members debated what styles were effective and which audiences to target.

Links were often international. In South Africa and worldwide, antiapartheid activists used *End of the Dialogue (Phela-Ndaba,* 1971) to rally international support. The film, which grimly exposed the harsh contrasts between wealthy white daily life and that of blacks in South Africa, was made by exiles in London. In India, the activist filmmaker Anand Patwardhan worked with demonstrators to document their struggle against government corruption. He smuggled out the footage and took a job in Canada; there, with resisters to India's emergency government, he made *Waves of Revolution* (1975). Internationally shown (but banned in India), it was used by political organizations to rally opposition to the emergency.

Throughout Latin America, filmmakers worked in groups inspired by the Cuban revolution's resistance to U.S. hegemony, and thus evolved a notion of "third cinema," a term that came to describe activist cinema around the world. Filmmakers in the developing world seized upon this idea, as did filmmakers in all parts of the globe who felt marginalized or saw themselves as representing the oppressed.

"Third cinema" derived from the concept of "Third World," which refers to nations and cultural movements that demanded autonomy from the superpower struggle of the Cold War. It promised a view of political change that was not tied to the Soviet Communist Party. Intellectuals and artists worldwide saw culture as an arm of this movement. Latin American independent and dissident cinema—*nuevo cine* and in Brazil *cinema novo*—led the way and, as Michael Chanan stated, documentary was an important feature of it.

Cuba, where the film industry was nationalized by 1960, was a center of production and support for independent filmmakers under attack in their own countries. (Joris Ivens worked with some of Cuba's leading filmmakers in the 1960s.) Cuban photographer and filmmaker Santiago Alvarez started Cuba's own version of Kino Eye newsreels and made many documentaries himself. The films show not only passionate outrage at injustice but also lyrical support for the revolution. One of Alvarez's first documentary efforts was *Now* (1965), interesting for its reuse of found images. Here, Alvarez composed a denunciation of racism in the United States with a collage from photos in magazines and newspapers of racial conflict. The soundtrack features Lena Horne singing a freedom song.

In Argentina, Fernando Birri established a socially engaged film school whose first film, *Tire Dié* (*Throw Me a Dime*, 1960) showed how young children raised money to feed their families by begging for coins from passengers on passing trains. Largely uncommented, borrowing in part from the neorealist style Birri had studied in Italy, the film follows the youngsters in tracking shots as they run beside the train: it denounces by revealing.

As Argentine politics polarized, filmmakers mentored or inspired by Birri participated in organized resistance or armed struggle, often were persecuted and many even "disappeared."

Among the most influential filmmakers of the movement were Argentine filmmaker Fernando Solanas and Argentine sociologist Octavio Getino, who together produced a brash and tremendously influential manifesto calling for a "third cinema." (Hollywood and "art," or auteur cinema, were the first two.) They asserted that cinema should not merely be a "hammer," as Grierson had described it, but in itself be an act of "decolonization." Their goal was to "dissolve aesthetics into the life of the society," making intellectuals just as relevant to revolution as the masses. In theory, such films would be made by revolutionary teamwork and be shown in "liberated space." Spectators would disappear, and collectively produced art would incite viewers to act. Such cinema would wage war against the most potent enemy—the one inside all of us, resisting the creation of a revolutionary "new man" such as the Cubans were making.

Solanas and Getino tried out their theory in *Hour of the Furnaces* (*La Hora de los hornos,* 1968), within the Colectivo Cine Liberación. In three parts totaling more than four hours, the film alternately assaults, engages, explains, and meditates. It is an argument, delivered by an enraged professor shaking his students by the lapels. The first section deals with neocolonialism in Argentina; the second with the rise of the Argentine corporatist president—deeply beloved by the working class—Juan Perón, and with opposition to the coup that displaced him in 1955; the third considers roads to a revolutionary future. Devices are used to trouble and shock: intertitles with words that multiply, blank screens, and a full five-minute focus on the dead face of Che Guevara, to whom the film is dedicated.

The film was shown clandestinely in Argentina and in other Latin American countries, and widely throughout the world at film festivals and in theaters. In the United States, *The Hour of the Furnaces* was popular with radical political groups; in Chicago, for instance, the Puerto Rican group Young Lords showed it. Solanas, Getino, and many others soon fled into exile.

Other noteworthy films of "third cinema" were completed in exile, such as Chilean filmmaker Patricio Guzmán's three-part epic *The Battle of Chile* (*La Batalla de Chile*, 1975–79). Guzmán was another of those Joris Ivens trained. He had filmed Ivens's 1969 *Valparaiso, Mi Amor*, which poignantly contrasts the rich and poor aspects of the Chilean port city. (Chris Marker wrote the narration for this city symphony.)

Battle is composed of precious verité footage rescued from a three-year film project chronicling the Salvador Allende presidency. The project dissolved when a military coup overthrew Allende; Guzmán smuggled out the footage and fled to Europe. The project now became one to mobilize resistance to the military government internationally. It was completed in France, with the help of leftist film clubs, and in Cuba's nationalized film organization ICAIC, and it was circulated throughout the world, except in Chile. *Battle* indicts some parts of the Chilean military, the Chilean middle class, and the U.S. government for the overthrow of a legitimate, elected government. Crisply suspenseful editing and minimalist narration chart the path toward tragedy.

Filmmakers' interest in "third cinema," cinema verité, and the political power of grassroots testimony converged in projects launched across the world. In Japan, a filmmaking group led by Shinsuke Ogawa documented the protests of peasants resisting the building of the Narita airport. One of the films, *Peasants of the Second Fortress* (1971), showed in rented municipal halls throughout Japan, in coordination with various leftist groups and had a broad international distribution. Shinsuke Ogawa ended up spending his life in such work; after years living with the Narita villagers, he moved to the small village of Magino and made several films documenting daily life there. In another Japanese film, residents of a small fishing village, poisoned by mercury caused by factory discharge, worked with filmmaker Noriaki Tsuchimoto to document their struggle for justice. *Minamata* (1971) raised international awareness of mercury poisoning and shamed the Japanese government into acknowledging the problem. Tsuchimoto continued to use film to raise international awareness and to work with Minamata villagers to keep up pressure to address their mercury-related problems. In Taiwan, the government of the 1970s frowned on acknowledging the oppression of native Taiwanese. A group of artists in the later 1970s produced a TV documentary series, *Fragrant Jewel Island*, celebrating the beauty of native culture. It led not only to a sequel series but to a shared vocabulary of social criticism.

In repressive Soviet-dominated regimes, where freedom of speech was nonexistent and opposition organizations quashed, documentarians inserted criticism directly or indirectly into their works, thus sneaking past censors. The so-called "black" or dissident documentary flourished in Soviet Eastern Europe. Polish filmmakers such as Edward Skorzewski and Krzysztof Kieslowski made acutely observed documentaries designed to provide a disturbing mirror to their audiences.

Advocacy films of the 1960s and 1970s, like those of other eras, combined idealism and pragmatism. They used all of the approaches that the early documentarians had pioneered. Realist and neorealist strategies in the Flaherty tradition, such as those employed in *Tire Dié*, exposed viewers to new realities. Griersonian social mandates pervaded the projects, but now in service of overthrowing rather than preserving the state. Vertov's exuberant formal challenges underlay experiments by Godard, and Cuban documentaries showed influence of Soviet filmmakers. Advocates fiercely debated their formal choices. They also seized upon innovations that could make their work more vivid. Cinema verité equipment and techniques were quickly incorporated. Pragmatism, however, ruled; for instance, if narration was needed in a cinema verité documentary to make the point, then narration was used.

Legacies

The example of "committed," "third," or radical filmmaking has traveled well and still resurfaces in times of crisis and opportunity. In South Korea in the 1970s, young people learned of radical trends at French and German cultural centers, and with the 1980 "Seoul Spring"—a political thaw—produced "people's films" on workers' and rural issues, building a base for independent film organizations. The Seoul Visual Collective's vision was "to secure social rights for the masses." In China after the 1990s , the "new documentary" movement featuring verité rather than bombast implicitly challenged dogma and served to encourage dissent. Wu Wenguang's *Bumming in Beijing* (1991), about fringe artists in the big city, was a landmark film for urban activists. In early twenty-first century Argentina, after the national financial collapse, film collectives surfaced as agents of political mobilization, making films with political and labor groups.

Many institutions have emerged from activist filmmaking. Distributors such as the Canadian DEC; the American distributors Women Make Movies (a feminist distributor), Third World Newsreel (focusing on socially critical work by people of color), California Newsreel (featuring African American, African, race, and labor issues), New Day (a collective fostering self-distribution); the French Iskra, and others are all legatees of 1960s committed filmmaking. Organizations begun to showcase grassroots and regional voices, such as the U.S. organizations DCTV and Appalshop, have endured and trained new generations of filmmakers. Cable access centers, a U.S. phenomenon of cable channels dedicated to airing films made by and for the local public, developed out of media activism of the era. American filmmaker

George Stoney, who had learned much from his work in 1968–70 with the Canadian Challenge for Change program, was the leader of the movement.

Many other filmmakers eventually took their idealism and filmmaking skills into more traditional arenas, particularly those in public and public service television and higher education. Many American documentarians began their careers in political activism and extended their reach to much broader audiences. For instance, Barbara Kopple, who studied in the late 1960s with the cinema verité pioneers Maysles brothers, made *Harlan County, U.S.A.* (1973) in coordination with striking Kentucky coal miners. The film was important to workers and labor unions, and it won an Academy Award that year. Kopple continued to work with social justice organizations and nonprofits, at the same time directing television dramas and producing commercial documentaries such as *Wild Man Blues* (1997)—a musical tour of film director and jazz musician Woody Allen.

Organizations that took root in this period also developed to produce very different work. Three graduates of the University of Chicago, who were inspired by the work of John Dewey and the capacities of the newly mobile camera, founded the Chicago-based Kartemquin Films. Their first film, *Home for Life* (1966), was a cinema verité view of the indignities of nursing-home life. The film failed to change any health care policies. Looking for more action-oriented projects, and now a political collective, Kartemquin made *The Chicago Maternity Center Story* (1976) to protest the closing of the last public midwifery program in Chicago and as part of a campaign against corporatized health care. After the dissolution of the collective, Kartemquin continued to make films, now oriented at general audiences. Steve James's *Hoop Dreams* (1994) became an international hit after winning an award at the Sundance Film Festival. A seven-hour epic television series, *The New Americans* (2004), co-executive-produced by Kartemquin cofounder Gordon Quinn and Steve James, tracked immigrants to the United States

9. Kartemquin Films' social-change goals were expressed differently at different times; above, Naima in Jerusalem talks to her fiancé in the United States, in *The New Americans* (2004). Produced by Kartemquin Films.

from their native countries. The same concern with giving voice to the subjects, inviting viewers respectfully into the experiences of those subjects, and provoking questions about the status quo that had driven Kartemquin's original work continued in evidence.

When seen later, advocacy films become partisan testimony to history, such as *The Spanish Earth* and *Hour of the Furnaces*. Indeed, *Battle of Chile* has had a new life in Chile after the return of democracy; it now is being used to teach history to Chileans whose Pinochet-era books virtually erased the Allende years.

In the twenty-first century, with ever more sophisticated production equipment, advocacy organizations are both commissioning and producing documentaries as a part of their strategic communications plans. Brave New Films's *Iraq for Sale* (2006), about corporate greed in the Iraq war, and the conservative Citizens United's *Border War* (2006), about immigration into the United States, are both designed as weapons in a war of ideas. When the U.S. Congress considered opening up the Arctic National Wildlife Refuge for oil drilling, the Sierra Club and other environmentally concerned nonprofits produced *Oil on Ice* (2004). This film, narrated by Peter Coyote, examines the battle over oil development within the Arctic National Wildlife Refuge and its impact on both the environment and indigenous communities. It was shown in theaters, on public TV, and in many grassroots settings; the DVD also featured a short film and organizing toolkit. Organizers credited it with mobilizing nationwide awareness and resistance, which, in the end, contributed to the defeat of legislation to initiate oil drilling.

Whatever the perspective, advocacy organizations and nonprofits are beneficiaries of the implicit pledge of documentary to be telling an important story about real life in good faith. Advocacy films maintain that pledge not only through the credibility of their organizations but through the devices they use that signal their reliability. These include (but certainly do not exhaust) the use of authoritative narrators (such as the celebrity Peter Coyote), the realistic portrayal of daily life (*The Spanish Earth*), bold contrast (such as was used in *Borinage*), the use of cinema verité (*Battle of Chile*), statistics in service of argument (*Hour of the Furnaces*), and expert interviews (*Iraq for Sale, Border Wars*). If dueling documentaries become a standard feature of political warfare, however, they could erode the credibility that the form has accrued from its association with embattled causes and issues slighted by a sensationalistic and celebrity-happy mass media.

Historical

"History is not self-executing," wrote historian Arthur Schlesinger Jr. "You do not put a coin in the slot and have history come out." All history is written for people in the present, searching out for them what historians call a "useable past"—a story that is used in the construction of our understanding of ourselves. History is also written on top of an earlier narrative—sometimes disagreeing, sometimes reinforcing, sometimes asserting a presence where previously there was only an absence.

Documentarians who tell history with film encounter all the challenges facing their filmmaking peers. They face historians' problems with getting data. Often they represent events for which there is no film, and as often they represent events using material never intended as a historical record. They turn to photographs, paintings, representative objects, images of key documents, reenactments, and, famously, on-camera experts to substitute for images. They record music that evokes an era, they find singers to sing songs of the time, they build in sound effects to enhance a viewer's sense that what is shown is a genuine moment from the past. They struggle with the question of how much reenactment is appropriate and how it should be achieved.

They also face problems of expertise. Documentary filmmakers typically reach many more people with their work than academic historians do, but filmmakers rarely have the training of historians. Indeed, filmmakers often avoid consulting a range of experts. Too often for filmmakers' liking, historians may be sticklers for precise historical sequences, discussion of multiple interpretations, and the need to insert minor characters or precise accuracies, all of which frustrate the clarity of filmed storytelling for broad audiences. Public service television often requires professional advisory boards, but commercial television productions rarely make such requirements.

Finally, unlike print historians who can digress, comment, and footnote, documentarians work in a form where images and sounds create an imitation of reality that is itself an implicit assertion of truth. This makes it harder for them to introduce alternative interpretations of events or even the notion that we do in fact interpret events.

Documentary filmmakers have often chosen to ignore the implications of their choices: they may accept an uncritical notion that they are merely reporting the facts of the past, or they may adopt uncritically a partisan view of the past. Their works, however, are often the first door through which people walk to understand the past.

Stories

The fact that all historical documentaries are stories of a "useable past" can be illustrated with several examples.

When the Russian revolution was young, filmmaker Esfir Shub created a critical history of czarist rule in *The Fall of the Romanov Dynasty* (1927)—entirely using footage from the czarist archives, including the czar's home movies. Shub had made what would come to be called a "compilation film." Indeed, the czar's family would have been shocked to see their records of luxurious living juxtaposed to images of poverty and misery. Shub had transformed the meaning of the material by her choice of assembly and juxtapositions, from loving records of a privileged family to a damning condemnation of an overthrown government.

Cold War histories from opposite sides, using government archives that had burgeoned with governments' substantial investment in propaganda during World War II, also demonstrate the "usability" of history. Stories were told appropriate to the audience—Communist or capitalist—and to the time. In the new East Germany, the German couple Andrew Thorndike (a German American born and raised in Germany) and Annelie Thorndike produced many works based largely on archival footage, including a celebratory and panoramic view of Russian history, *The Russian Miracle* (1963). In the United States, Henry "Pete" Salomon, a retired U.S. Navy public relations man at NBC networks, worked with the navy to use its footage for *Victory at Sea*, a long-running, twenty-six-part series celebrating the navy's role in the Pacific in World War II. Scored by Richard Rodgers to orchestrate emotional response to the silent film, the aptly titled *Victory at Sea* portrayed the United States and its allies as unselfishly battling for freedom, unstintingly heroic, and of course, ultimately victorious. Both the East German and the American makers worked hard to tell meaningful, emotionally rich stories honestly. Their work also fit neatly within the ideological missions of their governments and era. In later years, when the ideological assumptions of the moment had shifted and thus made visible earlier ones, they were seen as tendentious.

Ken Burns's series *The Civil War* (1990) was also a highly crafted narrative, not merely a recounting of facts. One of the most popular programs on U.S. public television, the series tells us that the Civil War created, for the first time, a unitary American national identity. It employs meditative, moving-camera views of still photographs and the testimony of experts to make this argument. The facticity of the photographs, among other things, gives the viewers the sense that they are merely watching a recital of the facts.

Some southerners might contest the validity of *The Civil War*'s central theme, but the theme reflected, as Gary Edgerton wrote in *Ken Burns's America*, the center of consensus history of its time, a "liberal pluralist perspective" focused on preservation of the Union. Burns faced criticism by historians who espoused other interpretations, and by those who said that the series' real sin was obscuring the fact that it was interpreting rather than reciting history. Burns simply sidestepped this criticism by calling himself not a historian but an "emotional archeologist." He said he had searched in the historical record for the "kind of emotion and sympathy that reminds us, for example, of why we agree against all odds as a people to cohere." In other words, he chose characters and incidents that helped him tell the story he chose to tell about the past.

Commercial considerations shape documentarians' decisions about both subject matter and story line. Television documentaries, designed to entertain, have often featured the lighter side of life, including the entertainment industry itself. Fluffy items such as David Wolper's *Hollywood: The Golden Years* (1961) and the French series *The Mad Twenties* were exemplary productions of the network television era. In the multichannel era of television, historical documentaries have filled many hours cheaply, without any claim to providing comprehensive or balanced perspectives, or covering the most significant aspects of a historical era. Their strung-together sequences of public domain material from governments, along with low-cost archival material (often linked with portentous narration), led to the trade term "clip-job."

Limited access to material also constrains the choices of historical documentarians. As copyright terms have been extended for generations into the future, historical documentaries using extensive archival footage not in the public domain have become more and more expensive. Authoritatively researched historical documentaries have always been some of the more expensive of the documentary categories, but copyright clearance costs skyrocketed at the end of the twentieth century as archives merged and large media corporations developed more zealous control of their resources under the threat of digital reproduction. Peter Jaszi and I showed, in our study *Untold Stories,* that some documentarians feared even to undertake ambitious projects. Documentarians in the United States addressed this problem with the *Documentary Filmmakers' Statement of Best Practices in Fair Use,* a guide that dramatically increased filmmakers' abilities use their rights to quote limited amounts of copyrighted material for free and thus expand the range of what they can make.

Biographies

Biographical documentaries—a particular kind of history—boldly reveal the same choice making that reveals all historical work to be an interpretation. Biography is an immensely popular kind of documentary; it features a close focus on a particular person, promising viewers that they will learn about someone who is recognized as important (a politician, a celebrity, an artist, a sports champion), unsuspectingly important (an unknown inventor, an unsung social worker, an untutored artist), or a witness to history (a Holocaust survivor, Hitler's secretary). These stories are character-driven by definition, but the filmmaker must interpret that character for the viewer.

Entire biographical series have showcased on television; PBS's *American Masters* series and A&E's Biography Channel are two examples. They have clearly recognizable styles, and could not be more different. American Masters provides a narrative of an American life within a particular social moment; individual narratives are given a social location with surrounding information on events and trends that shape and are triggered by individual actions and choices. The narrative builds around not only the events of the person's life but the significance of those events within a wider frame. For example, Diane von Furstenberg and Daniel Wolf's *Andy Warhol* recognizes the American artist who was famous for impudent art stunts and parties as a serious artist with a critical passion for American culture. Respectful but not reverential, the film makes the claim that the viewer will now be able to understand the significance and legacy of Andy Warhol.

A&E's biographies, on the other hand, are tightly structured personality profiles, in two varieties: good (often entertainment celebrities) and bad (often criminals). Scholar Mikita Brottman notes that stories are sanitized to represent celebrities as likeable, upstanding citizens, and contradictory evidence is suppressed. For instance, in a biography of Dean Martin that was part of a series on the "Rat Pack" of celebrities around Frank Sinatra, Martin is represented as a dedicated family man, in spite of a wealth of evidence on his womanizing and partying.

However different, each of these series uses filmic techniques intended to bring closure to the viewer's understanding of the character featured. Authorities are quoted reinforcing the story line; selected historical footage emphasizes the point; the end of the film brings together the themes so that viewers will know the significance, the importance, and the meaning for them of this person's life. Some biographies, by contrast, use film techniques to call attention to the constructed nature of the biography, and call into question the viewer's comfortable assumptions. For instance, Kirby Dick and Amy Ziering Kofman's *Derrida* (2002) is a challenge to the established form of biographical documentary; it cleverly enacts the difference between experience and documenting, and reveals the power of the storyteller to assert reality—in part by showing how difficult it is to construct a story. Jacques Derrida, whose life work involved "deconstructing" our assumptions about knowledge, repeatedly refuses to cooperate with the filmmakers, revealing instead their presence. These acts in themselves are also revealing of the character and perspective of the philosopher. The film challenges the viewer to ask the questions Derrida asked about reality and expression. The work of Errol Morris demonstrates another approach to undermining simple associations between biographical truth and documentary. For instance, in his *Fog of War* (2003), Morris permits Robert McNamara, secretary of defense under presidents Kennedy and Johnson, to describe his own life and controversial political and personal decisions at length, and without comment. The complexities and contradictions of McNamara's life are held up for viewers who must wrestle with their own judgments of McNamara.

Revisionism

One of the most interesting ways to see the power of storytelling is in revisionist history films. These are films that challenge the dominant version of the historical record. Documentaries that questioned received wisdom on World War II have greatly affected public knowledge of that history and, in the process, have also produced new primary-source documents for historians. In some cases, they are unique records of first-person accounts of history.

The British series *The World at War* (1973), produced by Jeremy Isaacs for the commercial network Thames TV (during an era when British commercial networks were required to do substantial public service), marked a historic shift in interpretation of World War II. The twenty-six-hour series combining historical footage with eyewitness interviews is still beloved in Britain and has shown all over the world, including on the History Channel. It was revisionist in several ways. *The World at War* took a global view of the war, rather than a national or regional one, and it depended on eyewitnesses. A cadre of dedicated historical researchers—some of them academic historians—found compelling interviewees who could reach Isaacs's goal of showing how war "actually affected ordinary people." Its core message was that war is hell, not that victory was ours. Shocking images of brutal atrocity and death helped to make that message vivid. It had a powerful resonance at a time when the fear of superpower-triggered nuclear war and the reality of superpower-triggered proxy wars were both very much a part of the zeitgeist.

Around the same time, French documentarian Marcel Ophuls reframed international understanding of France's experience of World War II. Ophuls's method was that of investigative reporting, which he applied in *The Sorrow and the Pity* (1969) to the question of collaboration with Nazi domination. He found previously undiscussed depths of unquestioning cooperation with the fascists. The controversial four-and-a-half-hour film was composed largely of interviews in the small town of Clermont-Ferrand, and it revealed that the heroic image of the French Resistance was a myth in France's middle class; it was the working poor who led Resistance efforts. (The filmmaker was later criticized for selecting a town where the Communist Party was unusually poorly represented, since the CP had been a key organizer of Resistance efforts.) Although it was co-produced by French state TV along with West German and Swiss government television and shown in Germany and Switzerland, the French prime minister ordered it banned on French television. After a triumphant U.S. tour, it was shown in French theaters and on the British BBC.

Following in this style of implacable reexamining of World War II history, Claude Lanzmann, a French Jew, produced a nearly ten-hour series, *Shoah* (1985). Depending entirely on interviews with survivors and surviving agents of the Holocaust—usually the technicians and functionaries—Lanzmann methodically pursued the question not of *how* it could have happened, but exactly how it *did* happen (or at least how people remembered it). *Shoah* provided an unprecedentedly specific public record of the mechanisms of mass murder. With its procedural approach, it shocked and moved audiences, and spurred debate on the ethics of interviewing. Were hidden cameras justifiable for recalcitrant subjects? Was restaging an interview appropriate? How much context should be given a viewer?

World War II revisionism not only offered a different perspective with new information but also introduced new elements to the story. In Japan, Kazuo Hara's *The Emperor's Naked Army Marches On* (1988), in cinema verité fashion follows a maniacally obsessed veteran trying to expose cannibalism among troops abandoned in New Guinea after the war and, subtextually, holding the emperor accountable for war crimes that had simply been denied. The veteran's story, grisly and unique, also stands for the denial of war crimes in general. In the United States, feminist filmmaker Connie Field, in making *The Life and Times of Rosie the Riveter* (1980), told a hidden history of women whose wartime jobs changed their lives; it also chronicled the coordinated governmental effort to get these women to give up their jobs and return to the home after the war. Field brought women and workers back into a history that had been dominated by male soldiers and politicians.

One of the most striking examples of bringing new elements into the historical record is Henry Hampton's *Eyes on the Prize* (1987, 1990) series. This breakthrough series on American public television traces the civil rights movement as one that upheld the best values in American culture, often against the racist status quo of the time and not without deep internal conflicts. Teams of paired African American and white producers, working with academic historians as advisors, crafted their stories using rare archival footage drawn from small and large archives, personal collections, and the vaults of local television stations. The series brought to national viewers images and incidents that had been seen by a local television news audience perhaps only once in the past. It created nationwide public awareness of the profound impact of the civil rights movement on American history. The series became a staple in American schools and served as a model for later historically revisionist series such as the four-hour series

Chicano! (1996) and *A Question of Equality* (1996), this latter a history of the gay and lesbian rights movements.

Revisionist documentaries themselves may, of course, leave out crucial information, whether purposefully or not. For example, in American independent documentaries made in the 1970s and 1980s recalling political movements of the 1930s—union organizing (*Union Maids*, 1976), strikes (*With Babies and Banners*, 1978), the Spanish Civil War (*The Good Fight*, 1984)—baby boom–era documentarians often did not reveal the extent of the Communist Party's role in the events or they took at face value the self-reporting of CP members. Depending on oral histories to salvage suppressed elements of the past, and seeing themselves as legatees of political activists they admired, these filmmakers could have easily become prisoners of the limitations of oral history as a sole source of information.

Memory and history

With the growth of home film and video archives and ever-simpler video cameras, the memoir or personal film has made important contributions to historical documentary. In such works, the private and personal are exposed and sometimes contrasted with the official or public record. Individual memory is juxtaposed with and often challenges public history. New stories surface, and individual experience enriches public understanding of the past.

Filmmakers use a variety of techniques to represent memory. One common trope, according to filmmaker David MacDougall, is putting "signs of absence"—images of loss, of objects abandoned, of a photo to be explained—at the center of the film and of the problem to be solved with memory. For instance, the makers of *Into the Arms of Strangers* (2004), about the *Kindertransporte* that whisked Jewish children out of Nazi Germany, sought out and used as symbols the actual objects children had brought with them, rather than merely displaying a similar object. Many times, personal filmmakers also use an ironic or reflexive approach to familiar objects or images, forcing a reanalysis of them: collages, blank images, text that startles or asks questions, and repetition—all of which forces viewers to reflect upon or reinterpret the meaning of a sound or image.

In some cases, filmmakers have drawn from avant-garde and experimental filmmaking from earlier eras. The work of American avant-garde filmmaker Yvonne Rainer offers many good examples. Gay African American filmmaker Marlon Riggs structured *Tongues Untied* (1989) as a visual poem that had the narrative arc of a journey toward owning his identity. Ross McElwee's life's work (*Sherman's March,* 1986; *Six O'Clock News,* 1996; *Bright Leaves,* 2003), which tracks the evolution of the filmmaker's (or his persona's) sense of self, draws from McElwee's own training among experimental filmmakers using the body and their own lives as subject matter.

Personal films contributed to the development of cultural identity movements worldwide in the 1980s and 1990s. Political changes and economic globalization created vast new diasporic movements of South Asians, Southeast Asians, and Africans. Self-consciously diasporic cultures began to emerge and find self-expression in film, with support from institutions encouraging that self-expression. In Britain protests by independent filmmakers, demands of ethnic minorities in the wake of riots, and the launching of the new private (but funded with public revenues) Channel 4 TV coalesced into the formation of special workshops to cultivate filmmaking by minorities.

Among the successful results were the so-called black film workshops, including Sankofa, one of whose celebrated filmmakers was Isaac Julien, and Black Audio Collective. These workshops generated enormous and productive political debates about the self-representation of various minorities and the role of women. One prominent result was John Akomfrah's *Handsworth Songs*

(1986). Unapologetically experimental, it poetically reworked images of riots, slums, newsreels, and colonial historical footage into a personal essay on history and identity. Another heralded work was *Body Beautiful* (1990) by Ngozi Onwurah, the daughter of a Nigerian father and a British mother. The film combines fiction and documentary, using an actress to represent the filmmaker and with the mother playing herself. It contrasts the mother's and daughter's body images and their personal histories, as conditioned by the ordinary racial, gender, and age discrimination of British society.

The postcolonial and post–Cold War era also generated much work that combined an autobiographical impulse with a historical reexamination. Filmmakers turned to the personal essay form to challenge official amnesia in Africa. David Achkar's father, a prominent Guinean official, had fallen from favor and died in prison. Achkar's *Allah, Tantou* (1991) mixes reenactment, family letters, home movies, and newsreel images to challenge the public version of his father's disappearance. The film, as much meditation as memoir, provided a counter to the mythology surrounding revolutionary leader Sekou Touré and generated controversy in Guinea and worldwide. Haitian Raoul Peck, whose family had served Patrice Lumumba's government in Congo, made *Lumumba: Death of a Prophet* (1992). The documentary—Peck later made a fiction film of the same name—weaves together Peck's family's home movies, his own video diary of his fruitless search for archival images of Lumumba that had been suppressed by Lumumba's killer and successor Mobutu, interviews, and news footage. Cameroonian Jean-Marie Teno made a sharply voiced series of personal films, linking colonial history with present brutalities, including *Afrique, Je Te Plumerai* (Africa, I Will Fleece You, 1992).

The end of Latin American dictatorships also brought forward the theme of memory and history. Brazilian Eduardo Coutinho in

10 and 11. Patricio Guzmán's epic *The Battle of Chile* (1976), top, about the downfall of the Allende government, was not shown in Chile until his return 30 years later—a visit recorded in *Chile, Obstinate Memory* (1997), bottom. Directed by Patricio Guzmán.

Cabra Marcado para Morrer (Twenty Years Later, a.k.a. A Man Listed to Die, 1984) returned to a site where, twenty years earlier, his film crew had hastily buried film cans from a *cinema novo* project about the murder of a peasant land reform leader. The project had been halted abruptly by a military coup. Coutinho then tracked down the peasant's widow and eight children. The result was the story of a generation of loss told through the experiences of one shattered family. Chilean director Patricio Guzmán in 1997 made *Chile, Obstinate Memory*, a memoir of his journey home to show *The Battle of Chile*—banned until then—for the first time to his own people.

Personal films have also been a vehicle for reviving public memory of the unthinkable or unbearable. Holocaust memoirs and memory films proliferated in the 1990s: Mira Binford's *Diamonds in the Snow* (1994), Ilan Ziv's *Tango of Slaves* (1994), Amir Bar-Lev's *Fighter* (2001), Oren Rudavsky and Menachem Daum's *Hiding and Seeking* (2004), among many others. Descendants of Holocaust survivors, and sometimes survivors themselves, sought answers, closure, or resolution by returning to the sites, encounters with other survivors, or even confrontation with those from the past. Also exploring the power of private memory to inform the public's knowledge of the past is the work of Hungarian Peter Forgács, who reworks amateur and family footage to create meditations on forgotten and suppressed eastern European history of the 1930s.

Finally, personal-voice and home movies have been interwoven into reexaminations of popular culture. Stacy Peralta's *Dogtown and Z-Boys* (2001), an engaging and lively history of skateboarding culture, tracks its evolution from the gritty side streets of Santa Monica to a billion-dollar business, some of whose celebrities (such as Peralta himself) came from those streets. It interweaves home movies with reminiscence and contrasts both with verité material from the fast-paced and commercialized world of competitive skateboarding. Danish filmmaker Anders Høgsbro Østergaard's *Tintin and I* creates a sensitive psychological biography of the

Belgian writer and artist Hergé, matching intimate audio interviews from the 1970s with animation drawn from contemporary video footage of Hergé and animating his comic-book illustrations as well. Understanding Hergé's journey from Catholic ultraconservative to nearly New Ager through the Cold War period also makes for a reanalysis of his popular comic books.

The growth of personal documentary has provoked scholars to explore the relationship of memory to truth. Linda Williams argues that such films challenge viewers to recognize that truths exist in a context, in relationship to lies, and are selected from other truths. Going beyond reflexivity (that is, calling attention to the fact that the film is a film), such films posit that there are important truths to be revealed and that they can be revealed in spite of—or even by calling attention to—the partiality of our understanding. Thus, such films offer another approach to the problem of how documentaries can be truthful. Bill Nichols states that personal documentaries often "perform" the filmmaker's state of mind and associations, documenting an intimate kind of reality. Michael Renov writes that the often-confessional tone of personal documentaries brings viewers actively into the construction of the film's meaning, thus heightening empathy.

Usable for whom and for what?

Documentarians sometimes chafe at the notion that they must become historians in order to make a historical film. And yet a filmmaker's responsibility to users is a large one. Not only is each documentary taken by viewers and later filmmakers as an accurate representation of the history it shows but also historical knowledge shapes users' understanding of who they are in the present. Jon Else, in making *Cadillac Desert* (1997) about water politics in the United States, said that although many dams looked alike, he insisted on absolute accuracy because he knew that later filmmakers would quote his work rather than going back to the sources he originally used. Every historical film occurs within an ideological frame that deserves to be understood at the very least before being presented to viewers.

If all history is useable history, then what is relevant about a particular story, and to whom is it, and why? These are good questions to ask for makers and viewers alike.

Ethnographic

Ethnographic film is a term with many connotations. Festival programmers, such as those at the standard-setting Margaret Mead Film Festival held each year in New York at the American Museum of Natural History, usually define ethnographic film as one about other cultures, exotic peoples, or customs. Television programmers commission under that rubric documentaries that entertain, whether charmingly or shockingly, with exotic cultural material. Independent filmmakers such as Les Blank, who has explored musical and food subcultures worldwide with empathy and respect, are happy to show their work under that banner. Anthropologists would like to see the term used more scientifically. Anthropologist Jay Ruby argues that only if a film is produced by a trained ethnographer, using ethnographic field methods, and with the intention of making a peer-reviewed ethnography should it be called an ethnographic film.

Linking these various interpretations is the notion of otherness—that ethnographic film is a look from outside a culture, giving you a glimpse inside it. Such a claim raises the stakes on the usual ethical questions of documentary. The relationship between filmmaker and subject is particularly fraught in ethnographic cinema because the subjects are more often than not members of cultural groups with less power in society and media than the filmmaker. Anthropologists relish the story that anthropologist-filmmaker Sol Worth told about Sam Yazzie. Worth, along with John Adair, conducted the Navajo

Film Project in the 1970s. The project strove to teach Navajo Indians techniques of filmmaking without imposing aesthetic or ideological filters. Elder Sam Yazzie, when the project was described, asked, "Will making movies do the sheep any harm?" When the filmmakers assured him that no harm would come to the sheep, Yazzie asked, "Will making movies do the sheep good?" "Well, no," they replied. "Then why make movies?" Worth wrote, "Sam Yazzie's question keeps haunting us."

Making money

The early answer to the "why make movies" question was straightforward: to make money. The exotic adventure film, with crossovers to anthropological practice (chronicling "primitive" cultures, living with subjects, sharing the crafting of narrative with subjects), was established in this period. Flaherty's *Nanook of the North* inspired later anthropological filmmakers. Merian C. Cooper, who had already co-produced an impressive but financially failed travelogue film, *Grass* (1925), about a nomadic tribe, made the box-office hit *Chang* in 1927 and produced the hugely successful *King Kong* (1933). Drawn from an eighteen-month stay with Lao people in northern Siam, *Chang* constructed a viewer-friendly narrative out of daily life. Villagers fight off threats from a leopard and tiger; after a wild elephant stampede (a staged event), the villagers tame the elephants and use them to reconstruct their peaceful jungle life.

The exotic adventure film led to fantasy-filled jungle movies and to "shockumentaries" such as the 1962 *Mondo Cane* and its sequels. In *Mondo Cane*, shocking scenes such as New Guinea tribesmen clubbing a pig to death cut to silly scenes such as elderly students awkwardly learning the Hawai'ian hula dance, with narration and a soundtrack smoothing over incongruities.

More upscale films offered viewers an experience of other cultures, without claiming ethnographic insight but often benefiting from the association. In *Dead Birds* (1963), about life and death in Western Irian Jaya, artist Robert Gardner used license learned from Flaherty to weave a "true story" out of "actual events." Critics heralded his poetic sensibility and his ability to touch on universal themes, and often called his work ethnographic (something Gardner never did). In *Forest of Bliss* (1985), about death rituals and daily life in and around Benares, Gardner created an idiosyncratic but compelling and sometimes gruesome meditation on death and the meaning of life. It was screened for audiences in the global North, who were largely ignorant about the practices shown in the film; South Asians, Hindus, and anthropologists wrung their hands at the lack of cultural context.

Grappling with conventions

As the broadcast television market burgeoned in the 1960s and 1970s, so did series on exotic cultures such as the British Granada TV's *Disappearing World* (1970–93), and the Japanese Nippon TV *Our Wonderful World* (mid-1960s–1982). Viewers were often encouraged—despite the howls of anthropological consultants and sometimes members of the cultural groups themselves—to believe that they were watching uncontaminated cultural practices that one touch by the modern world could destroy.

Most documentaries on cross-cultural issues today do not make clear claims for their purpose. They are typically shown to audiences in the global North about people in other parts of the world. Some of these entertain with good-looking characters, colorful practices, and narratives driven by crisis, ghoulishness, or disaster. They often claim to rescue for civilized viewers a last glimpse of a passing exotic culture, as *The Story of the Weeping Camel* does. The National Geographic *Taboo* series (2003 on) shows viewers bizarre body-decoration practices around the world on one week, and weird food people eat on the next. Other work strives to take viewers inside someone else's experience unpretentiously. For example, Dutch director Leonard Retel Helmrich's *Shape of the Moon* (2004), follows, in cinema verité style, a widowed Christian woman in Jakarta as her son converts to Islam, giving Western viewers a glimpse of cultural conflicts they may not even have imagined.

Most producers on cross-cultural subjects find themselves bound by the conventions of mass media, which work against reflexivity, experiment, and open interpretation. The work of Australians Robin Anderson and Bob Connelly is interesting as a healthy struggle with the limits of the commercial medium. In their widely broadcast first film, *First Contact* (1983), they brought to Papua New Guinean villagers footage of the first time whites—male prospectors—had encountered them. The prospector's record of their exploration was re-seen through the eyes of the villagers. The film also traces the ever-widening consequences of the encounter, which brought the Papuans unasked-for pregnancies, diseases, machinery, and a tourist economy.

First Contact, which had two sequels, fascinates for its deft juggling of reflexivity within realist conventions. It asks viewers to critically reexamine the early footage and also reassures them of a stable meaning in Anderson and Connelly's own footage—through its editing, its tight narrative focus, and its explicit and implicit explanations of what viewers saw.

Scientific?

Social scientists first imagined ethnographic film as a scientific tool. Early anthropologists, such as Franz Boas (founder of the field), Margaret Mead, and Gregory Bateson made short, purely descriptive films of discrete routines and acts. For decades, the Göttingen Institute for Scientific Films in Germany commissioned five-minute sequences, accompanied by written texts, on specific rituals and production techniques. Substantial archives of such material exist internationally today. However, these archives raise questions that were not always obvious to those recording the images at the time. What do these acts mean to the people doing them? What kind of inquiry does this information serve? Were the people reenacting something or being caught in the act of doing something they always do?

Anthropologists and anthropologically trained filmmakers soon began exploring these questions. As a privileged teenager on safari with his father, the American John Marshall first became familiar with Kalahari nomads. A few years later, he made *The Hunters* (1957) from silent footage he took with the San (known as Bushmen to whites in South Africa at that time). He openly aspired to be the Flaherty of the Kalahari, celebrating the successful struggle of the nomads against nature. A commercial hit and widely seen in classrooms, the film was also criticized for its romanticism. The controversies provoked rethinking, and Marshall recut his footage into a series of educational films with, among others, the young photographer Timothy Asch, who then pursued an anthropology degree. Single-focus, short films accompanied by discussion material became popular in teaching.

Marshall went on to work with pioneers of the cinema verité movement, including Fred Wiseman (for whom he shot *Titicut Follies*), D A Pennebaker, and Flaherty's protégé Richard Leacock. In 1980, with Adrienne Linden, Marshall made a biography of one of his South African subjects and incorporated footage he had taken of her over three decades in which the rights of the San had badly eroded. *N!ai: The Story of a !Kung Woman* (1980), made for American public TV, contrasted sharply with the romantic isolation of his first film and chronicled Marshall's growing awareness of the power of the filmmaker in relation to the subject.

After his work with Marshall, Timothy Asch went on to collaborate with anthropologist Napoleon Chagnon, who worked in lowlands Brazil with the Yanomami tribe. There, he and Chagnon produced a large body of work and also explored how to represent their own understanding and experience of Yanomami culture. *The Ax Fight* (1975) was a triumph of their collaboration and a critique of ethnographic film approaches up to that time. In the film, Asch and Chagnon witnessed and filmed two-thirds of an ax fight in a village. Asch provided several versions: a simple presentation of all the footage he had; a version that used slow motion and guiding arrows to show more clearly participants and events; an analysis of kinship relations; and a smoothly edited narrative reminiscent of what students had been used to seeing. Thus, *The Ax Fight* forced viewers to ask themselves how they would interpret what they saw. Although it did not result in many imitators (possibly because the model was not commercially viable), it precipitated an anthropological debate about how best to use film.

Jean Rouch

From the 1960s, disenchantment with claims of scientific objectivity created turmoil in the discipline of anthropology. At the same time, ethnographically inclined filmmakers were fascinated by cinema verité. Riding these two waves was anthropologist and filmmaker Jean Rouch, one of the most creative forces in ethnographic film and one of its most vigorous challengers.

Rouch, an engineer whose work in West Africa prompted him to study anthropology on his return to France, ultimately made more than one hundred films, many of them in collaboration with his subjects. He drew inspiration from both Flaherty and Vertov. He respected Flaherty's affectionate relationship with his subjects and his participatory approach; he admired Vertov for his passion for capturing life as it was, and then seizing the right to edit that reality, forcing the viewer to acknowledge the presence of the filmmaker.

Rouch's first major film caused him to rethink his earlier approach. *Les Maîtres Fous* (1955) took viewers inside a weekend spiritual ritual in which West African migrant workers in Ghana went into trances, playing roles that imitated colonial officials. Rouch's ending narration suggested that this ritual was both an expression of and a temporary release from their colonial existence. The film shocked Europeans and horrified Africans, who were afraid that Europeans would see them as uncivilized. After the end of colonialism, leftist critics excoriated the ending as patronizing.

Although Rouch never repudiated the film, he began to work more collaboratively with his subjects. He also unceasingly experimented with how to explore their subjectivity, often turning to fiction, fantasy, and role-playing. For instance, in *Moi, un Noir* (1957) young Songhay men assumed the roles of characters they created—out of the fabric of their own lives—in a collaboratively made film about a week in the life of a migrant worker. Rouch had begun to articulate an approach that used the camera as a provocation or catalyst to reveal social tension, one he took further in looking at his own "tribe" of Parisians in *Chronicle of a Summer*.

His goal was to challenge unreflective approaches to both science and art in film. On the subject of anthropology, Rouch said he wanted to transform it from "the elder daughter of colonialism, a discipline reserved to people with power interrogating people without it. I want to replace it with a shared anthropology... an anthropological dialogue between people belonging to different cultures, which to me is the discipline of human sciences for the future." About documentary, he said that for him

> there is almost no boundary between documentary film and films of fiction. The cinema, the art of the double, is already the transition from the real world to the imaginary world, and ethnography, the science of the thought systems of others, is a permanent crossing point from one conceptual universe to another; acrobatic gymnastics, where losing one's footing is the least of the risks.

Rouch made films about other people for three reasons. First, of course, he made them for himself, then for general audiences. Third, he made them because "film is the only method I have to show another just how I see him" and if it were participatory.

It became a way of changing the anthropological relationship: "Thanks to feedback, the anthropologist is no longer an entomologist observing his subject as if it were an insect (putting it down) but rather as if it were a stimulant for mutual understanding (hence dignity)." Even today, people concerned with questions of power and meaning in ethnographic film turn back to Jean Rouch.

Made with . . .

Ethnographic filmmakers have built on Rouch's courageous creativity in finding ways to bridge the power gap between subject and maker, and they also experimented on their own. David and Judith MacDougall, who studied anthropology and did graduate work in film, have produced distinctive and thoughtful work embodying and expostulating a theory of "participatory cinema," a term they prefer to "cinema verité" although their work is classically observational. The MacDougalls' films share an open respect for the cultural habits and choices of the subjects of the film, without asking viewers to like or sympathize with them. In *The Wedding Camels: A Turkana Marriage* (1976) the MacDougalls followed the process by which a wedding was negotiated among a group in Kenya whom they knew well. The film reveals a profoundly different notion of marriage from the contemporary Western one. At the same time, the MacDougalls' choices also express their own convictions: their films on the Turkana are implicit endorsements of the right of pastoralists to live as pastoralists. David MacDougall states that he wants "to reclaim documentary as an arena of engagement with the world, one that actively confronts reality, and that in so doing is transformed into a mode of inquiry in its own right."

Participation by the subjects has also been part of an engaged, anticolonial practice, as *Taking Pictures* (1996), about a generation of ethnographic filmmakers in Australia and New Zealand, documents well. In the 1960s and 1970s, as Australians began to reconsider their relationship to the indigenous population and as New Guinea gained independence in 1975, anthropologists and filmmakers saw themselves as progressives working for and sometimes with native peoples to recover their dignity and self-image. These projects raised many of the questions filmmakers and anthropologists confronted in making them.

Australian anthropologist Jerry Leach, filmmaker Gary Kildea, and a Trobriand Island (part of Papua New Guinea) political association jointly worked to make *Trobriand Cricket* (1979). The film follows the game of cricket the islanders adapted from their ex-colonial masters so thoroughly that it has become an elegant expression of their own culture. They used the game to make a transition from deadly warfare to game-based and symbolic warfare; far from victims in need of salvage ethnography they, like Rouch's subjects, are creative cultural innovators. The film spoke to whites by whites and to Trobriand Islanders, about themselves. Filmmakers can also reverse the camera. Australian Dennis O'Rourke worked with Papuans to make the acerbic *Cannibal Tours* (1987), in which the exotic subjects were the tourists who came to visit Papua and who frequently baffled the natives with their bizarre customs.

Made by . . .

Concern with participation and sharing in ethnographic filmmaking, along with the rising demands of indigenous groups and new nations, led to the growth of indigenous production. It changed the field of visual anthropology as well; Faye Ginsburg and others began to argue that the field must concern itself with the anthropology of media. One large question within that topic has been the ability of the traditional subjects of ethnographic work to make their own media. Ginsburg, Eric Michaels, George Stoney, and Lorna Roth have all been as much champions of indigenous expression as analysts of it.

Empowering indigenous creators became a movement in the 1970s, fueled by "Fourth World," "First Nations," or indigenous activism and thereby lowered costs of video. In Canada, the National Film Board's Challenge for Change program, intended to strengthen community integration and ability of Canada's underrepresented communities to represent themselves, worked with native activists. Films such as *You Are on Indian Land* (1969), a record of a protest by Mohawk Indians of a treaty violation, and *Cree Hunters of the Mistassini* (1974), a celebration of the hunter-gatherer culture of the northern Cree menaced by a hydroelectric project, were made and used as part of campaigns to reclaim land and land-use rights. Canadian native peoples learned from these interactions as they negotiated for communications systems for the region that in 1999 became autonomous.

In Latin America, Brazilian Indians learned to use video to record traditional culture through the Video in the Villages project.

12. Through the Video in the Villages project, Amazonian Indians made films like *Cheiro de Pequi* (The Smell of the Pequi Fruit) that put ethnographic filmmaking into the first-person. Directed by Takumã Kuikuro and Maricá Kuikuro, with Vincent Carelli, 2006.

They used it to revive traditional practices, to create a record of their negotiations with white people, and eventually to tell myths and stories of their own lives to others. Some of the work, aimed at outsiders, used a deliberately naïve perspective, such as the video letter format of *From the Ikpeng Children to the World* (2004). In other cases, Indians recounted myths or recorded ceremonies with goals such as preserving knowledge and enhancing awareness of their cultural wealth. In still others, such as *Cheiro de Pequi* (The Smell of the Pequi Fruit, 2006), the Indians (in this case the Kuikuro) connect the mythic past with present ceremony and daily life.

In Australia, aboriginal groups produced work describing their struggles, such as *Two Laws* (1981), produced with help from a community group, about the need to recognize aboriginal laws and customs. Aboriginal artists such as Tracey Moffatt created work that not only documented experience but used experimental and fictional approaches to do so. Aboriginal youth have created, in Us Mob, both an ongoing video project and an online website and community. In Finland, Samí director Paul-Anders Simma, in *Legacy of the Tundra* (1995) showed outsiders the culture of reindeer herding under ecological strain.

People in dominant cultures have often worried about the effect of media production on indigenous cultures. Indigenous filmmakers and activists have typically found this concern either baffling or insulting. Typically, the concern depends on a static conception of traditional culture, rather than seeing culture as the flexible social skin that takes on new shapes with new information, such as that seen in *Trobriand Cricket*. Indigenous activists argue that they are also inevitably bombarded with modern media and communications, and should be permitted access to expression as well as consumption. If, at the same time, indigenous people lack the ability to tell and transmit their own stories (since they have little control over much of the mass media that comes to them), mass media can become what

Faye Ginsburg calls a "Faustian contract," where they sell their cultural souls for access to media. As with all other social inequalities, the power imbalance is rarely solved with a technical fix.

For whom and for what?

Is ethnographic film for scientists, its subjects, or television audiences? Can there be overlaps or common goals? This is still a hotly debated question. So far anthropologists have not found funding or intellectual armature for a scientific method. Teachers regularly use work that was designed for a commercial or quasi-commercial television market. Indigenous people often have had clearly defined and practical reasons for their work: creating a record, warning authorities, exchanging cultural information with other cultural groups, educating whites. They rarely reach mass media and broad audiences in the global North, however.

The challenges that documentaries on cultural issues and practices face in crossing cultural boundaries, both with subjects and users, are the challenges that Jean Rouch addressed with unfailing optimism, and that have always been at the heart of anthropology.

Nature

Animals were among the first subjects for filmmakers—cute pets, dead trophies, and exotic creatures. As documentary grew in commercial importance, so did the animal subjects, who cost less than actors. The nature documentary, also called environmental, conservationist, or wildlife, is now a major subgenre, an established part of the broadcast schedule and a dynamic category. Nature documentaries, which at first glance seem to be straightforward and ideologically neutral, expose our assumptions about our relationships with our environment.

Educational entertainment

Early nature films were driven by two seemingly opposing goals: science, and entertainment. Over time, the two impulses merged into the malleable claim of entertaining education.

In the late nineteenth century, scientific experiments with photography—including a French physiologist's invention to record birds in flight—pushed forward the creation of motion pictures. Scientists seized upon cinema as a way to document objectively their observations, but not only did they inevitably edit and design their films (something not always obvious to other scientists), mitigating the pure observational quality, but they also privileged the visual aspect of scientific observation. More general interest documentaries popularized scientific knowledge. An early British series of short documentaries, which ran from 1922 to 1933, called *Secrets of Nature*, presaged later nature series.

At the same time, entertainers looked to film as the next step beyond slide shows of travelogues and hunting expeditions. One of the first documentaries, *Hunting the White Bear* (1903), triggered a wave of chase films. Some safarigoers brought along their personal filmmakers, simply to create trophy records. British photographer Cherry Kearton's record of Theodore Roosevelt's African safari, titled *Roosevelt in Africa* (1910), also featured trophies, but audiences preferred action. Predictably, filmmakers began faking or staging scenes and slaughtering animals to get their footage. (For a critical look at early travelogue films, watch the 1986 compilation film *From the Pole to the Equator*, which links safari films with other imperial adventures.)

Following the success of *Nanook of the North* and *Chang*, Martin and Osa Johnson developed a highly successful commercial business producing nature film, including commercial tie-ins with adventure clothing. Wealthy backers funded a four-year trip to Africa, which resulted in *Simba* (1928). In it, the Johnsons portrayed themselves living a simple, pre-industrial life on "Lake Paradise." They gave names to the animals shown in the film—including the noble lion—and turned Africans themselves into comical wildlife as well. *Simba* was a huge success in theaters and inspired many other, cheaper films.

The thrill of seeing dangerous animals has never truly gone away. Steve Irwin's *The Crocodile Hunter* television series, an international hit until his death in 2006, depended on his risk taking.

In contrast to the violence-filled safari film was the film showing the exquisite balance of nature. Here, man was the dangerous intruder. The work of Swedish filmmaker Arne Sucksdorff, whose lyrical nature documentaries became worldwide hits, exemplified and distilled this style. His best-known feature documentary, *The Great Adventure* (1953), featured a young boy's lyrical view of nature. Sucksdorff's work inspired other bucolic films; perhaps the best known was Georges Rouquier's *Farrebique* (1946), which chronicled the seasons on a French farm.

Disney's nature

The Walt Disney studio synthesized themes of danger, noble savagery, and reverence in the pioneering True-Life Adventure series, launched with the 1948 Academy Award–winning short film *Seal Island*. The Disney films, which originally could not find a distributor and forced Disney to open its own Buena Vista studios, ended up on broadcast television. These films became enormously popular and profitable worldwide. In fact, the series may have saved Disney studios from failure after its expensive animation films bombed at the box office.

In these films, dramatic narrative was driven by a tooth-and-claw Darwinism. The sight of death, however, was discreetly managed for general audiences, and death was always purposeful. For instance, *Seal Island* ignores the fact that seal bulls sometimes trample pups by accident. The drama of True-Life Adventures—the first was *The Living Desert* (1953)—was driven by techniques of fiction cinema. Broad and breathtaking wide-screen panoramas instill awe; expert pacing ensures suspense; music is portentous or tittering.

Human beings are absent, but animals play human roles strangely like a postwar suburban American nuclear family—protective mothers, concerned fathers, rambunctious children.

True-Life Adventures took place in a time and place comfortably removed from that of the viewer; any trace of human beings was carefully expunged. Photographers were told to choose sites where there was virtually no whiff of civilization. *The Vanishing Prairie*'s (1954) narration promised to take viewers to a place in "a time without record or remembrance, when nature alone held dominion over the prairie realm."

Blue chip and IMAX

True-Life Adventures spurred the creation of long-running international series such as the British *Nature* films (1982). The so-called blue chip documentary became a staple of international documentary production for broadcast. Such documentaries feature large animals, an absence of humans or human influence, and a dramatic narrative driven by reproduction and predation (sex and violence). *Blue Planet*, the BBC/Discovery Channel series produced in 2001, provides an excellent example. This breathtaking series, full of technological wizardry and natural wonder, explores the oceans of the world without much of a hint that human action is changing conditions for the extraordinary animals it features.

Large-format IMAX films depend on blue-chip assumptions in order to draw museum and event audiences to their large-screen spectacle. Insects (*Bugs! in 3-D*, 2003), large animals (*Dolphins!*, 2000), and a host of shark films all immerse viewers in stories of natural marvels with little human interference. The rising popularity of documentaries in theaters in the early twenty-first century was also buoyed by blue-chip nature drama. The French Jacques Perrin's *Winged Migration* (2001) offers viewers astonishing close-ups of birds taking off, in flight, and landing to conduct their seasonal migrations. Far from capturing nature, however, the production team actually raised the birds themselves so that the animals would not be afraid of the cumbersome machinery. Luc Jacquet's highly popular international hit *March of the Penguins* (2005), also French, chronicles the seasonal struggle of penguins to reproduce under the conditions of the Antarctic. The film's love story theme strategically ignores basic penguin realities such as the fact that they mate for only one season and skirts discussion of the global warming threatening the birds' existence.

Environmental

At the same time True-Life Adventures was launched, the environmental movement was born in conservation and preservation efforts. The 1950s television series *The Living Earth*, backed by the Conservation Society, deeply penetrated the K-12 educational market. These documentaries stressed the role of human actions on the balance of nature. As environmental consciousness grew, these themes have become more and more common. Nonetheless, substantial artifice goes into even conservationist programming. Most such programs use realism to depict the relationships they show, employing strategic staging, elision editing, and scripting to tell their stories: One animal may actually be made up of shots of several animals; animals' behavior may be provoked, to get exciting footage; most shark films depend on teasing sharks for their action footage. Many nature films minimize or erase the role of the filmmakers; others turn the filmmakers into daring neosafari leaders, as the BBC's *Big Cat* series does.

Some independent filmmakers, however, have challenged viewers to consider their relationship to animals and the natural environment. Australian expatriate Mark Lewis has made a career of raised-eyebrow—and very funny—films about people and animals. *Cane Toads* (1988) looks at the consequences of introducing the cane toad into Australia with savage black humor. This venomous toad had no effect on the beetle it was imported to kill, but it has become a major pest. Lewis's *Rat* (1998) and *Natural History of the Chicken* (2000) chronicle quirky, disgusting, and unusual relationships people have with their all-too-domestic animals. Werner Herzog's *Grizzly Man* (2005) looks at the grim end of Timothy Treadwell, a deranged documentarian who lived in bear country, mistook bears for his friends, and was eaten by one of them. Herzog contrasts Treadwell's misguided sentimentalism with his own nihilism and belief in the inherent cruelty of nature; he matches Treadwell's narcissism with his own and manages to make the bears look more dignified than any of the people in the film.

One of the most successful theatrical documentaries of all time could be considered a nature film: Davis Guggenheim's *An Inconvenient Truth* (2006). Featuring former vice president Al Gore performing a vividly illustrated lecture on global warming, the film puts people in the center of a story about natural calamity. Using dramatic pictures of melting ice, simulations of rising water flooding Manhattan, animation of a drowning polar bear, and astonishing graphs and charts, Gore demonstrates the urgency of the problem. Interwoven are personal reminiscences—his father's farm, the local river, his son's nearly fatal accident, his sister's death. He exposes his failure to convince politicians to act on global warming, saying that they need to hear from their constituents. The combination of scientific data, natural beauty, the jaw-dropping pictures of catastrophe, and personal transformation ready the viewers for the good news at the end: *human action can save our planet.*

These films strikingly contrast with the safari and Disney traditions in nature films because they focus on human action and interaction—not only with animals but with the ecosystems in which we all live. They also help us see what is not in many nature

13. ***An Inconvenient Truth*****, in which Al Gore made global warming a public concern, created new expectations for environmental filmmaking. Directed by Davis Guggenheim, 2006.**

programs and films, and they give us models for new approaches to the stories of our environment.

Significance and ethics

Much critique has focused on the popular films and TV series featuring large animals (BBC's *Big Cat Week* and Discovery Channel's *Shark Week*, for example), asking questions about the animals' treatment, the accuracy of the depiction, and the claims of the narrative. Derek Bousé believes most wildlife films are so highly crafted that they effectively become fictions. Gregg Mitman, on the other hand, believes that nature documentaries' challenges in representing reality are no more complex than they are in other forms of documentary film.

Critics have also questioned whether most popular nature documentaries have positive educational value. Certainly viewers may easily miss a conservationist message. Steve Irwin was a vocal conservationist, but after he was stung to death by a stingray, fans killed and mutilated sting rays up and down the Australian coastline. Bill McKibben charges that when programs show close-ups of endangered species, they communicate the opposite message—there are plenty of cheetahs, look at them! They also create expectations that animals in their own natural setting are in constant dramatic motion. Veteran "blue-chip" documentary producer David Attenborough once said that a program "about a jungle where nothing happens is not really what you turned the television set on to see." Such programs only take a tiny sliver of the animal life—the big mammals, mostly—on the planet seriously. "The upshot of a nature education by television is a deep fondness for certain species and a deep lack of understanding of systems, or of the policies that destroy those systems," McKibben argues.

The global warming crisis may stimulate a trend in nature documentaries to focus not only on animals but on the systems that sustain life and on human beings' role in affecting the system. The field has already evolved considerably. Certainly the casual cruelty and fakery of early nature documentaries would be anathema today.

As nature documentaries fill entire new channels and categories in television's sprawling landscape, they will continue to chronicle, whether deliberately or not, our relationship with our environment. The health of the subgenre is now intimately linked with the health of the global ecosystem.

Chapter 3
Conclusion

The documentary form has evolved with technological possibilities. The advent of sound, color, and 16mm all transformed the way that filmmakers could capture reality and tell stories. The advent of video dramatically changed who could capture reality and expanded the range of people telling stories. IMAX and high-definition technologies brought new spectacle to our screens. Digitization and the Internet once again modify and transfigure possibilities and opportunities. They have made possible mail-order video rental, digital video recorders, broadband television and cell phone movies.

None of these changes made long-form documentary obsolete. Rather, they invested that genre with even more value. Films such as Jehane Noujaim's *Control Room* (three months with Al Jazeera news channel during the beginning of the Iraq war) and Morgan Spurlock's *Super Size Me* (about obesity and fast food) won increased legitimacy from their festival and theatrical achievements in 2004. The market value for high-end spectacle increased, as the growth of IMAX production demonstrated.

These changes have made it possible, however, to imagine documentary on a far wider continuum. Human rights video segments and mini-docs, for example, can be used to spur a Web viewer's commitment, as the organizations WITNESS and OneWorld TV demonstrate. Nongovernmental organizations everywhere can create video for their members, donors, and constituencies, either on their own or with documentary production firms. Young people can produce video of any length, for any purpose, on their own, or with professionals.

Long-form, amateur, and Internet video can all be combined in the same project. The 2004 Video Letters project in the Balkans, executed by the Dutch team Eric van den Broek and Katarina Rejger, facilitated exchanges of video letters among people whose ties had been broken by war. The makers created half-hour television episodes chronicling the interaction and traveled throughout the Balkans with an Internet-equipped van, allowing people to connect with long-lost friends and acquaintances.

Many political movements and organizations have employed documentaries in their causes. Indians in Mexico who joined the Zapatista movement—which announced itself as the Zapatista Army of Liberation (EZLN) to the world in 1993 via the Internet—partnered with international activists to produce videos about their lives and struggle. The videos have been seen in community and religious organizations as well as on the Internet. Young people attracted to the antiglobalization movement have made films witnessing their demonstrations and proclaiming revolutionary intentions, including Big Mouth Media's *Fourth World War* (2004).

New technologies do not, of course, solve old problems of truthfulness. The notorious documentary *Loose Change*, a recitation of discredited conspiracy theories about the September 11, 2001, terrorist attacks, is still viewed regularly on the Internet. LonelyGirl15's video blog entries on YouTube, featuring a cloistered religious teen's first daring steps toward rebellion, attracted a huge fan base before a group of artists admitted it was all fiction.

New technologies vastly increase the volume of production under the rubric of documentary. This volume may create new subgenres or may eventually force rethinking. When political operatives, fourth graders, and product marketers all make downloadable documentaries, will we redraw parameters around what we mean by "documentary"?

As we have seen, the genre of documentary is defined by the tension between the claim to truthfulness and the need to select and represent the reality one wants to share. Documentaries are a set of choices—about subject matter, about the forms of expression, about the point of view, about the story line, about the target audience.

While it may seem obvious, these definitions have also been obscured in much debate about documentary. Documentary's founders—Flaherty, Grierson, and Vertov—did not so much articulate the tension driving documentary as exhibit it. Each one of them promised access to reality through art, without explaining at what point artistic license broke the implicit contract with the viewer. New technologies, such as 16mm, have regularly been trumpeted as ways out of the quandary, but they only created more ways to explore it. Applying high journalistic standards can work toward accuracy, but those standards do not resolve the problem that a documentary always represents rather than just showing reality.

Documentarians will continue to wrestle productively with questions such as: How does a filmmaker responsibly represent reality? What truths will be told? Why are they important, and to whom? What is the filmmaker's responsibility to and relationship with the subjects of the work? Who gets the opportunity to make documentaries, how are they seen, and under what constraints?

Filmmakers will work with the tools at hand. These include the formal conventions that register good faith, accuracy, and unique presence to a viewer, conventions that can be anything from a sonorous narrator to a shaky camera. They include expectations that viewers bring with them from established subgenres and include the participation of authorities and celebrities, and the imprimatur of organizations that viewers trust.

Makers will also benefit from studying the struggles of past documentarians to work in good faith, whether it is the political passion of a Joris Ivens or a Barbara Kopple, the cross-cultural pursuits of a Jean Rouch, the empathic explorations of an Allan King, the historical mission of a Henry Hampton.

The problem of how to represent reality will continue to be worth wrestling with, because the documentary says, "This really happened, and it was important enough to show you. Watch it." The importance of documentary may be in public affairs or celebrity-driven entertainment. It may be important for fourteen-year-old skateboarders or residents of one apartment building; it may be important until the end of the month or the end of the semester or the end of time. Documentary makes connections, grounded in real life experience that is undeniable because you can see and hear it.

A note on history and scholarship

This book is informed by a substantial body of scholarship, much of it but by no means all created by academics. This note sketches the evolution of documentary scholarship, in the hopes that those captivated by the challenges of documentary may also contribute to its understanding.

Most filmmakers are too busy making their work to describe it, much less archive it and locate it in a context. Journalists rarely have the luxury of historical research and comparative knowledge of the field (with striking exceptions such as J. Hoberman, Ruby Rich, Jonathan Rosenbaum, and Stuart Klawans); academic work is, therefore, a key resource for documentary. Scholarship identifies important creators and trends, keeps a record of what has gone before, and also sets the agenda for what we think are the main issues or problems in documentary. It is an ongoing and fluid process.

Makers were the first recorders of documentary history, though, and they were predictably biased. For decades, the most prolific and the most widely circulated writers were Griersonians. Leading writer, teacher, and filmmaker Paul Rotha argued that documentary was "instruction for the awakening of civic consciousness among the public," and Rotha's writing was part of the missionary work he did to raise that consciousness. His *Documentary Film: The Use of the Film Medium to Interpret Creatively and in Social Terms the Life of the People as it Exists in Reality* was translated into several languages and widely used in courses. He recounted history—focused only on Europe—as background to his teaching of film production. Learn, he counseled, from the close observation of the romantic Flaherty; from the aesthetic experiments of continental Europeans such as Cavalcanti, Ruttman, and Ivens; from the reportorial passion of Vertov and the propagandistic techniques of Eisenstein and of Grierson, in order to make your socially influential work.

Historical narrative

The definitive narrative of documentary history was established in 1971 by Erik Barnouw. The Dutch-born American scholar, filmmaker, and curator undertook the task of writing a truly international history of documentary, titled, simply, *Documentary*. His task, undertaken while teaching at Columbia University, took him to more than a score of nations worldwide, including Japan, India, Egypt, the Soviet Union, and countries in

Eastern Europe as well as Western European film-producing countries. With a broad humanist vision and healthy curiosity, he asked himself what conditions create the possibilities for certain kinds of work (i.e., propaganda, or avant-garde art film), and he focused on leading and influential figures.

In Barnouw's resulting unpretentious and authoritative social history, Flaherty, Grierson, and Vertov were no longer warring factions to be judged but historical innovators differently setting history in motion. He used charismatic creators as guides through the history, exemplifying eras and approaches. The book begins with early experiments in nonfiction at the origins of cinema. Barnouw's founding fathers (the founding was male-dominated, although women provided critically important support in production, editing, and marketing) include Flaherty, the Explorer; Dziga Vertov, the Reporter; young Joris Ivens, the Painter; and Grierson, the Advocate.

The narrative tracks the growth of the powerful advocacy impulse in the early work of German fascist documentarian Leni Riefenstahl, the New Deal work of Pare Lorentz in the United States, leftist filmmaking in 1930s Japan, and the work of the British documentary movement, which culminated in the wartime propaganda of World War II. The book describes use of documentary film in the postwar period as poetry, as history, ethnography, and advocacy. It charts the rise of the sponsored documentary and the TV documentary. An international movement of dissent also develops new expressive techniques. The observational fly-on-the-wall approach exemplified by artists such as Richard Leacock, Albert and David Maysles, Fred Wiseman, and Allan King is compared with the more provocative cinema verité approach practiced by artists worldwide. The narrative ends with a range of dissident film movements: underground films in the new Soviet empire, protest films against the American war in Vietnam, and films protesting industrial growth in Japan, among others.

Unsentimentally and with a wealth of specifics, Barnouw portrayed documentary makers overall as voices of freedom, conviction, and engagement with the world. He showed them exploring the medium to tell stories neglected by the ever-more-powerful mainstream media, which he had earlier analyzed in a three-volume history of television. *Documentary* was immediately used in film studies classes, which were growing rapidly in popularity. In the same time period, others also produced popular texts developed out of classroom use and production mentoring. Lewis Jacobs created a valuable anthology of writings on documentary, for example. He organized it more or less chronologically, with such themes as innovation (the founder era), conservatism (the postwar moment), and engagement (cinema verité). Richard Barsam developed a framework that looked at documentary as an art within a longer aesthetic tradition of realism, and which also took a broad range of expression into consideration, in *Nonfiction Film: A Critical History*. Jack Ellis, who had worked with Grierson, published *The Documentary Idea*, which focused on English-language social documentary and unabashedly showed his fondness for Grierson; he later updated it with Betsy McLane. However, the broad geographical and aesthetic range and limpid clarity of Barnouw was unmatched by any other synthetic historian.

Analytical scholarship

Scholarship about documentaries developed as cinema studies, growing out of literature departments, and some students became professors in the discipline. The origins of the field skewed scholarly research toward the analytical focus on texts typical of literary scholars—with the text in this case being the film. As the academic field of cultural studies—the study of the formation of culture, with particular attention to conditions of production and reception—grew, so did studies of how film movements developed and how films were received and used.

Academics have extensively explored the complexities behind documentary's seemingly simple claim to truthfulness about the real world. Their close readings of films have parsed exactly how filmmakers achieve the illusion of transparent revelation of truth; they have often brought a rich body of biographical and historical knowledge to their close readings as well. In addition, they have challenged and reexamined the reputation and role of foundational figures, particularly those of Grierson and Flaherty.

In this genre, academics have developed their own categories within which to understand and critique the work of documentarians. Categorization lays the groundwork for them to interpret and analyze the work; such categories have value only as they help explain how documentaries work, and as they continue to be invented. Scholarly categories differ sharply from the categories used in the business marketplace, where subject areas (history, wildlife, science, children's) dominate. They focus on the *techniques* filmmakers use to represent reality and thus put the problem of representation in such a way that convinces viewers it is not representation at all, but reality. Bill Nichols, for example, described four ways of addressing the viewer in documentary, each with different implications for claims to truthfulness: expository (i.e., a voice-of-god narrator); observational (such as the Maysles brothers' work); interactive (oral histories and interviews and the like); and reflexive (work that comments on its own form, such as that of Vertov or the film *The Ax Fight*). Nichols and others critiqued and added to these categories; Keith Beattie added reconstructive (docudrama) and observation-entertainment (reality TV) to the list. Michael Renov described four functional modes of documentaries: recording, persuading, analyzing, and expressing.

Many academics and scholars have dedicated themselves to chronicling and analyzing advocacy and activist documentaries. This reflects in part the historic role of documentarians, so well identified by Barnouw, as voices of dissent and criticism. It also shows a liberal tilt in the academic community as well as in the living center of documentary production in the 1970s and early 1980s when the first wave of documentary studies scholars were completing their first work. This focus on activism has been particularly well represented in the Visible Evidence book series. For instance, work has been done on AIDS activist documentaries from the 1980s on in the United States; feminist, gay and lesbian documentaries, African American documentaries, and "guerrilla" or alternative and oppositional documentaries.

There are many ways of asking why and how documentaries differ from fiction film, given that they share so many techniques. William Guynn, drawing on theory developed for fiction films, has argued that documentary film is less satisfying than fiction, because it fails to give the viewer the same unrecognized return of the repressed—the promise of fantastic unity and integration. Postmodernist analysts challenge documentary's use of psychological realism (much the same as in fiction film) to represent reality. Realism, in their analysis, works merely to obscure the ideology of bourgeois culture. Nichols argues that documentaries that play with the viewer's expectation for transparency and truth reflect more creatively the multiple perspectives of postmodern life. Meanwhile, Brian Winston states that in an age of endless digital manipulation and aggressive viewer intervention, documentarians cannot claim either scientific accuracy or paternalistic right to lecture but must acknowledge that they are merely a speaker among speakers. Cognitive theorists such as Noël Carroll respond that human beings reasonably accurately interpret the data from the world around them, including that from the screens they watch. The illusion of reality, they argue, is not necessarily disempowering.

Emerging areas

Documentary scholarship is still developing, and there are fruitful potential areas of growth. English-speaking scholars, for example, have typically drawn little on international scholarship on documentary, although the reverse is not necessarily true. The

Yamagata film festival in Japan has vigorously fostered international exchange of scholarship with its online *Documentary Box*. There have been some impressive exceptions to English-language parochialism as well, such as the work of Julianne Burton and Michael Chanan on Latin American documentary and Markus Nornes on Japanese documentary.

Most cinema studies scholars know little of the business of documentary distribution and are little interested in the most popular kinds of documentary. They have focused primarily on independent production and films for general audiences, and on dissident and art-house works. They typically leave speculation about the effects of formulaic and sponsored documentary—where authorship is often much harder to track—to sociologists and other social scientists who study media effects and who often have no particular knowledge of documentary form and tradition.

And yet documentaries made for clients ("sponsored" documentaries) and those formulaic documentaries shown on television are important and growing facets of documentary production, both of which are usually viewers' first experiences of documentary. Sponsored and formulaic TV films also often subsidize independent work, since this part of the business provides steady work for documentarians. Indeed, in some developing countries, sponsored work keeps the entire film sector alive in between big projects. Looking at the intersections between sponsored and independent work could provide a better understanding of how documentary evolves.

Because so little research has been done on sponsored documentaries, we know little about an area that surely accounts for the majority of film productions. Organizations now use documentaries for conventions, board meetings, presentations, sales campaigns, and in strategic campaigns aimed at schoolchildren, AIDS patients, or employees learning to avoid sexual harassment and the like. Sponsored filmmaking, both corporate and government, has also generated rich archival resources for filmmakers.

Formulaic documentaries made as lowbrow entertainment have not caught many researchers' attention, but they may as the popularity of the genre grows. Cinema studies scholars eventually began studying genres such as the noir film and "the genius of the system," as Thomas Schatz called it, of movie studios; the example would be well applied to the work of documentary-factories such as Discovery Communications.

As entertainment documentaries grow in importance, we can expect to see scholars exploring these subgenres, their structures, strategies of representation, and appeal. Performance documentaries in music and comedy, "making of" documentaries, extreme sports documentaries, television series such as how-tos, makeovers, cooking and other series, and docusoaps all build not only upon earlier by innovative documentarians but also condition the marketplace and viewers' expectations. Early work, some of which is listed in Further Reading, has been done on rockumentaries, such as D A Pennebaker's cinema verité classic *Dont Look Back* (1967) about a Bob Dylan tour, Martin Scorsese's *The Last Waltz* (1978) on The Band, and Jonathan Demme's 1984 *Stop Making Sense,* featuring the Talking Heads. Attention to more popular work will also engage scholars more fully with the economic realities of an art form bound tightly to commercial mass media; and we will learn more, through these means, about how economic conditions shape expression.

Other changes in documentary expression may well provoke academic activity. Burgeoning production in advocacy documentary and growing popularity of documentaries on timely topics may stimulate academic work on standards and ethics in the field. The growth in participatory media may stimulate more interdisciplinary work, as sociologists, anthropologists, communications scholars, political scientists, information scientists, and film scholars each seek to understand the phenomenon. Scholarship will continue to change our understanding of documentary, and it will reflect a creative engagement between the interests of academics and the practices of documentarians.

One Hundred Great Documentaries

These documentaries have been widely seen and discussed, and have been in many cases at the center of controversies; in other cases they have provided valuable teaching resources. They are all accessible for renting or buying for your private collection. You can use the index to this book and other books mentioned in the references, imdb.com, your local library, Netflix, Google, and the Library of Congress to find out more about why these films have attracted attention and esteem. Viewing this collection will set you up nicely with a context to watch your latest favorite, argue with this list, and build your own top one hundred.

Nanook of the North, 1922
Grass, 1925
Berlin: Symphony of a Great City, 1927
The Fall of the Romanov Dynasty, 1927
Man with a Movie Camera, 1929
Rain, 1929
Land without Bread (Las Hurdes), 1932
Man of Aran, 1934
Song of Ceylon, 1934
Triumph of the Will, 1935
Night Mail, 1936
The Plow that Broke the Plains, 1936
Spanish Earth, 1937
Power and the Land, 1939–40
Listen to Britain, 1942
Why We Fight, 1942
Battle of San Pietro, 1945
Farrebique, 1946
Maîtres Fou, Les (Crazy Masters), 1955
Night and Fog, 1955

Tire Dié, 1960
Primary, 1960
Chronicle of a Summer, 1961
Mothlight, 1963
Battle of Culloden, 1964
Tokyo Olympiad, 1965
Dont Look Back, 1967
Titicut Follies, 1967
Warrendale, 1967
Hour of the Furnaces, 1968
Salesman, 1968
High School, 1969
Sorrow and the Pity, 1969
Selling of the Pentagon, 1971
World at War, 1973
Hearts and Minds, 1974
Ax Fight, 1975
Battle of Chile, 1975–79
The Wedding Camels, 1976
Harlan County, USA, 1976
How the Myth Was Made, 1978
The Last Waltz, 1978
With Babies and Banners, 1978
Trobriand Cricket, 1979
The Life and Times of Rosie the Riveter, 1980
N!ai: The Story of a !Kung Woman, 1980
Garden of Earthly Delights, 1981
Atomic Café, 1982
Burden of Dreams, 1982
Sans Soleil (Sunless), 1982
First Contact, 1983
When the Mountains Tremble, 1983
Cabra Marcado para Morrer (Twenty Years Later, a.k.a. A Man Listed to Die), 1984
Shoah, 1985
From the Pole to the Equator, 1986
Handsworth Songs, 1986
Sherman's March, 1986
Eyes on the Prize, 1987–90
Cane Toads, 1988
The Emperor's Naked Army Marches On, 1988
The Thin Blue Line, 1988
Roger and Me, 1989
Tongues Untied, 1989
Body Beautiful, 1990
The Civil War, 1990
Paris Is Burning, 1990
Allah, Tantou, 1991
Afrique, Je Te Plumerai, 1992
Lumumba: Death of a Prophet, 1992
The War Room, 1993
The Wonderful, Horrible Life of Leni Riefenstahl, 1993
Hoop Dreams, 1994
Celluloid Closet, 1995
Taking Pictures, 1996
4 Little Girls, 1997
Chile, Obstinate Memory, 1997
42 Up, 1998
What Farocki Taught, 1998
Cinéma vérité, 1999
Gleaners and I, 2000
Stranger with a Camera, 2000
Dogtown and Z-Boys, 2001

Fighter, 2001
Winged Migration, 2001
Amandla!, 2002
Bus 174, 2002
The Day I Will Never Forget, 2002
Rivers and Tides, 2002
Checkpoint, 2003
Fog of War, 2003
Control Room, 2004
Fahrenheit 9/11, 2004
From the Ikpeng Children to the World, 2004
The New Americans, 2004
Super Size Me, 2004
Tintin and I, 2004
Video Letters, 2004
A Decent Factory, 2005
Three Rooms of Melancholia, 2005
An Inconvenient Truth, 2006

Further Reading and Viewing

I have included here the most important texts I consulted in writing the book (in the case of prolific authors not all their books are referenced). Grant and Sloniowski, Warren and Izod, et al. are all essay collections featuring authors I have referred to in the text. The place where I and almost everybody else started was, of course, Erik Barnouw.

Films

McLaren, Les, and Annie Stiven. *Taking Pictures*. First Run Icarus, 1996.

Műller, Ray. *The Wonderful Horrible Life of Leni Riefenstahl*. Kino on Video, 1998.

Stoney, George. *How the Myth Was Made*. Available on the Home Vision DVD of *Man of Aran*, 1978.

Wintonick, Peter. *Cinema vérité: Defining the Moment*. National Film Board of Canada, 1999.

Print

Aitken, Ian. *Film and Reform: John Grierson and the Documentary Film Movement*. London: Routledge, 1990.

——. *The Documentary Film Movement: An Anthology*. Edinburgh: Edinburgh University Press, 1998.

Alexander, William. *Film on the Left: American Documentary Film from 1931 to 1942*. Princeton, NJ: Princeton University Press, 1981.

Anderson, Joseph L., and Donald Richie. *The Japanese Film: Art and Industry*. Princeton, NJ: Princeton University Press, 1982.

Aufderheide, Patricia. *The Daily Planet: A Critic on the Capitalist Culture Beat.* Minneapolis: University of Minnesota Press, 2000.

Aufderheide, Patricia, and Peter Jaszi, *Untold Stories: Creative Consequences of the Rights Clearance Culture for Documentary Filmmakers.* Washington, DC: Center for Social Media, American University, 2004.

Barnouw, Erik. *Tube of Plenty: The Evolution of American Television.* New York: Oxford University Press, 1982.

——. *Documentary: A History of the Non-fiction Film.* New York: Oxford University Press, 1993.

——. *Media Marathon: A Twentieth-Century Memoir.* Durham, NC: Duke University Press, 1996.

Barsam, Richard. *Nonfiction Film: A Critical History.* New York: Dutton, 1973.

Beattie, Keith. *Documentary Screens: Non-fiction Film and Television.* New York: Palgrave Macmillan, 2004.

Benson, Thomas W., and Carolyn Anderson. *Reality Fictions: The Films of Frederick Wiseman.* Carbondale, IL: Southern Illinois University Press, 1989.

Bernard, Sheila Curran. *Documentary Storytelling for Film and Videomakers.* Boston: Focal Press, 2004.

Bluem, A. William. *Documentary in American Television: Form, Function [and] Method.* Hastings House, 1965.

Bousé, Derek. *Wildlife Films.* Philadelphia: University of Pennsylvania Press, 2000.

Boyle, Deirdre. *Subject to Change: Guerrilla Television Revisited.* New York: Oxford University Press, 1997.

Burton, Julianne. *The Social Documentary in Latin America.* Pittsburgh, PA: University of Pittsburgh Press, 1990.

Campbell, Richard. *60 Minutes and the News: A Mythology for Middle America.* Urbana: University of Illinois Press, 1991.

Campbell, Russell. *Cinema Strikes Back: Radical Filmmaking in the United States, 1930–1942.* Ann Arbor, MI: UMI Research Press, 1982.

Carey, James W. *Communication as Culture: Essays on Media and Society.* London: Unwin Hyman, 1989.

Carroll, Noël. *Engaging the Moving Image.* New Haven, CT: Yale University Press, 2003.

Chanan, Michael. *Cuban Cinema.* Minneapolis: University of Minnesota Press, 2003.

Culbert, David, Richard E. Wood, et al. *Film and Propaganda in America: A Documentary History*. Westport, CT: Greenwood Press, 1990.

Cunningham, Megan. *The Art of the Documentary*. Berkeley: New Riders, 2005.

Delmar, Rosalind. *Joris Ivens: 50 years of Film-making*. London: Educational Advisory Service, British Film Institute, 1979.

Dewey, John. *The Public and Its Problems*. New York: H. Holt and Company, 1927.

Doherty, Thomas. *Cold War, Cool Medium: Television, McCarthyism, and American Culture*. New York: Columbia University Press, 2003.

Eaton, Mick. *Anthropology, Reality, Cinema: The Films of Jean Rouch*. London: British Film Institute, 1979.

Edgerton, Gary R. *Ken Burns's America*. New York: Palgrave, 2001.

Ellis, Jack C. *John Grierson: Life, Contributions, Influence*. Carbondale, IL: Southern Illinois University Press, 2000.

Elsaesser, Thomas. *Harun Farocki: Working on the Sight-lines*. Amsterdam: Amsterdam University Press, 2004.

Evans, Gary. *John Grierson and the National Film Board: The Politics of Wartime Propaganda*. Toronto: University of Toronto Press, 1984.

Feldman, Seth. *Allan King: Filmmaker*. Toronto: Toronto International Film Festival, 2002.

Ginsburg, Faye D., Lila Abu-Lughod, et al. *Media Worlds: Anthropology on New Terrain*. Berkeley: University of California Press, 2002.

Grant, Barry, and Jeannette Sloniowski. *Documenting the Documentary: Close Readings of Documentary Film and Video*. Detroit: Wayne State University Press, 1998.

Guynn, William. *A Cinema of Nonfiction*. Madison, NJ: Fairleigh Dickinson University Press, 1990.

Hall, Jeanne. "Realism as a style in cinema vérité: a critical analysis of *Primary*." *Cinema Journal* 30, no. 4 (1991): 38–45.

Halleck, DeeDee. *Hand-held Visions: The Impossible Possibilities of Community Media*. New York: Fordham University Press, 2002.

Henaut, Dorothy. "Video Stories from the Dawn of Time." *Visual Anthropology Review* 7, no. 2 (1991): 85–101.

Hirsch, Marianne. *Family Frames: Photography, Narrative, and Postmemory*. Cambridge, MA: Harvard University Press, 1997.

Holmlund, Chris, and Cynthia Fuchs. *Between the Sheets, in the Streets: Queer, Lesbian, and Gay Documentary*. Minneapolis: University of Minnesota Press, 1997.

Izod, John, R. W. Kilborn, et al. *From Grierson to the Docu-soap: Breaking the Boundaries*. Hadleigh, Essex, UK: University of Luton Press, 2000.

Jacobs, Lewis. *The Documentary Tradition, from Nanook to Woodstock*. New York: Hopkinson and Blake, 1971.

Juhasz, Alexandra. *Women of Vision: Histories in Feminist Film and Video*. Minneapolis: University of Minnesota Press, 2001.

Juhasz, Alexandra, and Catherine Saalfield. *AIDS TV: Identity, Community, and Alternative Video*. Durham, NC: Duke University Press, 1995.

King, John. *Magical Reels: A History of Cinema in Latin America*. London: Verso, in association with the Latin American Bureau, 1990.

Klotman, Phyllis, and Janet Cutler. *Struggles for Representation: African American Documentary Film and Video*. Bloomington: Indiana University Press, 1999.

Leyda, Jay. *Films Beget Films*. New York: Hill and Wang, 1964.

——— . *Kino: A History of the Russian and Soviet Film*. Princeton, NJ: Princeton University Press, 1983.

MacDonald, Scott. *The Garden in the Machine: A Field Guide to Independent Films about Place*. Berkeley: University of California Press, 2002.

——— . *A Critical Cinema 4: Interviews with Independent Filmmakers*. Berkeley: University of California Press, 2005.

MacDougall, David, and Lucien Taylor. *Transcultural Cinema*. Princeton, NJ: Princeton University Press, 1998.

Mamber, Stephen. *Cinema Verité in America: Studies in Uncontrolled Documentary*. Cambridge, MA: MIT Press, 1974.

Marx, Leo. *The Machine in the Garden: Technology and the Pastoral Ideal in America*. New York: Oxford University Press, 2000.

Matthieson, Donald. "Persuasive History: A Critical Comparison of Television's Victory at Sea and The World at War." *History Teacher* 25, no. 2 (1992): 239–51.

McEnteer, James. *Shooting the Truth: The Rise of American Political Documentaries*. Westport, CT: Praeger Publishers, 2006.

McKibben, Bill. *The Age of Missing Information*. New York: Random House, 1992.

Michaels, Eric. *Bad Aboriginal Art: Tradition, Media, and Technological Horizons*. Minneapolis: University of Minnesota Press, 1994.

Mitman, Gregg. *Reel Nature: America's Romance with Wildlife on Films*. Cambridge, MA: Harvard University Press, 1999.

Moran, James M. *There's No Place like Home Video*. Minneapolis: University of Minnesota Press, 2002.

Nelson, Joyce. *The Colonized Eye: Rethinking the Grierson Legend*. Toronto: Between the Lines, 1988.

Nichols, Bill. *Representing Reality: Issues and Concepts in Documentary*. Bloomington: Indiana University Press, 1991.

——. *Blurred Boundaries: Questions of Meaning in Contemporary Culture*. Bloomington: Indiana University Press, 1994.

Nornes, Markus. *Japanese Documentary Film: The Meiji Era through Hiroshima*. Minneapolis: University of Minnesota Press, 2003.

O'Connell, P.J. *Robert Drew and the Development of Cinema Verité in America*. Carbondale, IL: Southern Illinois University Press, 1992.

Orbanz, Eve. *Journey to a Legend and Back*. Berlin: Verlag Volker Spiess, 1977.

Rabiger, Michael. *Directing the Documentary*. Boston: Focal Press, 2004.

Raphael, Chad. *Investigated Reporting: Muckrakers, Regulators, and the Struggle over Television Documentary*. Carbondale, IL: University of Illinois Press, 2005.

Rees, A. L. *A History of Experimental Film and Video: From Canonical Avant-Garde to Contemporary British Practice*. London: BFI Publishing, 1999.

Reeves, Nicholas. *The Power of Film Propaganda: Myth or Reality?* London: Cassell, 1999.

Renov, Michael. *Theorizing Documentary*. London: Routledge, 1993.

——. *The Subject of Documentary*. Minneapolis: University of Minnesota Press, 2004.

Rich, B. Ruby. *Chick Flicks: Theories and Memories of the Feminist Film Movement*. Durham, NC: Duke University Press, 1998.

Roscoe, Jane, and Craig Hight. *Faking It: Mock-documentary and the Subversion of Factuality*. Manchester, UK: Manchester University Press, 2001.

Rosenthal, Alan. *New Challenges for Documentary*. Berkeley: University of California Press, 1988.

Rosteck, Thomas. *"See It Now" Confronts McCarthyism: Television Documentary and the Politics of Representation.* Tuscaloosa: University of Alabama Press, 1994.

Roth, Lorna. *Something New in the Air: The Story of First Peoples Television Broadcasting in Canada.* Montreal: McGill-Queen's University Press, 2005.

Rotha, Paul. *Documentary Film: The Use of the Film Medium to Interpret Creatively and in Social Terms the Life of the People as It Exists in Reality.* New York: Hastings House, 1963.

Rotha, Paul, and Jay Ruby. *Robert J. Flaherty, a Biography.* Philadelphia: University of Pennsylvania Press, 1983.

Rothman, William. *Documentary Film Classics.* New York: Cambridge University Press, 1997.

Rouch, Jean, and Steven Feld. *Ciné-ethnography.* Minneapolis: University of Minnesota Press, 2003.

Ruby, Jay. *Picturing Culture: Explorations of Film & Anthropology.* Chicago: University of Chicago Press, 2000.

Sato, Tadao. *Currents in Japanese Cinema: Essays.* Tokyo: Kodansha International, 1982.

Schoots, Hans. *Joris Ivens: Living Dangerously.* Amsterdam: Amsterdam University Press, 2000.

Stam, Robert. *Film Theory: An Introduction.* Oxford: Blackwell, 2000.

Sussex, Elizabeth. *The Rise and Fall of British Documentary: The Story of the Film Movement Founded by John Grierson.* Berkeley: University of California Press, 1975.

Vaughan, Dai. *For Documentary: Twelve Essays.* Berkeley: University of California Press, 1999.

Vertov, Dziga, and Annette Michelson. *Kino-eye: The Writings of Dziga Vertov.* Berkeley: University of California Press, 1984.

Video nas aldeias (Video in the Villages). *Um olhar indigena.* São Paulo: Banco do Brasil, 2004.

Charles Warren, *Beyond Document: Essays on Nonfiction Film.* Lebanon, NH: University Press of New England for Wesleyan University Press, 1996.

Waugh, Thomas. *"Show Us Life": Toward a History and Aesthetics of the Committed Documentary.* Lanham, MD: Scarecrow Press, 1984.

Wees, William C. *Light Moving in Time: Studies in the Visual Aesthetics of Avant-Garde Film.* Berkeley: University of California Press, 1992.

Welsh, James Michael. *Peter Watkins: A Guide to References and Resources*. Boston: G. K. Hall, 1986.
Winston, Brian. *Claiming the Real: The Griersonian Documentary and Its Legitimations*. London: British Film Institute, 1995.
Worth, Sol, and John Adair. *Through Navajo Eyes: An Exploration in Film Communication and Anthropology*. Albuquerque: University of New Mexico Press, 1997.
Zimmermann, Patricia. *Reel Families: A Social History of Amateur Film*. Bloomington: Indiana University Press, 1995.

“牛津通识读本”已出书目

古典哲学的趣味
人生的意义
文学理论入门
大众经济学
历史之源
设计，无处不在
生活中的心理学
政治的历史与边界
哲学的思与惑
资本主义
美国总统制
海德格尔
我们时代的伦理学
卡夫卡是谁
考古学的过去与未来
天文学简史
社会学的意识
康德
尼采
亚里士多德的世界
西方艺术新论
全球化面面观
简明逻辑学
法哲学：价值与事实
政治哲学与幸福根基
选择理论
后殖民主义与世界格局
福柯
缤纷的语言学
达达和超现实主义
佛学概论
维特根斯坦与哲学
科学哲学
印度哲学祛魅
克尔凯郭尔
科学革命
广告
数学
叔本华
笛卡尔
基督教神学
犹太人与犹太教
现代日本
罗兰·巴特
马基雅维里
全球经济史
进化
性存在
量子理论
牛顿新传
国际移民
哈贝马斯
医学伦理
黑格尔
地球
记忆
法律
中国文学
托克维尔
休谟
分子
法国大革命
丝绸之路
民族主义
科幻作品
罗素
美国政党与选举
美国最高法院
纪录片
大萧条与罗斯福新政
领导力
无神论
罗马共和国
美国国会
民主
英格兰文学
现代主义
网络
自闭症
德里达
浪漫主义

批判理论
电影
俄罗斯文学
古典文学
大数据
洛克
幸福

德国文学
戏剧
腐败
医事法
癌症
植物
法语文学

儿童心理学
时装
现代拉丁美洲文学
卢梭
隐私
电影音乐
抑郁症